RÈGLE PASTORALE

SOURCES CHRÉTIENNES
N° 382

GRÉGOIRE LE GRAND

RÈGLE PASTORALE

TOME II

INTRODUCTION, NOTES ET INDEX
par
Bruno JUDIC
agrégé de l'Université

TEXTE CRITIQUE
par
Floribert ROMMEL, o.s.b.

TRADUCTION
par
Charles MOREL, s.j.

LES ÉDITIONS DU CERF, 29, Bd de Latour-Maubourg, PARIS 7e
1992

La publication de cet ouvrage a été préparée avec le concours de l'Institut des « Sources Chrétiennes » (U.R.A. 993 du Centre National de la Recherche Scientifique)

ISBN : 2-204-04734-1
ISSN : 0750-1978

TEXTE

ET

TRADUCTION

TERTIA PARS

QVALITER RECTOR BENE VIVENS DEBEAT DOCERE ET AMMONERE SVBDITOS.

PROLOGVS

XXIII Quia igitur qualis esse debeat pastor ostendimus, nunc qualiter doceat demonstremus. Vt enim longe ante nos reuerendae memoriae Gregorius Nazanzenus edocuit, non una eademque cunctis exhortatio congruit, quia nec 5 cunctos par morum qualitas astringit. Saepe namque aliis officiunt, quae aliis prosunt. Quia et plerumque herbae, quae haec animalia nutriunt, alia occidunt ; et lenis sibilus equos mitigat, catulos instigat. Et medicamentum quod hunc morbum imminuit, alteri uires iungit ; et panis qui 10 uitam fortium roborat, paruulorum necat. Pro qualitate igitur audientium formari debet sermo doctorum, ut et ad sua singulis congruat, et tamen a communis

Titulus *edd. cum pluribus codd.* μ : *om.* *T E B Corb. alii codd. uet. et Alfred* explicit liber primus *E* explicit liber primus, incipit liber secundus, cap. XX *Long.*

Prologus *est cap.* XXIII *in T, in plur. codd. et apud Alfredum est cap. XX in Long. nulla distinctio librorum uel partium in T attamen Regula Pastoralis in duos libros diuiditur in E Corb. Gemet.*[1.2.3] *et Long.*

TROISIÈME PARTIE

COMMENT LE PASTEUR QUI VIT BIEN DOIT-IL INSTRUIRE ET AVERTIR SES OUAILLES ?

PROLOGUE

Nous avons expliqué ce que doit être un pasteur ; montrons maintenant la manière dont il doit enseigner. Comme l'a exposé avant nous Grégoire de Nazianze, de vénérée mémoire[1], une seule et même exhortation ne convient pas à tous, car tous ne sont pas soumis aux mêmes habitudes de vie. Ce qui est utile aux uns nuit souvent aux autres. Les plantes qui nourrissent tels animaux en font périr tels autres. Un sifflement léger calme les chevaux, excite les jeunes chiens. Le remède qui abat telle fièvre accroît les forces de telle autre. Le pain qui fortifie des vies robustes est mortel pour les tout-petits. Le langage des docteurs doit donc se conformer à la nature de leurs auditeurs, de façon à s'adapter à chacun, pour ses besoins à lui, et cependant ne jamais renoncer

|| 6-22 *et cap. I, l. 2-57* non una — permittunt *est cap. 13(4) libri XXX Moralium in Iob*

1. Cf. Grégoire de Nazianze, *Discours* 2, et t. 1, Introduction, p. 27 s.

aedificationis arte numquam recedat. Quid enim sunt intentae mentes auditorum, nisi ut ita dixerim, quaedam
15 in cithara tensiones stratae chordarum ? Quas tangendi artifex, ut non sibimetipsi dissimile canticum faciat, dissimiliter pulsat. Et idcirco chordae consonam modulationem reddunt, quia uno quidem plectro, sed non uno impulsu feriuntur. Vnde et doctor quisque, ut
20 in una cunctos uirtute caritatis aedificet, ex una doctrina, non una eademque exhortatione tangere corda audientium debet.

22 debet : *in T immediate sequitur* Aliter namque etc. *(I, l. 2)*, sine *ulla distinctione capitum, et om.* quanta — praedicationis *(I, l. 1) quae uerba etiam desunt in Moral.*

---

1. L'image de la cithare dérive de la lecture des Psaumes (par ex. *Ps.* 32). Cf. AUGUSTIN, *Psalm.* 32 ; 42 ; 56 ; 70 ; 150 (sur la distinction entre cithare et *psalterium*) ; *Serm.* 9 (*de decem chordis* = *PL* 38, 75-

à l'art d'édifier une communauté. Des esprits à l'écoute, attentifs, ne sont-ils pas, si je puis dire, les cordes tendues sur la table de la cithare[1] ? Sous peine de rendre le chant dissemblable d'avec lui-même, l'homme qui a l'art de les toucher les frappe de façon dissemblable. Dès lors elles font entendre une mélodie harmonieuse, car pincées sans doute par un seul plectre, elles ne le sont pas d'une seule et même touche. Ainsi, pour faire grandir tous ses auditeurs dans la vertu de charité, un docteur doit-il toucher leur cœur à l'aide d'un seul fonds de doctrine, mais non d'une seule et même façon d'exhorter[2].

91 : Augustin établit un lien entre les dix cordes et les dix commandements) ; mais surtout RUFIN, *Apol.* (cf. t. 1, Introduction, p. 32, n. 2).

2. Parallèle textuel avec *Mor.* 30, 3, 12 (*PL* 76, 530AB = *CCL* 143B, p. 1499).

CAPVT I

Quanta debet esse diuersitas in arte praedicationis

Aliter namque uiri, aliter ammonendae sunt feminae.
Aliter iuuenes, aliter senes.
Aliter inopes, aliter locupletes.
5 Aliter laeti, aliter tristes.
Aliter subditi, aliter praelati.
Aliter serui, aliter domini.
Aliter huius mundi sapientes, aliter hebetes.
Aliter impudentes, aliter uerecundi.
10 Aliter proterui, aliter pusillanimes.
Aliter impatientes, aliter patientes.
Aliter beneuoli, aliter inuidi.
Aliter simplices, aliter impuri.
Aliter incolumes, aliter aegri.
15 Aliter qui flagella metuunt et propterea innocenter uiuunt ; aliter qui sic in iniquitate duruerunt, ut nec per flagella corrigantur.
Aliter nimis taciti, aliter multiloquio uacantes.

I, 2 aliter ammonendi sunt uiri aliter feminae *B* || 10 pusillianimes T^{pc} pusillanimes *B* || 18 uacantes : aliter timidi aliter audaces *add. Moral.*

---

1. Le mot *ammonere* revient souvent dans cette troisième partie (cf. t. 1, Introduction, p. 66). Nous le traduisons par « avertir quelqu'un de son devoir » ou, plus simplement, par « avertir ». Mais il faut prendre garde qu'il est loin le plus souvent d'avoir la sévérité du mot « avertis-

CHAPITRE 1

La grande diversité requise dans l'art de la prédication

Il faut avertir[1] d'une façon différente :
les hommes et les femmes[2],
les jeunes gens et les gens d'âge,
les pauvres et les riches,
les bons vivants et les gens tristes,
les inférieurs et les supérieurs,
les serviteurs et les maîtres,
les sages de ce monde et les esprits frustes,
les effrontés et les gens prompts à rougir,
les prétentieux et les pusillanimes,
les gens impatients et les gens patients,
les gens bienveillants et les envieux,
les hommes francs et les hommes faux,
les bien-portants et les malades,
ceux qui, par peur du châtiment, vivent sans mal faire, et ceux qui sont tellement endurcis dans le mal que le châtiment même ne peut les corriger,
les gens taciturnes et les bavards,

sement ». Le *Grand dictionnaire de la langue latine* de Freund-Theil en définit bien le sens : c'est faire souvenir quelqu'un de quelque chose, doucement, amicalement, le lui rappeler, en agissant plus spécialement sur la raison et l'intelligence, tandis que *adhortor* stimule davantage la volonté. Il s'agit ici de rappeler le devoir, et parfois simplement d'en instruire, parfois aussi, il est vrai, de reprendre et de blâmer.

2. Parallèle textuel avec *Mor.* 30, 3, 13 (*PL* 76, 530AB = *CCL* 143B, p. 1499).

Aliter pigri, aliter praecipites.
20 Aliter mansueti, aliter iracundi.
Aliter humiles, aliter elati.
Aliter pertinaces, aliter inconstantes.
Aliter gulae dediti, aliter abstinentes.
Aliter qui sua misericorditer tribuunt, aliter qui aliena
25 rapere contendunt.
Aliter qui nec aliena rapiunt, nec sua largiuntur ; aliter qui et ea quae habent sua tribuunt, et aliena rapere non desistunt.
Aliter discordes, aliter pacati.
30 Aliter seminantes iurgia, aliter pacifici.

Aliter ammonendi sunt qui sacrae legis uerba non recte intellegunt ; aliter qui recte quidem intellegunt, sed humiliter non loquunter.
Aliter qui cum praedicare digne ualeant, prae humili-
35 tate formidant ; aliter quos a praedicatione imperfectio uel aetas prohibet, et tamen praecipitatio impellit.
Aliter qui in hoc quod temporaliter appetunt, prosperantur ; aliter qui quidem quae mundi sunt concupiscunt, sed tamen aduersitatis labore fatigantur.
40 Aliter coniugiis obligati, aliter a coniugii nexibus liberi.
Aliter admixtionem carnis experti, aliter ignorantes.
Aliter qui peccata deplorant operum, aliter qui cogitationum.
Aliter qui commissa plangunt, nec tamen deserunt ;
45 aliter qui deserunt, nec tamen plangunt.
Aliter qui illicita quae faciunt, etiam laudant ; aliter qui accusant praua, nec tamen deuitant.

23 guilae *T (sic fere semper)* ‖ 27 sua : *om* *μ* ‖ et[2] : tamen *add.* *μ*

les nonchalants et les impulsifs,
les doux et les coléreux,
les humbles et les orgueilleux,
les entêtés et les inconstants,
les gourmands et les abstinents,
ceux qui, sensibles aux misères, donnent de leurs biens, et ceux qui tentent de ravir le bien d'autrui,
ceux qui, sans ravir le bien d'autrui, ne font pas largesse du leur, et ceux qui donnent du leur et ne cessent pas de ravir celui d'autrui,
les fauteurs de division et les gens paisibles,
les semeurs de disputes et les artisans de paix.

Il faut avertir d'une façon différente :
ceux qui ne comprennent pas correctement le texte de la loi sainte, et ceux qui le comprennent correctement, mais n'en parlent pas humblement,
ceux qui, bien doués pour prêcher, redoutent de le faire par humilité, et ceux à qui leur insuffisance ou leur âge interdit la prédication et cependant s'y lancent étourdiment,
ceux à qui les succès temporels arrivent à souhait, et ceux qui, pleins de convoitises mondaines, fléchissent sous le poids des revers,
ceux qui sont engagés dans les liens du mariage, et ceux qui sont libres,
ceux qui ont l'expérience de l'union charnelle, et ceux qui l'ignorent,
ceux qui pleurent leurs péchés, selon qu'ils ont péché en acte ou en pensée,
ceux qui pleurent leurs péchés sans y renoncer, et ceux qui y renoncent sans les pleurer,
ceux qui vont jusqu'à louer leurs dérèglements, et ceux qui se font grief de leurs écarts de conduite, mais sans les éviter,

Aliter qui repentina concupiscentia superantur, atque aliter qui in culpa ex consilio ligantur.

50 Aliter qui licet minima, crebo tamen illicita faciunt, atque aliter qui se a paruis custodiunt, sed aliquando in grauibus demerguntur.

Aliter qui bona nec inchoant, aliter qui inchoata minime consummant.

55 Aliter qui mala occulte agunt et bona publice ; aliter qui bona quae faciunt abscondunt, et tamen quibusdam factis publice mala de se opinari permittunt.

Sed quid utilitatis est, quod cuncta haec collecta enumeratione transcurrimus, si non etiam ammonitionis mo-
60 dos per singula, quanta possumus breuitate, pandamus.

CAPVT II

Quod aliter ammonendi sunt uiri atque aliter feminae.

XXIV Aliter igitur ammonendi sunt uiri, atque aliter feminae, quia illis grauia, istis uero sunt iniungenda leuiora, ut illos magna exerceant, istas autem lenia demulcendo
5 conuertant.

Quod aliter ammonendi sunt iuuenes atque aliter senes.

52 grauioribus *μ (cf. II, l. 3)* ‖ 58-60 sed — pandamus : *om. Corb., sed hic add. summaria capitum partis III^ae^ et IV^ae^ quae leguntur in initio singulorum capitum, et mox sequitur* : incipit liber secundus *(cf. supra, III Titulus)*

II, 3 grauiora *μ (cf. I, l. 52)* ‖ 4 leuia *μ*

ceux qui sont dominés par une soudaine poussée de passion, et ceux qui se laissent délibérément enchaîner dans la faute,
ceux qui commettent des infractions minimes, mais fréquentes, et ceux qui se gardent des fautes légères, mais sombrent parfois dans de lourdes fautes,
ceux qui n'entreprennent même pas d'agir pour le bien, et ceux qui, l'ayant entrepris, n'achèvent pas,
ceux qui font le mal en secret et en public le bien, et ceux qui cachent le bien qu'ils font, et cependant par certains actes vus de tous donnent prise à des jugements défavorables.

Mais à quoi bon l'énumération rapide de toutes les observations ainsi groupées, sur les façons de rappeler au devoir, si nous ne les développions une à une, avec toute la brièveté possible ?

CHAPITRE 2

Il faut avertir différemment de leur devoir les hommes et les femmes.

Il faut avertir différemment de leur devoir les hommes et les femmes, parce qu'il faut imposer à ceux-là des obligations plus lourdes, de plus légères à celles-ci, en sorte que des exigences importantes stimulent ceux-là, que de douces invites gagnent celles-ci par l'attrait.

Il faut avertir différemment de leur devoir les jeunes gens et les gens âgés.

XXV Aliter iuuenes atque aliter senes, quia illos plerumque seueritas ammonitionis ad prouectum dirigit ; istos uero ad meliora opera depraecatio blanda componit. Scriptum 10 quippe est : *Seniorem ne increpaueris, sed obsecra ut patrem*[a].

Quod aliter ammonendi sunt inopes atque aliter locupletes.

XXVI Aliter inopes atque aliter locupletes ; illis namque of-15 ferre consolationis solacium contra tribulationem, istis uero inferre metum contra elationem debemus. Inopi quippe a Domino per prophetam dicitur : *Noli timere, quia non confunderis*[b]. Cui non longe post blandiens dicit : *Paupercula tempestate conuulsa*[c]. Rursumque hanc conso-20 latur, dicens : *Elegi te in camino paupertatis*[d]. At contra Paulus discipulo de diuitibus dicit : *Diuitibus huius saeculi praecipe non superbe sapere, neque sperare in incerto diuitiarum suarum*[e]. Vbi notandum ualde est, quod humilitatis doctor memoriam diuitum faciens non ait : 25 Roga, sed *Praecipe*, quia etsi impendenda est pietas infirmitati, honor tamen non debetur elationi. Talibus ergo rectum quod dicitur, tanto rectius iubetur, quanto et in rebus transitoriis altitudine cogitationis intumescunt. De his in Euangelio Dominus dicit : *Vae uobis diuitibus,* 30 *qui habetis consolationem uestram*[f]. Quia enim quae sunt aeterna gaudia nesciunt, ex praesentis uitae abundantia consolantur.

Offerenda est ergo eis consolatio, quos caminus paupertatis excoquit ; atque illis inferendus est timor, quos

II. a. I Tim. 5, 1 || b. Is. 54, 4 || c. Is. 54, 11 || d. Is. 48, 10 || e. I Tim. 6, 17 || f. Lc 6, 24

1. Le commentaire de *I Tim* 6, 17 insiste sur la littéralité du texte paulinien (cf. G. CREMASCOLI, « La Bibbia nella Regola Pastorale... », *Vetera Christianorum* 6, 1969, p. 51).

Aux jeunes gens, aux gens âgés, avertissements différents : un avertissement sévère met d'ordinaire ceux-là sur la voie du progrès, tandis que des instances affectueuses disposent ceux-ci à mieux agir. Il est écrit de fait : *« Ne rudoie pas un vieil homme, prie-le instamment comme un père*[a]. »

Il faut avertir différemment de leur devoir les pauvres et les riches.

Aux pauvres et aux riches, avertissements différents : à ceux-là nous devons apporter une consolation qui adoucisse leur épreuve, à ceux-ci inspirer une crainte qui s'oppose à l'orgueil. Le Seigneur dit en effet à une pauvre femme par la bouche du prophète : *« Ne crains pas, tu ne seras pas confondue*[b]. » Et peu après, avec tendresse : *« Pauvre femme, battue par la tempête*[c]. » Puis il la console à nouveau : *« Je t'ai choisie dans la fournaise de la pauvreté*[d]. » Par contre Paul dit à un disciple, au sujet des riches : *« Aux riches de ce monde, prescris de ne pas avoir de hauts sentiments d'eux-mêmes et de ne pas mettre leur confiance dans leurs précaires richesses*[e]. » Il faut le noter avec soin, le docteur de l'humilité n'a pas dit, en rappelant le cas des riches, « prie », mais *« prescris » :* à la faiblesse il faut large affection, à l'orgueil l'honneur n'est pas dû[1]. Ce qu'on a raison de dire à de tels hommes, on a d'autant plus raison de l'ordonner qu'ils s'enorgueillissent davantage de leurs biens pourtant passagers, avec la boursoufflure de leurs hautaines pensées. Sur eux le Seigneur dit dans l'Évangile : *« Malheur à vous, les riches, vous avez votre consolation*[f]. » Comme ils ignorent ce que sont les joies éternelles, ils se consolent avec l'abondance de la vie présente.

Il faut donc apporter la consolation à ceux qui cuisent dans la fournaise de la pauvreté, et inspirer de la crainte

35 consolatio gloriae temporalis extollit ; ut et illi discant quia diuitias quas non conspiciunt possident, et isti cognoscant quia eas quas conspiciunt, tenere nequaquam possunt. Plerumque tamen personarum ordinem permutat qualitas morum, ut sit diues humilis, sit pauper elatus.
40 Vnde mox praedicantis lingua cum audientis debet uita componi, ut tanto districtius in paupere elationem feriat, quanto eam nec illata paupertas inclinat ; et tanto lenius humilitatem diuitum mulceat, quanto eos nec abundantia quae subleuat, exaltat.

45 Nonnumquam tamen etiam superbus diues exhortationis blandimento placandus est, quia et plerumque dura uulnera per lenia fomenta mollescunt, et furor insanorum saepe ad salutem medico blandiente reducitur ; cumque eis in dulcedine condescenditur, languor insaniae miti-
50 gatur. Neque enim neglegenter intuendum est, quod cum Saulem spiritus aduersus inuaderet, apprehensa Dauid cithara, eius uesaniam sedabat[g]. Quid enim per Saulem, nisi elatio potentium ; et quid per Dauid innuitur, nisi humilis uita sanctorum ? Cum ergo Saul ab immundo
55 spiritu arripitur, Dauid canente, eius uesania temperatur. Quia cum sensus potentium per elationem in furorem uertitur, dignum est, ut ad salutem mentis quasi dulcedine citharae loquutionis nostrae tranquillitate reuocetur. Aliquando autem cum huius saeculi potentes arguuntur,
60 prius per quasdam similitudines uelut de alieno negotio requirendi sunt. Et cum rectam sententiam quasi in alterum protulerint, tunc modis congruentibus de proprio

g. Cf. I Sam. 16, 23 ; 18, 10

1. AUGUSTIN montrait déjà un riche et un pauvre en situation paradoxale : « Ce n'est pas là affaire de richesses mais de convoitises ... tu vois ce riche à côté de toi : il a peut-être beaucoup d'argent mais pas d'avarice en lui tandis que toi qui n'as pas d'argent tu es rempli

à ceux qu'exalte la consolation de la gloire temporelle ; ainsi ceux-là apprendront-ils qu'ils possèdent des richesses qu'ils ne voient pas, et ceux-ci qu'ils ne sauraient garder celles qu'ils voient. Souvent néanmoins la valeur morale intervertit l'ordre des personnages : le riche est humble, et le pauvre est orgueilleux. Aussi le langage du prédicateur doit-il s'adapter bien vite à la vie de l'auditeur, de façon à frapper d'autant plus sévèrement dans le pauvre un orgueil que la pauvreté même qui l'atteint fait moins plier, à encourager avec d'autant plus de douceur l'humilité des riches que l'abondance même qui soulage leurs besoins les exalte moins[1].

Parfois cependant le riche orgueilleux lui aussi doit être fléchi par une affectueuse exhortation, car de sévères blessures s'adoucissent sous un pansement bien ouaté, et un médecin affable ramène à l'état normal des déments furieux ; quand on condescend avec douceur, l'accès de démence se calme. Ne négligeons pas ce détail : quand l'esprit mauvais s'emparait de Saül, David prenait sa cithare et apaisait son délire[g]. Saül ne fait-il pas penser à l'orgueil des puissants, et David à l'humble façon de vivre des saints ? Quand Saül est saisi par l'esprit impur, le chant de David tempère son délire. Quand le sens rassis des puissants se change en frénésie sous l'effet de l'orgueil, il convient que la tranquillité de notre langage, telle la douceur de la cithare, la ramène à la santé. Parfois, quand on reprend les puissants de ce monde, il faut les amener par des comparaisons à s'interroger sur un cas qui semble différent du leur, et quand ils ont prononcé la sentence juste, comme s'il s'agissait d'un tiers, alors, avec l'adresse convenable, porter le coup sur

d'avarice » (*Psalm.* 51, 14 = *CCL* 39, p. 634 ; cf. 72, 26 = p. 1000). Cf. aussi P. Brown, *La vie de saint Augustin*, Paris 1971, p. 297 ; Augustin, *Serm.* 85, 3-5 (*PL* 38, 521-523) ; Césaire d'Arles, *Serm.* 48 (*CCL* 103, p. 216).

reatu feriendi ; ut mens temporali potentia tumida contra corripientem nequaquam se erigat, quae suo sibi iudicio
65 superbiae ceruicem calcat ; et in nulla sui defensione se exerceat, quam sententia proprii oris ligat.

Hinc est enim quod Nathan propheta arguere regem uenerat, et quasi de causa pauperis contra diuitem iudicium quaerebat, ut prius rex sententiam diceret, et reatum
70 suum postmodum audiret[h], quatinus nequaquam iustitiae contradiceret, quam in se ipse protulisset. Vir itaque sanctus et peccatorem considerans et regem, miro ordine audacem reum prius per confessionem ligare studuit, et postmodum per inuectionem secare. Celauit paululum
75 quem quaesiuit, sed percussit repente quem tenuit. Pigrius enim fortasse incideret, si ab ipso sermonis exordio aperte culpam ferire uoluisset, sed praemissa similitudine, eam quam occultabat exacuit increpationem. Ad aegrum medicus uenerat, secandum uulnus uidebat, sed de patientia
80 aegri dubitabat. Abscondit igitur ferrum medicinale sub ueste, quod eductum subito fixit in uulnere, ut secantem gladium sentiret aeger antequam cerneret, ne si ante cerneret, sentire recusaret.

CAPVT III

Quod aliter ammonendi sunt laeti atque aliter tristes.

XXVII Aliter ammonendi sunt laeti, atque aliter tristes. Laetis uidelicet inferenda sunt tristia quae sequuntur ex suppli-

63 feriendi : sunt *add.* μ

h. Cf. II Sam. 12, 4 s.

1. Cf. *Hom. Éz.* I, 11, 18 (*CCL* 142, p. 177 = *SC* 327, p. 471).

leur faute à eux. L'homme dont l'âme a été gonflée d'orgueil par la puissance temporelle ne saurait se raidir contre le blâme, lui dont le propre jugement aurait fait plier l'échine de sa superbe, et il ne saurait se démener pour se défendre, lié qu'il serait par la sentence qu'a émise sa propre bouche.

Voilà pourquoi le prophète Nathan, venu reprendre son roi, lui demandait de juger sur la cause d'un pauvre lésé par un riche : le roi commencerait par prononcer la sentence, puis il s'entendrait inculper, si bien qu'il ne pourrait s'opposer au juste arrêt qu'il aurait rendu contre lui-même[h]. Considérant à la fois le pécheur et le roi, le saint homme, par une admirable gradation, s'étudia d'abord à lier l'audacieux coupable par une déclaration, puis, attaquant, à porter le coup décisif. Il dissimula un instant qui il cherchait à prendre, il frappa soudain quand il le tint. Son attaque aurait été peut-être plus molle s'il avait voulu frapper ouvertement la faute dès ses premières paroles : mais en commençant par un apologue, il rendit plus vive la remontrance qu'il déguisait. Il était venu en médecin près d'un malade ; il voyait la blessure à inciser mais doutait de la patience du malade. Il cacha donc le fer guérisseur sous son vêtement, et le retirant soudain l'enfonça dans la blessure, en sorte que le malade sentit le tranchant du glaive avant de le voir ; il ne fallait pas que le voyant d'abord il refusât de le sentir[1].

CHAPITRE 3

Il faut avertir différemment de leur devoir les bons vivants et les gens tristes.

Il faut avertir différemment les bons vivants et les gens tristes. Il faut mettre sous les yeux des bons vivants les

cio ; tristibus uero inferenda sunt laeta quae promittuntur
5 ex regno. Discant laeti ex minarum asperitate quod timeant ; audiant tristes praemiorum gaudia de quibus praesumant. Illis quippe dicitur : *Vae uobis qui ridetis nunc, quoniam flebitis*[a] ; *isti uero eodem magistro dicente audiunt : Iterum uidebo uos, et gaudebit cor uestrum, et*
10 *gaudium uestrum nemo tollet a uobis*[b]. Nonnulli autem laeti uel tristes non rebus fiunt, sed consparsionibus exsistunt. Quibus profecto intimandum est quod quaedam uitia quibusdam consparsionibus iuxta sunt. Habent enim laeti ex propinquo luxuriam, tristes iram. Vnde
15 necesse est, ut non solum quisque consideret quod ex consparsione sustinet, sed etiam quod ex uicino deterius perurget ; ne dum nequaquam pugnat contra hoc quod tolerat, ei quoque a quo se liberum aestimat, uitio succumbat.

CAPVT IV

Quod aliter ammonendi sunt subditi atque aliter praelati.

XXVIII Aliter ammonendi sunt subditi, atque aliter praelati. Illos ne subiectio conterat, istos ne locus superior extollat.
5 Illi ne minus quae iubentur impleant, isti ne plus iusto

III, 8 docente *μ*

III. a. Lc 6, 25 ‖ b. Jn 16, 22.

1. *Consparsio* est un terme propre à Grégoire dans le sens de « tempérament », « caractère » (cf. Blaise, *s.u.* qui renvoie à *Mor.* 6, 37, 57 = *CCL* 143, p. 326 : *diuersae sunt conspersiones animorum*). En

tristesses que causera le supplice, et sous les yeux des gens tristes les joies que promet le Royaume. Que les bons vivants apprennent par la sévérité des menaces ce qu'ils doivent craindre ; que les gens tristes entendent parler des joies qu'ils peuvent escompter. Aux premiers il est dit : « *Malheur à vous qui riez maintenant, car vous pleurerez*[a]. » Que les seconds écoutent ce que dit encore le Maître : « *Je vous reverrai, et votre cœur sera en joie et personne ne vous enlèvera votre joie*[b]. » Parfois ce ne sont pas les événements qui rendent joyeux ou triste, on l'est par tempérament[1]. Il faut alors faire bien comprendre que certains vices ont une affinité avec certains tempéraments. Les bons vivants sont exposés à la luxure, les gens tristes à la colère. Il est donc indispensable que chacun examine non seulement les déficiences pénibles de son tempérament, mais les maux plus graves auxquels il les expose ; faute de combattre les défauts dont il souffre, il pourrait succomber à un vice dont il s'estime exempt.

CHAPITRE 4

Il faut avertir différemment de leur devoir les inférieurs et les supérieurs.

Il faut avertir différemment les inférieurs et les supérieurs, de peur que leur sujétion n'écrase ceux-là et que leur haute position n'enorgueillisse ceux-ci ; ceux-là, pour qu'ils n'accomplissent pas moins qu'il ne leur est or-

Dial 4, 14, 2, BLAISE lui donne le sens de « action de rougir », « confusion », mais A. de Vogüé le traduit par « complexion » et le comprend en note au sens de « tempérament » (*SC* 265, p. 156).

iubeant quae compleantur. Illi ut humiliter subiaceant, isti ut temperanter praesint. Nam quod intellegi et figuraliter potest, illis dicitur : *Filii, oboedite parentibus uestris in Domino*[a] ; istis uero praecipitur : *Et patres, nolite ad iracundiam prouocare filios uestros*[b]. Illi discant quomodo ante occulti arbitris oculos sua interiora componant, isti quomodo etiam commissis sibi exempla bene uiuendi exterius praebeant.

Scire etenim praelati debent, quia si peruersa umquam perpetrant, tot mortibus digni sunt, quot ad subditos suos perditionis exempla transmittunt. Vnde necesse est ut tanto se cautius a culpa custodiant, quanto per praua quae faciunt, non soli moriuntur. Ammonendi sunt illi, ne districtius puniantur, si absoluti reperiri nequiuerint saltim de se ; isti ne de subditorum erratibus iudicentur, etiamsi se iam de se securos inueniunt. Illi ut tanto circa se sollicitius uiuant, quanto eos aliena cura non implicat ; isti uero ut sic aliorum curas expleant, quatinus et suas agere non desistant, et sic in propria sollicitudine ferueant, ut a commissorum custodia minime torpescant.

Illi enim sibimet uacanti dicitur : *Vade ad formicam, o piger, et considera uias eius, et disce sapientiam*[c]. Iste autem terribiliter ammonetur, cum dicitur : *Fili mi, si spoponderis pro amico tuo, defixisti apud extraneum manum tuam, et illaqueatus es uerbis oris tui, et captus propriis sermonibus*[d]. Spondere namque pro amico est alienam animam in periculo suae conuersationis accipere.

IV, 18 moriuntur *T E B Corb. Laud. Alfred* : sed aliorum animarum quas prauis exemplis destruxerunt rei sunt, unde *add. Gemet.*[1.2.3] *Aud.*[1] *μ* || 30 laqueatus *T (sed infra, l. 35 et 37* inlaqueatus/-tur)

IV. a. Éphés. 6, 1 ; cf. Col. 3, 20-21 || b. Éphés. 6, 4 || c. Prov. 6, 6 || d. Prov. 6, 1-2

donné, ceux-ci pour qu'ils n'ordonnent pas d'accomplir plus qu'il n'est juste. A ceux-là de se soumettre humblement, à ceux-ci de commander avec mesure. En comprenant le mot au sens figuré, à ceux-là il est dit : *« Enfants, obéissez à vos parents dans le Seigneur*[a] *»,* et à ceux-ci il est prescrit : *« Et vous les pères, n'exaspérez pas vos enfants*[b]*. »* Que ceux-là apprennent quelle attitude intérieure ils doivent prendre sous le regard du juge invisible ; ceux-ci, quels exemples de bonne conduite ils doivent donner extérieurement à ceux qui leur sont confiés.

Car les supérieurs doivent savoir que si jamais ils se dévoient, ils sont dignes d'autant de morts qu'ils laissent d'exemples de perdition à leurs ouailles. Il est donc nécessaire qu'ils se gardent de pécher, avec le plus grand soin, dès lors qu'ils ne causent pas seulement leur propre mort par leurs égarements. Il faut admonester les inférieurs, pour qu'ils ne subissent pas de punition plus sévère, au cas où ils ne pourraient être trouvés quittes de leur faute personnelle ; les supérieurs, afin qu'ils ne soient pas jugés pour les égarements de leurs inférieurs, même s'ils se croient désormais en règle pour leur propre compte. Ceux-là, pour qu'ils vivent avec un soin d'eux-mêmes d'autant plus grand qu'ils sont plus dégagés de la responsabilité d'autrui ; ceux-ci, afin qu'ils s'acquittent de leurs responsabilités pour les autres sans négliger celles qu'ils ont pour eux-mêmes, et que, fervents dans le soin d'eux-mêmes, ils n'aient jamais de nonchalance à garder les sujets qui leur sont confiés.

A celui-là, occupé de lui seul, il est dit : *« Va vers la fourmi, paresseux, et observe ses chemins, et apprends la sagesse*[c]*. »* A celui-ci, cette admonestation menaçante : *« Mon fils, si tu t'es porté caution pour ton ami, tu as topé dans la main d'un étranger, tu t'es attrapé au filet de ta bouche, et pris à ton propre langage*[d]*. »* Se porter caution pour un ami, c'est faire sienne l'âme d'un autre au péril de sa propre vie. On tope dans la main d'un

Vnde et apud extraneum manus defigitur, quia apud curam sollicitudinis quae ante deerat, mens ligatur. Verbis
35 uero oris sui illaqueatus est ac propriis sermonibus captus ; quia dum commissis sibi cogitur bona dicere, ipsum prius necesse est quae dixerit custodire. Illaqueatur igitur uerbis oris sui, dum ratione exigente constringitur, ne eius uita ad aliud quam ammonet relaxetur. Vnde apud
40 districtum iudicem cogitur tanta in opere exsoluere, quanta eum constat aliis uoce praecepisse. Vbi et bene mox exhortatio subditur, ut dicatur : *Fac ergo quod dico, fili mi, et temetipsum libera, quia incidisti in manu proximi tui : discurre, festina, suscita amicum tuum ; ne dederis*
45 *somnum oculis tuis, nec dormitent palpebrae tuae*[e]. Quisquis enim ad uiuendum aliis in exemplo praeponitur, non solum ut ipse uigilet, sed etiam ut amicum suscitet ammonetur. Ei namque uigilare bene uiuendo non sufficit, si non et illum cui praeest, a peccati torpore disiungit.
50 Bene autem dicitur : *Ne dederis somnum oculis tuis, nec dormitent palpebrae tuae.* Somnum quippe oculis dare est, intentione cessante, subditorum curam omnino neglegere. Palpebrae uero dormitant, cum cogitationes nostrae ea quae in subditis arguenda cognoscunt, pigredine depri-
55 mente dissimulant. Plene enim dormire est commissorum acta nec scire nec corrigere. Non autem dormire, sed dormitare est, quae quidem reprehendenda sunt cognoscere, sed tamen propter mentis taedium dignis ea increpationibus non emendare. Dormitando uero oculus ad
60 plenissimum somnum ducitur, quia dum plerumque qui praeest malum quod cognoscit non resecat, ad hoc quandoque neglegentiae suae merito peruenit, ut quod a subiectis delinquitur, nec cognoscat.

Ammonendi sunt itaque qui praesunt, ut per circum-
65 spectionis studium caeli animalia fieri contendant. Os-

45 palphebrae *T (sic semper)* || 64-65 *uide p. 280.*

e. Prov. 6, 3-4

étranger, car l'âme est liée par une responsabilité qu'elle n'avait pas jusque-là. On est attrapé au filet de sa bouche et pris à son propre langage, car obligé d'enseigner le devoir à ceux dont on a la charge, on doit bien observer soi-même ce qu'on enseigne. On est attrapé au filet de sa bouche, car on est logiquement contraint à ne pas laisser sa propre vie prendre un autre chemin que celui qu'on enseigne. On est donc obligé, au regard du juge sévère, de s'acquitter en acte des devoirs qu'on a indiqués aux autres par la parole. Aussi le texte ajoute-t-il bientôt cette exhortation : *« Fais donc ce que je dis, mon fils, et libère-toi toi-même, car tu es tombé aux mains de ton prochain ; cours, hâte-toi, réveille ton ami, n'accorde pas le sommeil à tes yeux, et que ne s'assoupissent pas tes paupières*[e]. » Quiconque est mis à la tête des autres comme un exemple de vie, reçoit la consigne non seulement de veiller lui-même, mais de réveiller son ami. Car il ne lui suffit pas de veiller en vivant bien, il lui faut tirer celui dont il a la charge de la torpeur du péché. D'où ce mot très juste : *« N'accorde pas le sommeil à tes yeux, et que ne s'assoupissent pas tes paupières. »* Accorder le sommeil à ses yeux, c'est négliger tout-à-fait, l'attention cessant, le soin de ses ouailles. Les paupières s'assoupissent quand, sous le poids de la paresse, notre esprit se dissimule à lui-même ce qu'il sait très bien qu'il faut blâmer dans nos ouailles. Dormir pleinement, c'est ne pas savoir et ne pas corriger les écarts de conduite de ceux qui nous sont confiés. C'est s'assoupir, non point dormir, que discerner ce qui est répréhensible, mais, par lassitude, omettre les réprimandes aptes à le corriger. L'assoupissement amène l'œil jusqu'au sommeil complet, car d'ordinaire, quand celui qui préside ne retranche pas le mal qu'il discerne, il en arrive, par un juste effet de sa négligence, à ne même plus le discerner.

Il faut donc avertir ceux qui président de s'efforcer, par leur soin à regarder tout alentour, de devenir ani-

tensa quippe caeli animalia in circuitu et intus oculis plena describuntur[f], dignumque est, ut cuncti qui praesunt intus atque in circuitu oculos habeant, quatinus et interno iudici in semetipsis placere studeant, et exempla
70 uitae exterius praebentes, ea etiam quae in aliis sunt corrigenda deprehendant.

Ammonendi sunt subditi, ne praepositorum suorum uitam temere iudicent, si quid eos fortasse agere reprehensibiliter uident ; ne unde recte mala redarguunt, inde
75 per elationis impulsum in profundiora mergantur. Ammonendi sunt, ne cum culpas praepositorum considerant, contra eos audaciores fiant, sed sic si qua ualde sunt eorum praua, apud semetipsos diiudicent, ut tamen diuino timore constricti ferre sub eis iugum reuerentiae
80 non recusent.

Quod melius ostendimus, si Dauid factum ad medium deducamus. Saul quippe persecutor, cum ad purgandum uentrem speluncam fuisset ingressus, illic cum uiris suis Dauid inerat, qui iam tam longo tempore persecutionis
85 eius mala tolerabat. Cumque euin uiri sui ad feriendum Saul accenderent, fregit eos responsionibus, quia manum mittere in christum Domini non deberet. Qui tamen occulte surrexit, et oram chlamydis eius abscidit[g]. Quid enim per Saul, nisi mali rectores ; quid per Dauid, nisi
90 boni subditi designantur ? Saul igitur uentrem purgare, est prauos praepositos conceptam in corde malitiam usque ad opera miseri odoris extendere, et cogitata apud se noxia factis exterioribus exsequendo monstrare. Quem tamen Dauid ferire metuit, quia piae subditorum mentes

64-65 circumspectionis studium T^{pc} *E B Alfred* : oculos peruigiles intus et in circuitu habeant et *add. alii codd.* (*quorum nonnulli om.* caeli animalia fieri contendant) *edd.* μ

f. Cf. Apoc. 4, 6 ; Éz. 1, 18 ; 8, 12 ‖ g. Cf. I Sam. 24, 4 s.

1. Cf. *Hom. Éz.* I, 7, 2 (*CCL* 142, p. 784 = *SC* 327, p. 235).

maux célestes, ces animaux célestes que l'Écriture décrit pleins d'yeux au-dedans et tout autour[f] ; et il est convenable que tous ceux qui président aient des yeux au-dedans et tout autour, s'efforçant de plaire au juge intérieur et donnant au-dehors par leur vie de bons exemples, reprenant aussi dans les autres les écarts à corriger[1].

Il faut avertir les inférieurs de ne pas juger à la légère ceux qui sont à leur tête, s'il arrivait qu'ils les voient agir de façon répréhensible : ils ont raison de dénoncer le mal, mais qu'ils prennent garde, car une poussée d'orgueil pourrait les précipiter dans une plus profonde misère. Il faut les avertir : quand ils remarquent les fautes de leurs supérieurs, qu'ils se gardent de toute insolence à leur égard, mais que, tout en jugeant intérieurement ce qui est grave écart de conduite, ils ne se refusent pas, retenus par la crainte de Dieu, à porter le joug du respect.

L'exemple de David nous aidera à mieux le montrer. Le poursuivant, Saül était entré dans une caverne pour satisfaire un besoin de la nature. David était là avec ses hommes. Voilà longtemps qu'il endurait la souffrance d'être poursuivi. Ses hommes le pressaient de frapper Saül ; or, il coupa court, répondant qu'il ne devait pas étendre la main sur l'oint du Seigneur. Il se leva cependant à la dérobée, et coupa le bord du manteau royal[g]. Que figure Saül, sinon les mauvais pasteurs ? Et David, sinon leurs sujets bons ? Saül satisfaisant un besoin naturel, ce sont les mauvais supérieurs, qui font passer la malice que leur cœur a conçu dans des actes nauséabonds et montrent, en les exécutant de fait extérieurement, les desseins coupables qu'ils ont formés à part eux[2]. David

2. Ce commentaire de *I Sam.* 24 peut-il être attribué au goût « barbare » dont parle J.H.R. PROMPSAULT dans la Préface de sa traduction française du *Pastoral*, Paris 1835 ? Cf. surtout GRÉGOIRE DE TOURS, *Histoire des Francs*, III, 36 (la mort de Parthenius) et IX, 15 (la mort d'Arius).

95 ab omni se peste obtrectationis abstinentes, praepositorum uitam nullo linguae gladio percutiunt, etiam cum de imperfectione reprehendunt. Qui etsi quando pro infirmitate sese abstinere uix possunt, ut extrema quaedam atque exteriora praepositorum mala, sed tamen humiliter 100 loquantur, quasi oram chlamydis silenter incidunt ; quia uidelicet dum praelatae dignitati saltim innoxie et latenter derogant, quasi regis superpositi uestem foedant, sed tamen ad semetipsos redeunt seque uehementissime uel de tenuissima uerbi laceratione reprehendunt. Vnde bene 105 et illic scriptum est : *Post haec Dauid percussit cor suum, eo quod abscidisset oram chlamydis Saul*[h]. Facta quippe praepositorum oris gladio ferienda non sunt, etiam cum recte reprehendenda iudicantur. Si quando uero contra eos uel in minimis lingua labitur, necesse est ut per 110 afflictionem paenitentiae cor prematur ; quatinus ad semetipsum redeat, et cum praepositae potestati deliquerit, eius contra se iudicium a quo sibi praelata est perhorrescat. Nam cum praepositis delinquimus, eius ordini qui eos nobis praetulit obuiamus. Vnde Moyses quoque cum 115 contra se et Aaron conqueri populum cognouisset, ait : *Nos enim quid sumus ? Nec contra nos est murmur uestrum, sed contra Dominum*[i].

CAPVT V

Quod aliter ammonendi sunt serui atque aliter domini.

XXIX Aliter ammonendi sunt serui, atque aliter domini. Serui scilicet, ut in se semper humilitatem condicionis aspi-

113 ordini *T* : ordine *B* ordinatione *E et alii codd. edd.* *μ cum Paterio*

h. I Sam. 24, 6 || i. Ex. 16, 8.

cependant eut peur de frapper : les âmes bonnes, se gardant bien de la peste du dénigrement, n'emploient pas le glaive de la parole pour frapper ceux qui sont à leur tête, même quand ils leur reprochent leur vie imparfaite. Si parfois, par faiblesse, ils arrivent mal à se retenir de parler, avec humilité toutefois, de certains désordres extrêmes constatés au-dehors chez un supérieur, ils coupent en silence le bord de son manteau ; porter atteinte à la dignité du prélat, mais sans faute et discrètement, c'est pour eux comme faire un accroc au vêtement d'un roi leur maître. Seulement ils reviennent à eux-mêmes et se reprochent vivement la moindre parole qui lacère. De là le mot si juste : *« Ensuite David sentit battre son cœur pour avoir coupé le bord du manteau de Saül*[h]. » Il ne faut pas frapper du glaive de la parole les actes des supérieurs, même quand on a des raisons de les juger répréhensibles. Si l'on se trouve avoir commis à leur égard le moindre écart de langage, il faut humilier son cœur par la douleur du repentir ; ainsi reviendra-t-il à lui-même, et pour ce manquement envers l'autorité pastorale redoutera-t-il pour lui le jugement de celui qui l'a soumis à elle. Car manquer à ceux qui ont autorité sur nous, c'est agir à l'encontre de l'ordre établi par celui qui nous a soumis à eux. Voilà pourquoi Moïse, quand il eut appris les doléances du peuple contre Aaron et lui, affirma : *« Nous, en effet, que sommes-nous ? Ce n'est pas contre nous que vont vos murmures, mais contre le Seigneur*[i]. »

CHAPITRE 5

Il faut avertir différemment les serviteurs et les maîtres.

Il faut avertir différemment les serviteurs et les maîtres : les serviteurs, d'avoir toujours présente à l'esprit l'hu-

ciant ; domini uero, ut naturae suae qua aequaliter sunt
5 cum seruis conditi, memoriam non amittant. Serui ammonendi sunt ne Deum despiciant, si ordinationi illius superbiendo contradicunt ; domini quoque ammonendi sunt, quia contra Deum de munere eius superbiunt, si eos quos per condicionem tenent subditos, aequales sibi
10 per naturae consortium non agnoscunt. Isti ammonendi sunt ut sciant se seruos esse dominorum ; illi ammonendi sunt ut cognoscant se conseruos esse seruorum. Istis namque dicitur : *Serui, oboedite dominis carnalibus*[a]. Et rursum : *Quicumque sunt sub iugo serui, dominos suos*
15 *omni honore dignos arbitrentur*[b] ; illis autem dicitur ; *Et uos domini eadem facite illis, remittentes minas, scientes quod et illorum et uester Dominus est in caelis*[c].

CAPVT VI

Quod aliter ammonendi sunt sapientes huius saeculi atque aliter hebetes.

XXX Aliter ammonendi sunt sapientes huius saeculi, atque aliter hebetes. Sapientes quippe ammonendi sunt, ut amit-
5 tant scire quae sciunt ; hebetes quoque ammonendi sunt,

VI, 4-5 ut amittant scire *T plur. codd.* : ne amittant scire *Gemet.*[3] ut sciant amittere *Belv. edd.*

V. a. Col. 3, 22 ‖ b. I Tim. 6, 1 ‖ c. Éphés. 6, 9.

1. Les mss *T* et *B* ont le texte *ne Deum despiciant*, si ... Le ms. *E* a *ne dominum dispiciant*. L'édition des Mauristes a *ne dominos despiciant, ne Deum offendant si*... (ce qu'on trouve, par exemple, dans un manuscrit du Xe s., Orléans, B.M., *171*). Alfred traduit : *ðaette hic hiera hlafordas*

milité de leur condition, les maîtres, de ne pas oublier que par nature leurs serviteurs et eux sont des égaux. Il faut avertir les serviteurs de ne pas mépriser Dieu[1] en s'opposant par l'orgueil à l'ordre établi par lui ; il faut aussi avertir les maîtres, car ils s'enorgueillissent contre Dieu de leur charge s'ils ne reconnaissent pas des égaux, par le partage d'une même nature, en ceux que par leur situation[2] ils ont comme sujets. Il faut avertir ces derniers de savoir être les serviteurs de leurs maîtres ; avertir ceux-là qu'ils sont les compagnons de service de leurs serviteurs. Car il est dit à ceux-ci : *« Serviteurs, obéissez à vos maîtres selon la chair[a]. »* Et encore : *« Que tous ceux qui sont sous le joug comme serviteurs tiennent leurs maîtres comme dignes de tout honneur[b]. »* A ceux-là il est dit : *« Et vous, maîtres, faites de même pour eux, laissant de côté les menaces, sachant que le Seigneur dans les cieux est leur Seigneur et le vôtre[c]. »*

CHAPITRE 6

Il faut avertir différemment les sages de ce monde et les esprits frustes.

Il faut avertir différemment les sages de ce monde et les esprits frustes. Il faut avertir les sages de renoncer à savoir ce qu'ils savent ; il faut avertir aussi les esprits

ne forsion. Hiera hlafordas hi forsioð, gif... » (*not to despise their masters. They despise their masters, if...*). On voit ici qu'Alfred fait subir un infléchissement très net au texte de Grégoire, mais il avait peut-être un texte latin du type du ms. *E* ou de celui d'Orléans. C'est pourtant le ms. *B* qui représente la tradition anglo-saxonne.

2. Sur *condicio*, cf. t. 1, p. 204, n. 1.

ut appetant scire quae nesciunt. In illis hoc primum destruendum est, quod se sapientes arbitrantur ; in istis iam aedificandum est quidquid de sapienta superna cognoscitur, quia dum minime superbiunt, quasi ad susci-
10 piendum aedificium corda parauerunt. Cum illis laborandum est, ut sapientius stulti fiant, stultam sapientiam deserant et sapientem Dei stultitiam discant ; istis uero praedicandum est, ut ab ea quae putatur stultitia, ad ueram sapientiam uicinius transeant. Illis namque dicitur :
15 *Si quis uidetur inter uos sapiens esse in hoc saeculo, stultus fiat ut sit sapiens*[a] ; istis uero dicitur : *Non multi sapientes secundum carnem*[b]. Et rursum : *Quae stulta sunt mundi elegit Deus, ut confundat sapientes*[c]. Illos plerumque ratiocinationis argumenta, istos nonnumquam melius exem-
20 pla conuertunt. Illis nimirum prodest, ut in suis allegationibus uicti iaceant ; istis uero aliquando sufficit ut laudabilia aliorum facta cognoscant.

Vnde magister egregius, sapientibus et insipientibus debitor, cum Hebraeorum quosdam sapientes, quosdam
25 uero etiam tardiores ammoneret, illis de completione Testamenti Veteris loquens, eorum sapientiam argumento superauit, dicens : *Quod enim antiquatur et senescit, prope interitum est*[d]. Cum uero solis exemplis quosdam trahendos cerneret, in eadem epistula adiunxit : *Sancti ludibria*
30 *et uerbera experti, insuper uincula et carceres, lapidati sunt, secti sunt, temptati sunt, in occisione gladii mortui sunt*[e]. Et rursum : *Mementote praepositorum uestrorum, qui uobis locuti sunt uerbum Dei, quorum intuentes exitum conuersationis, imitamini fidem*[f] ; quatenus et illos uictrix
35 ratio frangeret, et istos ad maiora conscendere imitatio blanda suaderet.

VI. a. I Cor. 3, 18 || b. I Cor. 1, 26-27 || c. Rom. 1, 14 || d. Hébr. 8, 13 ; cf. Jér. , 31-35 || e. Hébr. 11, 36-37 || f. Hébr. 13, 7.

1. On trouve ici l'ébauche d'une théorie de l'*exemplum*, cf. t. 1, Introduction, p. 65, n. 1.

frustes de désirer savoir ce qu'ils ne savent pas. En ceux-là, il faut détruire d'abord, détruire leur conviction d'être sages ; en ceux-ci, il est l'heure de bâtir, avec ce que l'on connaît de la sagesse d'en haut, car ces cœurs sans superbe y sont prêts, comme en attente des pierres. Près de ceux-là il faut travailler à ce qu'ils deviennent des fous avec plus de sagesse, qu'ils abandonnent une folle sagesse et apprennent la sage folie de Dieu ; à ceux-ci il faut prêcher qu'à partir de ce qu'on regarde comme folie ils s'approchent plus près de la vraie sagesse. Car à ceux-là il est dit : *« Si quelqu'un parmi vous paraît sage en ce monde, qu'il devienne fou, pour être sage*[a]*. »* A ceux-ci il est dit : *« Peu de sages parmi vous selon la chair*[b]*. »* Et à nouveau : *« Ce que le monde tient pour fou, c'est cela que Dieu a choisi, pour confondre les sages*[c]*. »* Ceux-là sont convertis d'ordinaire par des raisonnements, ceux-ci le sont souvent avec plus d'aisance par des exemples[1]. Car il est bon pour ceux-là d'être vaincus, tous leurs arguments s'écroulant ; il suffit parfois à ceux-ci de connaître les louables actions d'autres hommes.

Adressant ses avis aux Hébreux, les uns sages et d'autres plus lents d'esprit, le maître excellent qui se devait aux sages et aux gens incultes leur a parlé de l'achèvement du Testament ancien et c'est par cet argument qu'il a eu raison de leur sagesse : *« Ce qui est ancien et vieilli est près de disparaître*[d]*. »* Voyant d'autre part que certains n'étaient attirés que par des exemples, il ajouta dans la même lettre : *« Les saints ont enduré les moqueries et les coups, et en outre les liens et les cachots ; ils ont été lapidés ; coupés en deux, tentés, ils sont morts sous le tranchant du glaive*[e]*. »* Et à nouveau : *« Souvenez-vous de vos chefs, qui vous ont fait entendre la parole de Dieu ; contemplant l'issue de leur vie, imitez leur foi*[f]*. »* Ainsi la raison victorieuse briserait ceux-là, et une attrayante envie d'imiter engagerait ceux-ci à monter plus haut.

CAPVT VII

Quod aliter ammonendi sunt impudentes atque aliter uerecundi.

XXXI Aliter ammonendi sunt impudentes, atque aliter uerecundi. Illos namque ab impudentiae uitio non nisi increpatio dura compescit ; istos autem plerumque ad melius exhortatio modesta componit. Illi se delinquere nesciunt, nisi etiam a pluribus increpentur ; istis plerumque ad conuersionem sufficit quod eis doctor mala sua saltim leniter ad memoriam reducit. Illos melius corrigit qui inuehendo reprehendit ; istis autem maior prouectus adducitur, si hoc quod in eis reprehenditur quasi ex latere tangatur. Impudentem quippe Iudaeorum plebem Dominus aperte increpans, ait : *Frons mulieris meretricis facta est tibi, noluisti erubescere*[a]. Et rursum uerecundantem refouet, dicens : *Confusionis adolescentiae tuae obliuisceris, et opprobrii uiduitatis tuae non recordaberis, quia dominabitur tui qui fecit te*[b]. Impudenter quoque delinquentes Galatas aperte Paulus increpat, dicens : *O insensati Galatae, quis uos fascinauit*[c]? Et rursum : *Sic stulti estis, ut cum spiritu coeperitis, nunc carne consummamini ?* Culpas uero uerecundantium quasi compatiens reprehendit, dicens : *Gauisus sum in Domino uehementer,*

VII, 8 conuersationem T^{ac} *B* || 16 recordaueris *T B (sic saepius* u *pro* b*)*

VII. a. Jér. 3, 3 || b. Is. 54, 4-5 || c. Gal. 3, 1-3

CHAPITRE 7

Il faut avertir différemment les effrontés et les gens prêts à rougir.

Il faut avertir différemment les effrontés et les gens prêts à rougir[1]. En ceux-là, seule une dure admonestation peut contenir le vice de l'effronterie ; ceux-ci, une calme exhortation les met d'ordinaire sur la voie du mieux. Ceux-là ne savent pas qu'ils sont en faute à moins d'être admonestés, et même par plusieurs personnes ; il suffit d'ordinaire à la conversion de ceux-ci que le docteur leur remette leurs misères en mémoire, avec douceur. Ceux-là, on les ramène mieux au droit chemin en les reprenant avec véhémence ; ceux-ci, on les conduit plus efficacement vers la voie du progrès en touchant comme de biais l'objet du reproche. Le Seigneur réprimande ouvertement un peuple juif effronté quand il dit : *« Tu as eu un front de prostituée, tu n'a pas voulu rougir[a]. »* Par contre il le réconforte quand il a eu honte : *« Tu oublieras l'indignité de ta jeunesse, et tu ne te souviendras pas de l'infamie de ton veuvage, parce que celui qui t'a fait sera ton maître[b]. »* Paul admoneste encore ouvertement les Galates, effrontément coupables : *« Galates insensés, qui vous a ensorcelés[c] ? »* Et à nouveau : *« Êtes-vous si stupides, qu'après avoir commencé par l'esprit, vous finissiez par la chair ? »* Mais pour des gens confus de leurs fautes son reproche se fait compatissant : *« Je me suis vivement réjoui dans le*

1. Ce sont les gens à la conscience délicate, sensibles à la honte qui s'attache à toute faute morale, par opposition aux *im-pudentes*, qui n'en éprouvent aucune.

quoniam tandem aliquando refloruistis pro me sentire sicut et sentiebatis, occupati enim eratis[d] : ut et illorum culpas 25 increpatio detegeret, et horum neglegentiam sermo mollior uelaret.

CAPVT VIII

Quod aliter ammonendi sunt proterui atque aliter pusillanimes.

XXXII Aliter ammonendi sunt proterui, atque aliter pusillanimes. Illi enim dum ualde de se praesumunt, exprobrando ceteros dedignantur ; isti autem dum nimis infirmitatis suae sunt conscii, plerumque in desperationem cadunt. Illi singulariter summa aestimant cuncta quae agunt, isti despecta uehementer putant esse quae faciunt, et idcirco in desperatione franguntur. Subtiliter itaque ab 10 arguente discutienda sunt opera proteruorum, ut in quo sibi placent, ostendatur quia Deo displicent.

Tunc enim proteruos melius corrigimus, cum ea quae bene egisse se credunt, male acta monstramus, ut unde adepta gloria creditur, inde utilis confusio subsequatur. 15 Nonnumquam uero cum se uitium proteruiae minime perpetrare cognoscunt, compendiosius ad correctionem

25 increpatio : dura *add. Corb. aliique codd.* μ *(cf. l. 5)*

d. Phil. 4, 10.

1. L'adjectif *proteruus*, que la langue classique a rapproché de *proterere*, « fouler aux pieds », « écraser », indique la hardiesse démesurée, les prétentions de l'homme qui, sûr de lui jusqu'à l'insolence, fonce en avant, prêt à bousculer les gens et les choses. La traduction « préten-

Seigneur de ce qu'enfin vos sentiments à mon égard ont retrouvé la fraîcheur qu'ils avaient ; mais vous étiez empêchés[d]. » Il fallait à la fois une admonestation qui découvre les fautes, et un langage plus tendre qui voile leur négligence.

CHAPITRE 8

Il faut avertir différemment les prétentieux et les pusillanimes.

Il faut avertir différemment les prétentieux[1] et les pusillanimes. Les premiers, très confiants en eux-mêmes, ont pour les autres le blâme et le dédain ; les seconds, trop conscients de leur faiblesse, tombent d'ordinaire dans le découragement. Ceux-là jugent que tout ce qu'ils font est d'un niveau exceptionnel ; ceux-ci pensent que ce qu'ils font est l'objet d'un grand mépris et le découragement les brise. Il faut donc soumettre les œuvres des prétentieux à une pénétrante critique, de façon à leur montrer que par leur complaisance en eux ils déplaisent à Dieu.

Un moyen plus efficace de ramener les prétentieux sur le droit chemin est de leur montrer que leur façon d'agir, bonne à leurs yeux, était mauvaise ; ainsi, au sentiment d'avoir mérité quelque gloire succédera celui d'une salutaire confusion. Parfois, quand ils sont totalement inconscients d'agir avec cette prétention vicieuse, un moyen plus rapide de les amener à se corriger est de les prendre

tieux » s'accorde avec ce que dit Paul des Corinthiens, dans le texte qui va être cité.

ueniunt, si alterius culpae manifestioris et ex latere requisitae improperio confunduntur, ut ex eo quod defendere nequeunt, cognoscant se tenere improbe quod de-
20 fendunt. Vnde cum proterue Paulus Corinthios aduersum se inuicem uideret inflatos, ut alius Apollo, alius Pauli, alius Cephae, alius Christi esse se diceret[a], incestus culpam in medium deduxit, quae apud eos et perpetrata fuerat, et incorrecta remanebat, dicens : *Auditur inter uos*
25 *fornicatio, et talis fornicatio, qualis nec inter gentes, ita ut uxorem patris quis habeat. Et uos inflati estis, et non magis luctum habuistis, ut tolleretur de medio uestrum qui hoc opus fecit*[b]. Ac si aperte dicat : Quid uos per proteruiam, huius uel illius dicitis, qui per dissolutionem negle-
30 gentiae, nullius uos esse monstratis ?

At contra, pusillanimes aptius ad iter bene agendi reducimus, si quaedam illorum bona ex latere requiramus, ut dum in eis alia reprehendendo corripimus, alia amplectendo laudemus, quatinus eorum teneritudinem
35 laus audita nutriat, quam culpa increpata castigat. Plerumque autem utilius apud illos proficimus, si et eorum bene gesta memoramus, et si qua ab eis inordinate gesta sunt, non iam tamquam perpetrata corripimus, sed quasi adhuc ne perpetrari debeant prohibemus, ut et illa quae
40 approbamus, illatus fauor augeat, et contra ea quae reprehendimus magis apud pusillanimes exhortatio uerecunda conualescat. Vnde idem Paulus cum Thessallonicenses in accepta praedicatione perdurantes, quasi de uicino mundi termino quadam cognosceret pusillanimi-
45 tate turbatos, prius in eis quae fortia prospicit laudat, et caute monendo postmodum quae infirma sunt roborat.

VIII. a. Cf. I Cor. 1, 12 ; 3, 4 || I Cor. 5, 1-2.

de biais et d'évoquer une autre faute plus manifeste dont l'opprobre les confond ; ne pouvant se défendre sur ce point, ils reconnaissent que leur prétention est indéfendable. Paul voyait les Corinthiens s'opposer les uns aux autres, prétentieux, gonflés d'orgueil. L'un disait être à Apollos, un autre à Paul, un autre à Céphas, un autre au Christ[a]. Il leur mit sous les yeux un inceste commis parmi eux et demeuré sans sanction. *« On entend parler de fornication parmi vous, et d'une fornication telle qu'on n'en trouve même pas chez les païens : quelqu'un a la femme de son père. Et vous êtes gonflés d'orgueil, et vous n'avez pas plutôt pris le deuil, pour qu'on enlève du milieu de vous celui qui a commis cet acte[b] ! »* En clair c'était dire : « Pourquoi vous dites-vous appartenir à celui-ci ou à celui-là, par prétention, alors que par votre lâche négligence vous montrez que vous n'appartenez à aucun ? »

Pour les pusillanimes, par contre, un moyen plus adapté de les remettre sur les chemins du devoir est de rechercher ce qu'ils ont par ailleurs fait de bon ; ainsi, par une réprimande nous corrigeons ceci, avec une chaude affection nous louons cela, en sorte que la louange entendue fortifie leur âme sensible, qu'amende le blâme infligé. Avec eux nous gagnons davantage, le plus souvent, à rappeler leurs bonnes actions ; s'ils ont eu quelque écart de conduite, à ne pas les blâmer comme d'une chose faite, à la leur présenter simplement comme chose à ne pas faire ; de cette façon, la bienveillance témoignée encouragera les actes que nous approuvons, et l'exhortation discrète aura plus de force en ces pusillanimes contre les défaillances que nous blâmons. Apprenant que les Thessaloniciens, fidèles à observer la parole qu'ils avaient accueillie, se laissaient troubler, avec une vraie pusillanimité, par la pensée que la fin du monde était proche, Paul commence par louer ce qu'il aperçoit en eux de vigoureux, puis, sur ce point faible, les fortifie

Ait enim : *Gratias agere debemus Deo semper pro uobis, fratres, ita ut dignum est, quoniam supercrescit fides uestra, et abundat caritas uniuscuiusque uestrum in inuicem ; ita*
50 *ut et nos ipsi in uobis gloriemur in ecclesiis Dei, pro patientia uestra et fide*[c]. Qui cum blanda haec uitae eorum praeconia praemisisset, paulo post subdidit, dicens : *Rogamus autem uos, fratres, per aduentum Domini nostri Iesu Christi, et nostrae congregationis in ipsum, ut non*
55 *cito moueamini a uestro sensu, neque terreamini, neque per spiritum, neque per sermonem, neque per epistulam tamquam per nos missam, quasi instet dies Domini*[d]. Egit enim uerus doctor, ut prius audirent laudati quod recognoscerent, et postmodum quod exhortati sequerentur ;
60 quatinus eorum mentem ne ammonitio subiuncta concuteret, laus praemissa solidaret : et qui commotos eos uicini finis suspicione cognouerat, non iam redarguebat motos, sed quasi transacta nesciens, adhuc commoueri prohibebat ; ut dum de ipsa leuitate motionis praedicatori
65 suo se incognitos crederent, tanto reprehensibiles fieri, quanto et cognosci ab illo formidarent.

c. II Thess. 1, 3-4 || d. II Thess. 2, 1-2.

---

1. Grégoire commente ici *II Thess.* 1, 1-4, passage où l'on aperçoit l'attitude eschatologique du christianisme primitif (en liaison peut-être avec le judéo-christianisme ou la littérature apocalyptique, cf. J. HADOT, art. « Apocalypse de Jean », *Encyclopaedia Universalis* 2, 1968, p. 144-145). Grégoire a conscience que Paul corrigeait une déviation du christianisme primitif. Mais il applique cela aux pusillanimes : c'est la peur dans l'attente de la fin du monde qui est condamnable et non pas

par un avertissement prudent. « *Nous devons sans cesse remercier Dieu pour vous, frères, comme il convient, puisque votre foi grandit toujours et qu'abonde l'amour que vous avez les uns pour les autres, si bien que nous sommes nous-mêmes fiers de vous dans les Églises de Dieu, à cause de votre endurance et de votre foi*[c]. » Ayant débuté par cet éloge flatteur de leur vie, il ajouta peu après : « *Nous vous prions, frères, au nom de la venue de notre Seigneur Jésus-Christ, et de notre rassemblement autour de lui, de ne pas vous laisser ébranler dans vos convictions, ni effrayer en quoi que ce soit par la touche d'un esprit, ou par une parole, ou par une lettre que nous aurions envoyée, comme si le jour du Seigneur était imminent*[d]. » Il a agi comme un véritable docteur : ils entendraient d'abord un éloge dont ils reconnaîtraient le bien-fondé, puis une exhortation montrant la ligne de conduite à tenir. Pour que l'avertissement qui suivrait n'ébranle pas leur âme, une louange préalable l'affermit solidement. Celui qui les avait connus émus par la perspective d'une fin prochaine du monde ne leur reprochait pas cet émoi, mais, comme s'il ignorait ce qui s'était passé, leur défendait de se laisser émouvoir à l'avenir[1]. Croyant que leur émotivité était ignorée de leur maître, ils redouteraient de se rendre répréhensibles, autant qu'ils redoutaient d'être connus de lui.

l'attente elle-même, si présente au contraire dans l'œuvre de Grégoire (cf. R. MANSELLI, « L'escatologismo di Gregorio Magno », *Atti del 1° congresso intern. di Studi Longobardi*, Spolète 1952, p. 383-387 ; D. VERHELST, « La préhistoire des conceptions d'Adson concernant l'Antichrist », *RTAM* 40, 1973, en part. p. 53-54 et p. 77-80 ; en dernier lieu H. SAVON, « L'Antéchrist dans l'œuvre de Grégoire le Grand », *Colloque de Chantilly*, p. 389-405).

CAPVT IX

Quod aliter ammonendi sunt impatientes atque aliter patientes.

XXXIII Aliter ammonendi sunt impatientes, atque aliter patientes. Dicendum namque est impatientibus quia dum
5 frenare spiritum neglegunt, per multa etiam quae non appetunt iniquitatum abrupta rapiuntur, quia uidelicet mentem impellit furor quo non trahit desiderium, et agit commota uelut nesciens, unde post doleat sciens. Dicendum quoque impatientibus, quia dum motionis impulsu
10 praecipites, quaedam uelut alienati peragunt, uix mala sua postquam fuerint perpetrata cognoscunt. Qui dum perturbationi suae minime obsistunt, etiamsi qua a se tranquilla mente fuerant bene gesta confundunt, et improuiso impulsu destruunt, quidquid forsitan diu labore
15 prouido construxerunt. Ipsa namque quae mater est omnium custosque uirtutum, per impatientiae uitium uirtus caritatis amittitur. Scriptum quippe est : *Caritas patiens est*[a]. Igitur cum minime est patiens, caritas non est. Per hoc quoque impatientiae uitium ipsa uirtutum nutrix
20 doctrina dissipatur. Scriptum namque est : *Doctrina uiri per patientiam noscitur*[b]. Tanto ergo quisque minus ostenditur doctus, quanto minus conuincitur patiens. Neque enim potest ueraciter bona docendo impendere, si uiuendo nescit aequanimiter aliena mala tolerare.

IX a. I Cor. 13, 4 || b. Prov. 19, 11

CHAPITRE 9

Il faut avertir de façon différente les gens impatients et les gens patients.

Il faut avertir de façon différente les gens impatients et les gens patients. Il faut dire aux impatients que lorsqu'ils négligent de réfréner leur impétuosité ils sont entraînés à travers les abrupts d'injustices qu'ils ne cherchaient pas, parce que la fureur pousse l'âme là où ne l'attirait pas le désir, et que dans son transport elle agit comme inconsciente, ce dont ensuite, consciente, elle s'afflige. Il faut dire aussi aux impatients qu'en se précipitant sous la poussée de leur émoi, ils agissent souvent comme hors d'eux-mêmes, et dès lors, ont peine à se rendre compte du mal commis. En n'opposant aucune résistance à ce qui les trouble, ils dénaturent le bien même qu'ils avaient fait avec une âme tranquille, et ils détruisent, par leur aveugle impulsivité, tout ce qu'ils ont peut-être longuement construit par un clairvoyant labeur. La vertu même qui est la mère et la gardienne de toutes les autres, la charité, se perd à cause du vice de l'impatience. Car il est écrit : *« La charité est patiente*[a]*. »* Sans la patience, la charité n'est pas. Par le vice de l'impatience la science même, nourricière des vertus, se délite. Car il est écrit : *« La science d'un homme se reconnaît à sa patience*[b]*. »* Dès lors, plus un homme se révèle impatient, moins il se montre docte. Car on ne peut véritablement dispenser le bien en enseignant si l'on ne sait pas en vivant supporter d'une âme égale le mal en autrui.

25 Per hoc quoque impatientiae uitium plerumque mentem arrogantiae culpa transfigit. Quia dum despici in mundo hoc quisque non patitur, bona si qua sibi occulta sunt, ostentare conatur, atque sic per impatientiam usque ad arrogantiam ducitur ; dum quia ferre despectionem 30 non potest, detegendo semetipsum in ostentatione gloriatur. Vnde scriptum est : *Melior est patiens arrogante*[c]. Quia uidelicet elegit patiens quaelibet mala perpeti quam per ostentationis uitium bona sua occulta cognosci. At contra eligit arrogans bona de se uel falsa iactari, ne 35 mala possit uel minima perpeti.

Quia igitur cum patientia relinquitur, etiam bona reliqua quae iam gesta sunt destruuntur, recte ad Ezechielem esse in altari Dei fossa perhibetur, ut in ea uidelicet superposita holocausta seruentur[d]. Si enim in altari fossa 40 non esset, omne quod in eo sacrificium reperiret, superueniens aura dispergeret. Quid uero accipimus altare Dei, nisi animam iusti, quae quot bona egerit, tot super se ante eius oculos sacrificia imponit ? Quid autem est altaris fossa, nisi bonorum patientia, quae dum mentem ad 45 aduersa toleranda humiliat, quasi more foueae hanc in imo positam demonstrat ? Fossa ergo in altari fiat, ne superpositum sacrificium aura dispergat ; id est, electorum mens patientiam custodiat, ne commota uento impatientiae, et hoc quod bene operata est amittat. Bene 50 autem haec eadem fossa unius cubiti esse memoratur ; quia nimirum si patientia non deseritur, unitatis mensura

IX, 38 esse — perhibetur : in altari Dei fieri fossa praecipitur T^{ac} μ ‖ 50 memoratur *T B* : monstratur *E* μ

c. Eccl. 7, 9 (8) ‖ d. Cf. Éz. 43, 13-14

1. Grégoire comprend *fossa altaris* comme le rebord au bas de l'autel alors que ce rebord est désigné dans la Vulgate par *labium* (cf. L. PIROT et A. CLAMER, *La Sainte Bible*, t. 7, Paris 1946, p. 609). *Fossa altaris* désigne en fait la hauteur de l'autel. La dimension d'une coudée (*fossa unius cubiti*) est l'unité utilisée par le texte biblique pour mesurer les

Ce vice de l'impatience entraîne aussi, bien souvent, une coupable ostentation, flèche mortelle pour l'âme. Quand on ne supporte pas d'être méprisé dans le monde, on s'efforce d'étaler ses mérites cachés, s'il en est, et l'on est conduit de l'impatience à l'ostentation ; on ne peut supporter le mépris, et se découvrant soi-même on fait le fier en paradant. Aussi est-il écrit : *« L'homme patient vaut mieux que l'homme fier*[c]. *»* C'est que l'homme patient a mieux aimé souffrir tous les maux que faire connaître par une coupable ostentation ses mérites cachés. Par contre l'homme fier aime mieux que soient vantés ses mérites, même faux, pour ne pas avoir à souffrir la moindre blessure.

Quand on laisse de côté la patience, tout ce qu'on a fait jusqu'ici de bien est détruit ; voilà pourquoi il est montré à Ézéchiel, avec raison, qu'il y a dans l'autel de Dieu une concavité où seront protégés les holocaustes qu'on pose sur lui[d]. Car faute de cette concavité un coup de vent pourrait disperser toute oblation qu'il trouverait sur l'autel. Que voyons-nous dans l'autel de Dieu, sinon l'âme du juste ? Autant de bonnes actions faites par lui, autant d'oblations posées là sous le regard de Dieu. Qu'est la concavité de l'autel, sinon la patience des bons, qui en humiliant l'âme jusqu'au support des revers fait bien voir qu'elle est à la place la plus basse, comme au fond d'une fosse ? Qu'il y ait donc une concavité dans l'autel, pour que le vent ne disperse pas l'offrande posée sur lui : que l'âme des élus de Dieu garde la patience, de peur que secouée par le vent de l'impatience elle ne perde même ce qu'elle a œuvré de bon. Il est rapporté que cette concavité est d'une seule coudée ; si la patience n'est pas délaissée, la mesure de l'unité est conservée[1].

différentes dimensions de l'autel, elle correspond donc ici au principe d'une unité de mesure. Grégoire force le sens en prenant le principe de cette unité de mesure pour l'allégorie de la mesure de l'unité (Cf. *Hom. Éz.* II, 9, 14 = *SC* 360, p. 457).

seruatur. Vnde et Paulus ait : *Inuicem onera uestra portate, et sic adimplebitis legem Christi*[e].

Lex quippe Christi est caritas unitatis, quam soli per-
55 ficiunt, qui nec cum grauantur excedunt. Audiant impatientes quod scriptum est : *Melior est patiens uiro forti, et qui dominatur animo suo, expugnatore urbium*[f]. Minor est enim uictoria urbium, quia extra sunt quae subiguntur ; ualde autem maius est quod per patientiam uincitur,
60 quia ipse a se animus superatur, et semetipsum sibimetipsi subicit, quando eum patientia intra se frenari compellit. Audiant impatientes quod electis suis Veritas dicit : *In patientia uestra possidebitis animas uestras*[g]. Sic enim conditi mirabiliter sumus, ut ratio animam, et anima
65 possideat corpus. Ius uero animae a corporis possessione repellitur, si non prius anima a ratione possidetur. Custodem igitur conditionis nostrae patientiam Dominus esse monstrauit, qui in ipsa nos possidere nosmetipsos docuit. Quanta ergo sit impatientiae culpa cognoscimus, per
70 quam et hoc ipsum amittimus possidere quod sumus. Audiant impatientes quod per Salomonem rursum dicitur : *Totum spiritum suum profert stultus, sapiens autem differt et reseruat in posterum*[h]. Impatientia quippe impellente agitur ut totus foras spiritus proferatur ; quem
75 idcirco citius perturbatio eicit, quia nulla interius disciplina sapientiae circumcludit. Sapiens autem differt et reseruat in posterum. Laesus enim, in praesens se ulcisci non desiderat, quia etiam tolerans parci optat, sed tamen iuste uindicari omnia extremo iudicio non ignorat.

e. Gal. 6, 2-3 || f. Prov. 16, 32 || g. Lc 21, 19 || h. Prov. 29, 11

1. *Ratio, anima, corpus* est une trilogie parallèle et inverse de *suggestio, delectatio, consensus* (cf. 3, 20 et t. 1, Introduction, p. 52, n. 1). On trouve *rationalis animus* dans le *De sermone Domini in monte* (12, 34). Dans le *De fide et symbolo* (1, 10), AUGUSTIN distingue trois éléments dont l'homme se compose : l'esprit, l'âme et le corps, en s'appuyant sur *Rom.* 7, 25. Dans le *De natura et origine animae*, il

Aussi Paul dit-il : « *Portez les fardeaux les uns des autres, et vous accomplirez ainsi la loi du Christ*[e]. »

La loi du Christ, c'est l'amour de l'unité, que ceux-là seuls pratiquent pleinement qui même sous la pression du mal ne s'en écartent pas. Que les impatients écoutent la parole de l'Écriture : « *L'homme patient vaut mieux qu'un guerrier vaillant, et celui qui est maître de son âme, qu'un preneur de villes*[f]. » La victoire sur une ville vaut moins, car ce qui est soumis là est extérieur ; bien plus grand, ce qui est vaincu par la patience, car le cœur y triomphe de lui-même, et il se soumet à lui-même quand la patience l'oblige à se brider au-dedans. Qu'ils écoutent, les impatients, ce que la Vérité dit à ses élus : « *Par votre patience vous posséderez vos âmes*[g]. » Nous avons en effet été créés d'admirable façon, d'une façon telle que la raison possède l'âme, et l'âme le corps[1]. L'âme est déboutée de son droit de posséder le corps, si la raison d'abord ne la possède. Le Seigneur a donc montré dans la patience la gardienne de notre être créé, en enseignant que par elle nous nous possédons nous-mêmes. Nous reconnaissons dès lors la gravité de la faute d'impatience, par laquelle nous perdons la possession de ce que nous sommes. Qu'ils écoutent encore, les impatients, ce qui est dit par Salomon : « *L'insensé fait éclater toute sa passion ; le sage attend et réserve pour plus tard*[h]. » Oui, sous la poussée de l'impatience, toute la passion éclate au-dehors ; l'émoi a tôt fait de l'y jeter, faute d'un sage contrôle qui l'enclose au-dedans. Le sage, lui, attend et réserve pour plus tard. Blessé, il ne désire pas se venger aujourd'hui, il désire même, en supportant, que l'on épargne, tout en n'ignorant pas qu'au dernier jugement les droits seront tous rétablis.

distingue au-dessus de l'âme *(anima)* l'esprit qui est l'élément rationnel *(rationale nostrum)*. Cet esprit peut être appelé aussi *mens* (4, 23, 37 = *CSEL* 60, p. 416, repris par EUGIPPE, *Exc. Aug.* 185 = *CSEL* 9, p. 627-628). Sur *mens* voir t. 1, p. 158, n. 3.

80 At contra ammonendi sunt patientes, ne in eo quod exterius portant, interius doleant, ne tantae uirtutis sacrificium quod integrum foras immolant, intus malitiae peste corrumpant ; et cum ab hominibus non agnoscitur, sed tamen sub diuina examinatione peccatur, tanto de-
85 terior culpa doloris fit, quanto sibi ante homines uirtutis speciem uindicat.

Dicendum itaque est patientibus, ut studeant diligere quos sibi necesse est tolerare ; ne, si patientiam dilectio non sequitur, in deteriorem culpam odii uirtus ostensa
90 uertatur. Vnde Paulus cum diceret : *Caritas patiens est*[i], ilico adiunxit : *Benigna est* ; uidelicet ostendens quia quos ex patientia tolerat, amare etiam ex benignitate non cessat. Vnde idem doctor egregius cum patientiam discipulis suaderet, dicens : *Omnis amaritudo, et ira, et indi-*
95 *gnatio, et clamor, et blasphemia tollatur a uobis*[j], quasi cunctis exterius iam bene compositis ad interiora conuertitur, dum subiungit : *cum omni malitia.*

Quia nimirum frustra indignatio, clamor et blasphemia ab exterioribus tollitur, si in interioribus uitiorum mater
100 malitia dominatur ; et incassum foras nequitia ex ramis inciditur, si surrectura multiplicius intus in radice seruatur. Vnde et bene per semetipsam Veritas dicit : *Diligite inimicos uestros, benefacite his qui uos oderunt, orate pro persequentibus et calumniantibus uobis*[k]. Virtus itaque est
105 coram hominibus : aduersarios tolerare, sed uirtus coram Deo : diligere ; quia hoc solum Deus sacrificium accipit, quod ante eius oculos in altari boni operis flamma caritatis incendit. Hinc est quod rursum quibusdam patientibus, nec tamen diligentibus dicit : *Quid autem uides*
110 *festucam in oculo fratris tui, et trabem in oculo tuo non*

102 bene *T : om. cett.* || 104 uobis *T E B aliique codd. :* uos *μ*

i. I Cor. 13, 4 || j. Éphés. 4, 31 || k. Matth. 5, 44 ; cf. Lc 6, 27-28

Par contre, il faut avertir les gens patients de ne pas se plaindre intérieurement d'avoir extérieurement à supporter. Ils offrent au-dehors un sacrifice parfait d'un grand mérite ; qu'au-dedans ils ne laissent pas le venin du mal le gâter. Les hommes ne s'en rendent pas compte, mais le regard divin décèle le péché, et la plainte est une faute d'autant plus grande qu'au regard des hommes on revendique l'éclat de la vertu.

Il faut donc dire aux hommes patients qu'ils s'efforcent d'aimer ceux qu'ils sont dans la nécessité de supporter ; car si l'amour n'accompagne pas la patience, la vertu dont on fait montre se change en une coupable haine, son contraire. Après avoir dit : *« La charité est patiente*[i] *»,* Paul ajouta sur-le-champ : *« Elle est bonne »,* montrant qu'elle ne cesse d'aimer ceux qu'elle supporte avec patience. Ce maître incomparable conseillait la patience à ses disciples quand il leur disait : *« Que toute aigreur, colère, emportement, que les cris, la parole outrageante, que tout cela disparaisse de chez vous*[j] *» ;* mais le bon ordre extérieur étant assuré, il se tourne vers l'intérieur en ajoutant : *« ainsi que toute espèce de malice ».*

C'est en vain, de fait, que l'emportement, les cris, la parole outrageante disparaissent à l'extérieur, si domine à l'intérieur la malice, mère des vices ; c'est pour rien qu'à l'extérieur la malice est retranchée des branches par la taille, si elle est conservée dans la racine, pour resurgir multipliée. Aussi la Vérité elle-même va-t-elle jusqu'à dire justement : *« Aimez vos ennemis, faites du bien à ceux qui vous haïssent, priez pour ceux qui vous persécutent et vous calomnient*[k]. *»* Vertu aux yeux des hommes que supporter des adversaires ; vertu aux yeux de Dieu que les aimer. Car le seul sacrifice agréé de Dieu est celui que sous ses yeux embrase sur l'autel de l'œuvre bonne la flamme de la charité. Voilà encore pourquoi il dit à des hommes patients mais sans amour : *« Pourquoi vois-tu le brin de paille dans l'œil de ton frère, et ne vois-tu pas la poutre*

uides[l] ? Perturbatio quippe impatientiae festuca est ; malitia uero in corde, trabes in oculo. Illam namque aura temptationis agitat, hanc autem consummata nequitia paene immobiliter portat. Recte uero illic subiungitur :
115 *Hypocrita, eice primum trabem de oculo tuo, et tunc uidebis eicere festucam de oculo fratris tui*[m]. Ac si dicatur menti iniquae interius dolenti, et sanctam se exterius per patientiam demonstranti : Prius a te molem malitiae excute, et tunc alios de impatientiae leuitate reprehende, ne
120 dum non studes simulationem uincere, peius tibi sit aliena praua tolerare.

Euenire etiam plerumque patientibus solet ut eo quidem tempore quo uel aduersa patiuntur, uel contumelias audiunt, nullo dolore pulsentur, et sic patientiam exhi-
125 beant, ut custodire etiam cordis innocentiam non omittant ; sed cum post paululum haec ipsa quae pertulerint, ad memoriam reuocant, igne se doloris inflammant, argumenta ultionis inquirunt, et mansuetudinem quam tolerantes habuerunt, retractantes in malitiam uertunt. Qui-
130 bus citius a praedicante succurritur, si quae sit huius permutationis causa pandatur. Callidus namque aduersarius bellum contra duos mouet, unum uidelicet inflammans ut contumelias prior inferat, alterum prouocans ut contumelias laesus reddat. Sed plerumque dum huius iam
135 uictor est qui iniuriam persuasus irrogat, ab illo uincitur qui illatam sibi aequanimiter portat. Vnius ergo uictor

l. Matth. 7, 3 || m. Matth. 7, 5 ; cf. Lc 6, 41-42.

---

1. Sur la patience, cf. AUGUSTIN, *Pat.* 2, 2 (*BA* 2, p. 532-533) : « Les impatients, en effet, qui se refusent à supporter les maux, n'arrivent pas à leur échapper et s'exposent à en souffrir de plus graves encore. Les patients, au contraire, aiment mieux supporter les maux sans en commettre, que d'en commettre en ne les supportant pas » (trad. G. Combes). Les développements de ce chapitre se retrouvent aussi chez Grégoire dans *Hom. Év.* II, 35, 4-6 (*PL* 76, 1261-1262).

dans ton œil[l] ? » L'émoi de l'impatience, c'est le brin de paille ; la malice dans le cœur, c'est la poutre dans l'œil. Le vent de la tentation agite le brin de paille ; la méchanceté consommée porte la poutre presque sans bouger. Il est ajouté avec justesse : « *Hypocrite, enlève d'abord la poutre de ton œil, et alors tu verras clair pour enlever le brin de paille de l'œil de ton frère[m].* » C'est un peu dire à une âme se plaignant au-dedans et se présentant au-dehors comme sainte par sa patience : « Décharge-toi d'abord de cette pesante malice et reprends alors les autres de leur légère impatience, car si tu ne t'efforces pas de vaincre ta duplicité, supporter le mal en autrui pourrait te valoir un mal plus grave[1]. »

Il peut arriver encore à des gens patients qui ont à souffrir d'une opposition ou s'entendent injurier de n'éprouver sur le moment aucune réaction d'amertume et de faire preuve de patience, mais sans omettre de garder un cœur pur de toute volonté de nuire. Seulement, quand ils se rappellent un peu après ce qu'ils ont enduré, le feu du ressentiment s'allume, ils cherchent les habiletés[2] de la vengeance ; ils avaient eu la douceur en supportant, ils se reprennent et la changent en malignité. Le prédicateur leur offre un secours plus rapide en leur mettant sous les yeux le motif de ce changement. Car l'astucieux adversaire porte l'attaque contre deux hommes : il échauffe l'un pour qu'il lance le premier l'injure, il provoque l'autre à rendre l'injure qui l'a blessé. Mais parfois, vainqueur de celui qu'il a persuadé d'infliger l'outrage, il est vaincu par celui qui le supporte d'une âme égale. Le voilà donc vainqueur de l'un, qu'en l'excitant il s'est

2. Dans une discussion, le mot *argumenta* désigne les raisons adroitement présentées pour convaincre ; il en est venu à signifier parfois tous moyens habiles de triompher d'un adversaire. Voir *Mor.* 2, 24, 43 (*CCL* 143, p. 86, l. 24) : *argumenta tentationum* ; 31, 41, 82 (*CCL* 143B, p. 1707, l. 64) : *argumenta bellorum.*

quem commouendo subiugauit, tota contra alterum uirtute se erigit, eumque obsistentem fortiter et uincentem dolet. Quem quia commouere in ipsa contumeliarum
140 iaculatione non potuit, ab aperto certamine interim quiescens, et secreta suggestione cogitationem lacessens, aptum deceptionis tempus inquirit. Quia enim publico bello perdidit, ad exercendas occulte insidias exardescit. Quietis namque iam tempore ad uictoris animum redit, et uel
145 rerum damna, uel iniuriarum iacula ad memoriam reducit, cunctaque quae sibi illata sunt, uehementer exaggerans, intolerabilia ostendit ; tantoque mentem maerore conturbat, ut plerumque uir patiens illa se aequanimiter tolerasse post uictoriam captiuus erubescat seque non
150 reddidisse contumelias doleat, et deteriora rependere, si occasio praebeatur, quaerat.

Quibus ergo isti sunt similes, nisi his qui per fortitudinem in campo uictores sunt, sed per neglegentiam postmodum intra urbis claustra capiuntur ? Quibus sunt
155 similes, nisi his quos irruens grauis languor a uita non subtrahit, sed leniter ueniens recidiua febris occidit ? Ammonendi sunt igitur patientes, ut cor post uictoriam muniant, ut hostem publico bello superatum insidiari moeniis mentis intendant, ut languorem plus reserpentem
160 timeant, ne hostis callidus eo in deceptione postmodum maiori exsultatione gaudeat, quo illa dudum contra se rigida colla uictorum calcat.

1. Allusion à un rituel byzantin (peut-être d'origine macédonienne), cf. M. McCormick, *Eternal Victory. Triumphal rulership in late antiquity, Byzantium and the early medieval West*, Cambridge et Paris 1990, p. 57-58 (en part. n. 76).

soumis. Alors, de toute sa force, il se dresse contre l'autre, irrité de ce qu'il résiste courageusement et triomphe de lui. Comme il n'a pu l'exciter au moment même où fusaient les injures, il renonce quelque temps au combat ouvert, et il le harcèle, sournoisement insinuant, cherchant le moment opportun pour le prendre au dépourvu. Dans la bataille livrée au grand jour, il a perdu ; il s'enfièvre à monter dans l'ombre ses embuscades. A une heure maintenant tranquille, il revient vers son vainqueur, rappelle à sa mémoire soit les dommages subis soit les injures essuyées, il lui présente tout ce qu'on lui fait subir, fortement grossi, comme intolérable. Il plonge son âme dans une telle amertume que d'ordinaire cet homme patient, de vainqueur devenu prisonnier, rougit d'avoir supporté tranquillement tout cela, se repent de n'avoir pas rendu l'injure et cherche à rendre le double, si l'occasion vient à se présenter.

Ces gens ne ressemblent-ils pas à des soldats vainqueurs dans la plaine grâce à leur courage, puis se laissant par négligence prendre dans l'enceinte de la ville ? Ne ressemblent-ils pas à des hommes sur qui une grave maladie a fondu sans leur ôter la vie, puis que tue une reprise de la fièvre survenue doucement ? Il faut donc avertir les gens patients de fortifier leur cœur après la victoire, d'avoir l'œil sur l'ennemi, qui vaincu dans le combat ouvert rôde autour des remparts de l'âme, de craindre davantage le retour sournois de la maladie : cet habile ennemi, les trompant, tressaillirait d'une joie d'autant plus grande que son talon foulerait maintenant l'échine de ses vainqueurs, longtemps dressée contre lui[1].

CAPVT X

Quod aliter ammonendi sunt beneuoli atque aliter inuidi.

XXXIV Aliter ammonendi sunt beneuoli, atque aliter inuidi. Ammonendi namque sunt beneuoli, ut sic alienis bonis 5 congaudeant, quatinus habere et propria concupiscant. Sic proximorum facta diligendo laudent, ut ea etiam imitando multiplicent, ne si in hoc praesentis uitae stadio[a] ad certamen alienum deuoti fautores, sed pigri spectatores assistunt, eo post certamen sine brauio remaneant, 10 quo nunc in certamine non laborant, et tunc eorum palmas afflicti respiciant, in quorum nunc laboribus otiosi perdurant. Valde quippe peccamus, si aliena bene gesta non diligimus. Sed nil mercedis agimus, si ea quae diligimus, in quantum possumus non imitamur.

15 Dicendum itaque est beneuolis, quia si imitari bona minime festinant quae laudantes approbant, sic eis uirtutum sanctitas sicut stultis spectatoribus ludicrarum artium uanitas placet. Illi namque aurigarum ac histrionum gesta fauoribus efferunt, nec tamen tales esse desiderant,

X a. Cf. I Cor. 9, 24-27

1. A propos des spectateurs paresseux, cf. AMBROISE, *Off.* I, 16, 59-61 (*PL* 16, 41). Relevons la communauté de vocabulaire : *spectatores,*

CHAPITRE 10

Il faut avertir différemment les gens bienveillants et les envieux.

Il faut avertir d'une façon différente les gens bienveillants et les envieux. Il faut avertir les bienveillants de se réjouir des mérites d'autrui avec un grand désir d'avoir aussi leurs mérites propres. Qu'ils louent les bonnes actions de leur prochain, en aimant, mais de manière à les multiplier, en imitant. Si dans le stade de la vie présente[a], ils assistent à une compétition en sympathisants chaleureux, mais en spectateurs paresseux[1], qu'ils craignent de rester privés de prix après le combat, faute de peiner maintenant lors du combat ; et qu'ils craignent de regarder alors avec tristesse la palme de ceux qu'ils voient maintenant peiner, tandis qu'ils demeurent eux-mêmes inactifs. Faute grave, oui, que de ne pas aimer les belles actions d'autrui ; mais notre mérite est nul, si nous n'imitons pas ce que nous aimons autant qu'il nous est possible.

Il faut donc dire aux bienveillants que s'ils ne s'empressent pas d'imiter tant soit peu les actes bons qu'ils approuvent de leurs éloges, leur complaisance dans la sainteté des vertus est aussi vaine que celle de stupides spectateurs des jeux. Ceux-ci exaltent par leurs applaudissements les prouesses des cochers et des comédiens, sans désirer pour autant être ce qu'ils voient être ces

otium, stadium, corona (chez Grégoire *palmas*) pour souligner la nécessité de descendre dans l'arène comme l'athlète de S. Paul (*I Cor.* 9, 24-27).

20 quales illos conspiciunt esse quos laudant. Mirantur eos placita egisse, sed tamen similiter deuitant placere. Dicendum beneuolis ut cum proximorum facta conspiciunt, ad suum cor redeant, et de alienis actibus non praesumant ; ne bona laudent, et agere recusent. Grauius quippe
25 extrema ultione feriendi sunt, quibus placuit quod imitari noluerunt.

Ammonendi sunt inuidi, ut perpendant quantae caecitatis sunt, qui alieno prouectu deficiunt, aliena exsultatione contabescunt. Quantae infelicitatis sunt, qui me-
30 lioratione proximi deteriores fiunt ; dumque augmenta alienae prosperitatis aspiciunt, apud semetipsos anxie afflicti, cordis sui peste moriuntur. Quid istis infelicius, quos dum conspecta felicitas afficit, poena nequiores reddit ? Aliorum uero bona quae habere non possunt, si
35 diligerent, sua fecissent. Sic quippe sunt uniuersi consistentes in fide, sicut multa membra uno continentur in corpore, quae per officium quidem diuersa sunt, sed quo sibi uicissim congruunt, unum fiunt. Vnde fit ut pes per oculum uideat, et per pedes oculi gradiantur, ori auditus
40 aurium seruiat, et ad usum suum auribus oris lingua concurrat, suffragetur manibus uenter, uentri operentur manus[b]. In ipsa igitur corporis positione accipimus, quod

b. Cf. I Cor. 12, 14-27

1. Grégoire introduit ici des termes : *ludicrae artes, aurigae, histriones*, qui n'ont vraisemblablement plus de résonances concrètes à Rome à la fin du VI[e] s., mais qui ont par contre des résonances littéraires très importantes, surtout dans la littérature chrétienne (cf. AUGUSTIN, *Psalm.* 38, 6 = *CCL* 38, p. 286, l. 25-30 ; 103 ; cf. t. 1, Introduction, p. 44) : Dieu n'est pas acclamé comme on acclame un aurige ou un histrion. Voir surtout *Cat. rud.* 25, 49 (*CCL* 46, p. 172-173 = *BA* 11, p. 134-137) : « Car si, dans les spectacles publics, tu aimais la compagnie et l'affection de ceux qui aimaient avec toi un aurige, un chasseur ou un histrion, combien plus ne dois-tu pas trouver de charme à t'unir à ceux

hommes qu'ils louent[1]. Ils les admirent d'avoir su plaire par leurs tours, ils se refusent à plaire de façon semblable. Il faut dire aux bienveillants que lorsqu'ils remarquent telles actions de leur prochain, ils reviennent à leur propre cœur, et ne misent pas sur ces actes d'autrui ; qu'ils ne louent pas les belles actions tout en refusant d'agir. Ils doivent être frappés plus sévèrement lors de l'ultime reddition de comptes, ceux qui auront applaudi sans vouloir imiter.

Il faut avertir les envieux de mesurer à quel point sont aveugles ceux que le progrès d'autrui déprime, que l'allégresse d'autrui ronge de tristesse ; à quel point sont malheureux ceux en qui le mal empire quand leur prochain devient meilleur et qui, témoins du croissant bonheur des autres, se tourmentent à part eux, anxieux, et meurent de l'infection de leur cœur. Quoi de plus malheureux que ces êtres abattus au spectacle du bonheur, et dont le tourment augmente la malice ? Ces avantages d'autrui qu'ils ne peuvent avoir, ils les auraient faits leurs, s'ils aimaient ! Oui, l'ensemble des hommes, tous unis fermement dans la foi, sont comme les membres que contient un seul corps ; leurs rôles sont divers, mais grâce à leur adaptation mutuelle, ils deviennent quelque chose d'un. Il en résulte que le pied voit par l'œil et que les yeux marchent grâce aux pieds, que l'ouïe sert la bouche et que la langue collabore avec les oreilles pour son office, que le ventre donne son appui aux mains et que les mains œuvrent pour le ventre[b]. Dans la constitution même de notre corps nous percevons ce que nous

qui aiment avec toi ce Dieu dont l'ami n'aura jamais à rougir, car non seulement il ne peut être vaincu lui-même mais il rend invincibles ceux qui l'aiment. » Cf. aussi *Psalm.* 53, 10 (*CCL* 39, p. 653-654) ; RUFIN, *Apol.* 84 et 85 (*CSEL* 46, p. 64-65) : des athlètes de Dieu sont tournés en dérision par des histrions honteux et impudiques. C'est Rufin qui introduit le terme *histriones* qui ne se trouve pas dans le texte grec.

in actione seruemus. Nimis itaque turpe est non imitari quod sumus. Nostra sunt nimirum, quae etsi imitari non
45 possumus, amamus in aliis ; et amantium fiunt quaeque amantur in nobis. Hinc ergo pensent inuidi, caritas quantae uirtutis est, quae alieni laboris opera, nostra sine labore facit.

Dicendum itaque est inuidis, quia dum se a liuore
50 minime custodiunt, in antiquam uersuti hostis nequitiam demerguntur. De illo namque scriptum est : *Inuidia diaboli mors intrauit in orbem terrarum*[c]. Quia enim ipse caelum perdidit, condito hoc homini inuidit, et damnationem suam perditus adhuc alios perdendo cumulauit.
55 Ammonendi sunt inuidi ut cognoscant quantis lapsibus succrescentis ruinae subiaceant, quia dum liuorem a corde non proiciunt, ad apertas operum nequitias deuoluuntur. Nisi enim Chain inuidisset acceptam fratris hostiam, minime peruenisset ad exstinguendam uitam. Vnde scrip-
60 tum est : *Et respexit Dominus ad Abel et ad munera eius ; ad Chain uero et ad munera illius non respexit. Iratusque est Chain uehementer, et concidit uultus eius*[d]. Liuor itaque sacrificii, fratricidii seminarium fuit. Nam quem meliorem se esse doluit, ne utcumque esset amputauit. Dicendum
65 est inuidis, quia dum se ista intrinsecus peste consumunt, etiam quidquid in se aliud boni habere uidentur interimunt. Vnde scriptum est : *Vita carnium sanitas cordis, putredo ossuum inuidia*[e]. Quid enim per carnes nisi infirma quaedam ac tenera, et quid per ossa nisi fortia acta

c. Sag. 2, 24 || d. Gen. 4, 4-5 || e. Prov. 14, 30.

1. C'est une image paulinienne (cf. *I. Cor.* 12, 14-27) ; elle figure déjà dans *Mor.* 11, 6, 8 (*SC* 212, p. 53) et dans AUGUSTIN, *Serm.* Denis 19, 5 (Morin, p. 102) : « Les yeux voient là où on va, les pieds vont là où les yeux regardent : ni les pieds ne peuvent voir, ni les yeux marcher... Donc chaque membre réparti sur chaque fonction qui lui est propre accomplit ce que l'âme *(animus)* ordonne, cependant tous constituent

devons garder dans l'action[1]. Il serait donc honteux de ne pas imiter ce que nous sommes. Ils sont nôtres, ces actes que sans même pouvoir les imiter nous aimons dans les autres ; et tout ce qu'on aime en nous devient le bien de ceux qui nous aiment. Qu'ils mesurent donc, les envieux, combien il est grand ce pouvoir de la charité de faire nôtre sans labeur ce qu'opère le labeur d'autrui.

Il faut dès lors dire aux envieux qu'en ne se gardant pas de leur jalousie, ils sombrent dans l'antique malice de l'astucieux ennemi. De lui il est écrit : *« Par l'envie du diable la mort est entrée dans le monde*[c]. *»* Il a perdu le ciel et il l'a envié à l'homme récemment créé ; il a mis le comble à sa damnation, lui, l'être perdu, en perdant encore les autres. Il faut avertir les envieux d'apprendre à quelles chutes multipliées, à quelle progressive décadence ils sont exposés ; car en ne rejetant pas l'envie de leur cœur, ils roulent sur la pente d'actes franchement criminels. Si Caïn n'avait pas été envieux du sacrifice agréable à Dieu de son frère, il n'en serait pas venu à lui ôter la vie. Aussi est-il écrit : *« Et le Seigneur jeta les yeux sur Abel et ses présents ; mais il ne les jeta pas sur Caïn et ses présents. Et Caïn fut violemment irrité, et son visage fut abattu*[d]. *»* La blême jalousie pour un sacrifice fut le germe d'un fratricide. Que son frère fût meilleur que lui attrista Caïn ; il fallait qu'il ne fût pas du tout, il le supprima. On dira aux envieux qu'en se laissant ronger intimement par ce poison ils tuent aussi tout ce que par ailleurs on voit de bon en eux. *« Vie pour les chairs que la santé du cœur,* est-il écrit ; *carie pour les os que l'envie*[e]. *»* Que signifient les chairs, sinon quelque chose de faible et de tendre ? Et les os, sinon des actes

un seul corps et maintiennent l'unité ; ils ne revendiquent pas pour eux-mêmes ce qu'ont d'autres membres si par hasard ces membres-ci ne l'ont pas et ils ne pensent pas que ce qu'ils ont en même temps dans un seul corps leur soit étranger. »

70 signantur ? Et plerumque contingit ut quidam cum cordis innocentia in nonnullis suis actibus infirmi uideantur, quidam uero iam quaedam ante humanos oculos robusta exerceant, sed tamen erga aliorum bona intus inuidiae pestilentia tabescant. Bene ergo dicitur : *Vita carnium*
75 *sanitas cordis* ; quia si mentis innocentia custoditur, etiam si qua foris infirma sunt quandoque roborantur. Et recte illic subditur : *Putredo ossuum inuidia*, quia per liuoris uitium ante Dei oculos pereunt etiam quae humanis oculis fortia uidentur. Ossa quippe per inuidiam putres-
80 cere, est quaedam etiam robusta deperire.

CAPVT XI

Quod aliter ammonendi sunt simplices atque aliter impuri.

XXXV Aliter ammonendi sunt simplices, atque aliter impuri. Laudandi sunt simplices quod studeant numquam falsa
5 dicere, sed ammonendi sunt ut nouerint nonnumquam uera reticere. Sicut enim semper dicentem falsitas laesit, ita nonnumquam quibusdam audita uera nocuerunt. Vnde coram discipulis Dominus locutionem suam silentio temperans, ait : *Multa habeo uobis dicere, sed nunc non*
10 *potestis illa portare*[a]. Ammonendi sunt igitur simplices,

XI a. Jn 16, 12

1. Parallèle textuel, depuis la citation de *Prov.* 14, 30, avec *Mor.* 5, 46, 85 (*CCL* 143, p. 282).

2. *Impurus* s'oppose à *simplex*. La *simplicitas* est ici la franchise en tant qu'elle exclut la duplicité, le comportement de l'homme qui joue double jeu. C'est aussi la transparence d'une âme qui ne dissimule rien.

vigoureux ? Or il arrive souvent que des gens au cœur sans reproche paraissent assez faibles à l'œuvre, que d'autres par contre poursuivent aux yeux des homes une activité énergique, mais au-dedans sèchent d'envie à cause des succès des autres. Le mot est donc juste : *« Vie pour les chairs, que la santé du cœur »,* car si l'on garde l'innocence de l'âme la faiblesse même que peut présenter l'activité extérieure devient un jour ou l'autre force. Et juste aussi le mot suivant : *« Carie pour les os, que l'envie »,* car le vice de la blême jalousie fait perdre aux yeux de Dieu ce qui paraît fort aux yeux humains. Les os cariés par l'envie, ce sont des vigueurs qui se perdent[1].

CHAPITRE 11

Il faut avertir différemment les hommes francs et les hommes faux.

Il faut avertir différemment les hommes francs et les hommes faux[2]. Il faut louer les premiers de leur soin à ne jamais rien dire de faux, mais les avertir de savoir parfois taire le vrai. Si le faux a toujours blessé celui qui l'a dit, le vrai a parfois nui à ceux qui l'ont entendu. En présence de ses disciples, le Seigneur a imposé à la parole la mesure du silence, quand il a dit : *« J'ai beaucoup de choses à vous dire, mais vous ne pouvez maintenant les porter[a]. »* Il faut donc en avertir les hommes francs : s'il

Commentant *Job* 12, 4 : *deridetur simplicitas iusti*, dans *Mor.* 10, 29, 48 (*CCL* 143, p. 570, l. 19), Grégoire l'appelle aussi *uirtus puritatis*. *Impurus* désigne son contraire, sous l'image d'une eau qui n'est pas transparente mais trouble.

ut sicut fallaciam semper utiliter uitant, ita ueritatem semper utiliter proferant. Ammonendi sunt ut simplicitatis bono prudentiam adiungant, quatinus sic securitatem de simplicitate possideant, ut circumspectionem pru-
15 dentiae non amittant. Hinc namque per doctorem gentium dicitur : *Volo uos sapientes esse in bono, simplices autem in malo*[b]. Hinc electos suos per semetipsam Veritas ammonet, dicens : *Estote prudentes sicut serpentes, et simplices sicut columbae*[c]. Quia uidelicet in electorum
20 cordibus debet et simplicitatem columbae astutia serpentis acuere, et serpentis astutiam columbae simplicitas temperare, quatinus nec seducti per prudentiam calleant, nec ab intellectus studio ex simplicitate torpescant.

At contra ammonendi sunt impuri, ut quam grauis sit,
25 quem cum culpa sustinent, duplicitatis labor agnoscant. Dum enim deprehendi metuunt, semper improbas defensiones quaerunt, semper pauidis suspicionibus agitantur. Nil autem est ad defendendum puritate tutius, nil ad dicendum ueritate facilius. Nam dum fallaciam suam
30 tueri cogitur, duro cor labore fatigatur. Hinc namque scriptum est : *Labor labiorum ipsorum operiet eos*[d]. Qui enim nunc implet, tunc operit, quia cuius nunc animam per blandam inquietudinem exserit, tunc per asperam retributionem premit. Hinc per Hieremiam dicitur : *Do-*
35 *cuerunt linguam suam loqui mendacium, ut inique agerent laborauerunt*[e]. Ac si aperte diceretur : Qui amici esse ueritatis sine labore poterant, ut peccent laborant ; cumque uiuere simpliciter rennuunt, laboribus exigunt ut moriantur. Nam plerumque in culpa deprehensi, dum
40 quales sint cognosci refugiunt, sese sub fallaciae uelamen

XI, 40 cognosci refugiunt T^{pc} : cognoscere fugiunt T^{ac} *E B Corb. Carn.*[2] *Belv.* || uelamen *T E B* : -mine *μ*

b. Rom. 16, 19 || c. Matth. 10, 16 || d. Ps. 139, 10 || e. Jér. 9, 5

y a toujours profit à éviter de tromper, qu'il y ait toujours profit à faire connaître la vérité. Il faut les avertir de joindre la prudence à leur bienfaisante simplicité, de façon à posséder la tranquillité que leur vaut leur simplicité sans perdre la circonspection de la prudence. Car il est dit à ce sujet par le docteur des nations : « *Je veux que vous soyez avisés pour le bien, simples pour le mal*[b]. » Et la Vérité avertit elle-même ses élus : « *Soyez prudents comme des serpents, simples comme des colombes*[c]. » C'est qu'au cœur des élus l'astuce du serpent doit appointer la simplicité de la colombe, et la simplicité de la colombe tempérer l'astuce du serpent[1], de manière qu'ils évitent à la fois de faire les habiles, séduits par la prudence, et de laisser mollir, par simplicité, le souci de voir clair.

Par contre il faut avertir les hommes faux de prendre conscience du lourd labeur que leur impose, par leur faute, la duplicité. Craignant d'être trouvés coupables, ils sont toujours à chercher des parades malhonnêtes, toujours agités de tremblants soupçons. Rien par contre n'est plus sûr de se défendre que la transparence, rien de plus facile à dire que la vérité. Quand il est forcé de couvrir sa tromperie, le cœur se lasse à dur labeur. « *Le labeur de leurs lèvres les accablera*[d] », est-il écrit. Ce labeur, il rassasie maintenant, alors il accable ; il met maintenant le cœur au large avec une agréable agitation, il oppresse alors durement, par une immanente justice. Aussi est-il écrit par Jérémie : « *Ils ont appris à leur langue à dire le mensonge, ils ont peiné à mal agir*[e]. » En clair, c'était dire : « Ceux qui auraient pu être sans peiner des amis de la vérité peinent à pécher, et en refusant de vivre dans la franchise, ils aboutissent avec toute leur peine à la mort. » Car pris en faute, évitant d'être reconnus pour ce qu'ils sont, ils se cachent sous le voile

1. Le commentaire de *Matth.* 10, 16 se retrouve dans *Ep.* 5, 36 (*CCL* 140, p. 304).

abscondunt, et hoc quod peccant, quodque ima aperte cernitur, excusare moliuntur ; ita ut saepe is qui eorum culpas corripere studet, aspersae falsitatis nebulis seductas paene amisisse se uideat, quod de eis iam certum tenebat.
45 Vnde recte sub Iudaeae specie per prophetam contra peccantem animam excusantemque se, dicitur : *Ibi habuit foueam ericius*[f]. Ericii quippe nomine impurae mentis seseque callide defendentis duplicitas designatur ; quia uidelicet ericius cum apprehenditur, eius et caput cernitur,
50 et pedes uidentur, et corpus omne conspicitur ; sed mox ut apprehensus fuerit, semetipsum in sphaeram colligit, pedes introrsus subtrahit, caput abscondit, et intra tenentis manus totum simul amittitur, quod totum simul ante uidebatur. Sic nimirum, sic impurae mentes sunt, cum in
55 suis excessibus comprehenduntur. Caput enim ericii cernitur, quia quo initio ad culpam peccator accesserit uidetur. Pedes ericii conspiciuntur, quia quibus uestigiis nequitia sit perpetrata cognoscitur, et tamen adductis repente excusationibus impura mens introrsus pedes col-
60 ligit, quia cuncta iniquitatis suae uestigia abscondit. Caput subtrahit, quia miris defensionibus nec inchoasse se malum aliquid ostendit. Et quasi sphaera in manu tenentis remanet, quia is qui corripit, cuncta quae iam cognouerat subito amittens, inuolutum intra conscientiam
65 peccatorem tenet ; et qui totum iam deprehendendo uiderat, tergiuersatione prauae defensionis illusus totum pariter ignorat. Foueam ergo ericius habet in reprobis, quia malitiosae mentis duplicitas sese intra se colligens abscondit in tenebris defensionis.
70 Audiant impuri quod scriptum est : *Qui ambulat simpliciter, ambulat confidenter*[g]. Fiducia quippe magnae se-

f. Is. 34, 15 || g. Prov. 10, 9

1. Le texte d'*Is*. 34, 13-15, dont Grégoire ne cite que quelques mots, montre le hérisson (en hébreu un reptile) au milieu de divers animaux sauvages et dangereux. Le même passage se trouve dans *Mor*. 33, 29, 53 (*CCL* 143B, p. 1719-1720).

du mensonge, et font tous leurs efforts pour excuser leur péché, déjà clairement connu, tant et si bien que l'homme chargé de corriger leurs fautes, maintenant soustraites au regard par le voile de brouillard qu'étend sur elles la duplicité, voit presque tout ce qu'il en savait de certain lui échapper.

Il est dit avec justesse par le prophète contre l'âme qui pèche et s'excuse, figurée par la Judée : *« Là le hérisson a eu son trou*[f]*. »* Le hérisson symbolise la duplicité de l'âme fausse et habile à se défendre. Quand on veut saisir un hérisson, on distingue sa tête, on aperçoit ses pattes, on voit tout son corps ; mais à peine l'a-t-on saisi, il se roule en boule, rentre ses pattes, cache sa tête, et voilà qu'échappe tout entier aux mains qui le tiennent ce qu'un instant avant on voyait tout entier. Telles, oui, telles les âmes fausses, quand on les surprend dans leurs écarts. On distingue la tête du hérisson, car on voit comment a débuté la faute du pécheur. On aperçoit les pattes du hérisson, car on reconnaît à ses traces le cheminement de l'acte mauvais ; et cependant, apportant sur-le-champ des excuses, l'âme fausse rentre ses pattes, elle cache toutes les traces de son iniquité. Elle dérobe sa tête aux regards, car elle montre par de merveilleuses preuves qu'elle n'a même pas commencé à mal faire. Et elle reste comme une boule entre les mains qui la tiennent, car celui qui la reprend oublie soudain tout ce qu'il savait : il tient un pécheur pelotonné au fond de sa conscience, et après avoir clairement tout constaté, le voilà ignorant de tout, dupé par les faux-fuyants de la défense. Le hérisson a donc son trou parmi les animaux méchants[1], car la duplicité de l'âme vicieuse se cache, ramassée sur elle-même, dans les ténèbres où elle se protège.

Qu'ils écoutent, les gens faux, ce qui est écrit : *« Celui qui marche avec simplicité, marche avec confiance*[g]*. »* C'est

curitatis est simplicitas actionis. Audiant quod sapientis ore dicitur : *Sanctus Spiritus disciplinae effugiet fictum*[h]. Audiant quod Scriptura rursum teste perhibetur : *Cum*
75 *simplicibus sermocinatio eius*[i]. Deo enim sermocinari est per illustrationem suae praesentiae humanis mentibus arcana reuelare. Cum simplicibus igitur sermocinari dicitur ; quia de supernis mysteriis illorum mentes radio suae uisitationis illuminat, quos nulla umbra duplicitatis
80 obscurat. Est autem speciale duplicium malum, quia dum peruersa et duplici actione ceteros fallunt, quasi praestantius ceteris prudentes se esse gloriantur et quia districtionem retributionis non considerant, de damnis suis miseri exsultant. Audiant autem quam super illos pro-
85 pheta Sophonias uim diuinae animaduersionis intentat, dicens : *Ecce dies Domini uenit magnus et horribilis, dies irae dies illa, dies tenebrarum et caliginis, dies nebulae et turbinis, dies tubae et clangoris super omnes ciuitates munitas, et super omnes angulos excelsos*[j]. Quid enim per
90 ciuitates munitas exprimitur, nisi suspectae mentes et fallaci semper defensione circumdatae, quae quotiens earum culpa corripitur, ueritatis ad se iacula non admittunt ? Et quid per excelsos angulos — duplex quippe semper est in angulis paries — nisi impura corda signan-
95 tur ? quae dum ueritatis simplicitatem fugiunt, ad semetipsa quodammodo duplicitatis peruersitate replicantur, et, quod est deterius, apud cogitationes suas in fastu prudentiae ex ipsa se culpa impuritatis extollunt. Dies igitur Domini uindictae atque animaduersionis plena su-

84 quam *T E* : quod *B* quomodo *μ*

h. Sag. 1, 5 || i. Prov. 3, 32 || j. Soph. 1, 14-16.

1. Le commentaire de *Prov.* 3, 32 est une phrase caractéristique de l'expression de la contemplation chez Grégoire (cf. A. MÉNAGER, « La

l'assurance d'une grande sécurité que la simplicité dans l'action. Qu'ils écoutent ce qui est dit par la bouche du sage : *« Le Saint-Esprit qui nous éduque fuit ce qui est feint*[h]. » Qu'ils écoutent l'affirmation de l'Écriture : *« C'est avec les simples qu'il converse*[i]. » Pour Dieu, converser, c'est révéler ses secrets aux âmes humaines par l'illumination de sa présence[1]. On dit qu'il converse avec les simples, parce qu'il éclaire sur les mystères d'en haut, par le rayon qui la visite, l'âme de ceux qu'aucune duplicité n'obscurcit de son ombre. Le mal particulier des cœurs doubles, c'est que tout en trompant les autres par leur double jeu pervers, ils se targuent d'être plus prudents qu'eux tous, et sans songer que justice sera sévèrement faite, ils sont tout glorieux, les malheureux, de leurs propres pertes. Qu'ils écoutent avec quelle force le prophète Sophonie les menace des rigueurs du châtiment divin : *« Voici que vient le jour du Seigneur, grand jour terrifiant ; jour de colère, ce jour-là, jour de ténèbres et d'obscurité, jour de sombres nuages et d'ouragan, jour de la trompette et du cri de guerre, contre toutes les villes fortifiées et contre toutes les hautes tours d'angle*[j]. » Que désignent les villes fortifiées, sinon les êtres douteux qui s'entourent toujours d'un trompeur appareil de défense, et qui blâmés pour une faute ne se laissent pas atteindre par les flèches de la vérité ? Et les hautes tours d'angle — car les angles comportent toujours double muraille —, ne désignent-elles pas les cœurs faux ? Fuyant la simplicité de la vérité, ils se replient sur eux-mêmes, par une sorte de perverse duplicité, et ce qui est pire, fiers de leur savoir-faire, vont jusqu'à se glorifier dans leur for intérieur de leur coupable fausseté. Le jour du Seigneur, jour du droit pleinement rétabli et du châtiment, vient donc

contemplation d'après saint Grégoire le Grand », *La vie spirituelle* 9, 1923, p. 276, et « Les divers sens du mot contemplation chez saint Grégoire le Grand », *La vie spirituelle, Supplément* 60, 1939, p. 43).

100 per ciuitates munitas et super excelsos angulos uenit, quia ira extremi iudicii humana corda et defensionibus contra ueritatem clausa destruit, et duplicitatibus inuoluta dissoluit. Tunc enim munitae ciuitates cadunt, quia mentes Deo impenetratae damnabuntur. Tunc excelsi 105 anguli corruunt, quia corda quae se per impuritatis prudentiam erigunt, per iustitiae sententiam prosternuntur.

CAPVT XII

Quod aliter ammonendi sunt incolumes atque aliter aegri.

XXXVI Aliter ammonendi sunt incolumes, atque aliter aegri. Ammonendi sunt incolumes, ut salutem corporis exer-5 ceant ad salutem mentis ; ne, si acceptae incolumitatis gratiam ad usum nequitiae inclinant, dono deteriores fiant et eo postmodum supplicia grauiora mereantur, quo nunc largioribus bonis Dei male uti non metuunt. Ammonendi sunt incolumes, ne opportunitatem salutis in 10 perpetuum promerendae despiciant. Scriptum namque est : *Ecce nunc tempus acceptabile, ecce nunc dies salutis*[a]. Ammonendi sunt ne placere Deo si cum possunt noluerint, cum uoluerint sero non possint. Hinc est enim quod post sapientia deserit, quos prius diutius rennuentes uo-15 cauit, dicens : *Vocaui, et rennuistis ; extendi manum meam,*

104 impenetratae : impaenitentes *Carn.*[3]
XII, 6 inclinant *T E B* : inclinent *μ* ‖ 14 post : eos *praem.* *μ*

XII a. II Cor. 6, 2

sur les villes fortifiées et sur les hautes tours d'angle, parce que la colère du dernier jugement ruine les défenses où les cœurs humains s'enferment contre la vérité et démantèle ce dont s'entoure leur duplicité. Alors en effet les villes fortifiées tombent, parce que les âmes qui ne se sont pas ouvertes à Dieu seront condamnées. Alors les hautes tours d'angle croulent, parce que les cœurs qui s'élèvent grâce au savoir-faire de la fausseté seront abattus par la sentence de la justice.

CHAPITRE 12

Il faut avertir différemment les bien-portants et les malades.

Il faut avertir différemment les bien-portants et les malades. Il faut avertir les bien-portants de faire servir la santé de leur corps à celle de leur âme. Ils ont reçu la grâce de bien se porter : que ce don, s'il est détourné au profit du mal, ne leur devienne pas nocif, et qu'ils ne méritent pas pour plus tard des supplices d'autant plus rigoureux qu'ils n'auront pas craint de mal user de plus grandes générosités de Dieu. Il faut avertir les bien-portants de ne pas négliger l'occasion opportune de mériter leur salut éternel[1]. Car il est écrit : « *Voici maintenant le temps favorable, voici le jour du salut*[a]. » Il faut les avertir que s'ils ne veulent pas plaire à Dieu lorsqu'ils le peuvent, plus tard, quand ils le voudront, ils ne le pourront pas. Voilà pourquoi la Sagesse abandonne ceux qu'elle a commencé par appeler longtemps, malgré leur refus : « *J'ai appelé, et vous avez refusé ; j'ai étendu ma*

1. Santé et salut sont désignés en latin par le même mot *salus*.

et non fuit qui aspiceret ; despexistis omne consilium meum, et increpationes meas neglexistis ; ego quoque in interitu uestro ridebo, et subsannabo, cum uobis quod timebatis aduenerit[b]. Et rursum : *Tunc inuocabunt me, et non exau-*
20 *diam ; mane consurgent, et non inuenient me*[c]. Salus itaque corporis quando ad bene operandum accepta despicitur, quanti sit muneris amissa sentitur. Et infructuose ad ultimum quaeritur, quae congruo concessa tempore utiliter non habetur.

25 Vnde bene per Salomonem rursum dicitur : *Ne des alienis honorem tuum, et annos tuos crudeli ; ne forte impleantur extranei uiribus tuis, et labores tui sint in domo aliena, et gemas in nouissimis, quando consumpseris carnes et corpus tuum*[d]. Qui namque a nobis alieni sunt, nisi
30 maligni spiritus, qui a caelestis sunt patriae sorte separati ? Quis uero honor noster est, nisi quod etiam in luteis corporibus conditi, ad conditoris tamen nostri sumus imaginen et similitudinem creati ? Vel quis alius crudelis est, nisi ille apostata angelus, qui et semetipsum
35 poena mortis superbiendo perculit, et inferre mortem humano generi etiam perditus non pepercit ? Honorem itaque suum alienis dat, qui ad Dei imaginem et similitudinem conditus, uitae suae tempora malignorum spirituum uoluptatibus administrat. Annos etiam suos crudeli
40 tradit, qui ad uoluntatem male dominantis aduersarii accepta uiuendi spatia expendit.

Vbi bene subditur : *Ne forte impleantur extranei uiribus tuis, et labores tui sint in domo aliena.* Quisquis enim per acceptam ualetudinem corporis, per tributam sibi sapien-
45 tiam mentis, non exercendis uirtutibus, sed perpetrandis

b. Prov. 1, 24-26 || c. Prov. 1, 28 || d. Prov. 5, 9-11

main, et personne n'a regardé ; vous avez dédaigné tous mes conseils, et vous n'avez fait aucun cas de mes remontrances ; je rirai lors de votre perte, moi aussi, et je me gausserai quand vous arrivera ce que vous redoutiez[b]. » Et encore : « *Alors ils m'invoqueront, et je n'exaucerai pas ; au matin ils se lèveront, et ils ne me trouveront pas*[c]. » Quand on oublie qu'on a reçu la santé corporelle pour bien œuvrer, on sent de quel prix en est le don quand on l'a perdu. Et on la cherche vainement à la fin, quand, accordée au temps opportun, elle est inutilement possédée.

Aussi est-il dit avec justesse par Salomon : « *Ne livre pas ton honneur à des étrangers, et tes années à un être cruel, de peur que des inconnus ne soient comblés grâce à tes forces, et que la maison d'un autre n'ait le fruit de ton travail, et que tu ne gémisses aux derniers jours, quand tu auras usé tes chairs et ton corps*[d]. » Les étrangers, que sont-ils donc pour nous, sinon les esprits du mal, exclus de la patrie céleste ? Notre honneur, qu'est-il, sinon que créés dans des corps de boue nous sommes cependant formés à l'image et à la ressemblance de notre créateur ? Quel autre être cruel que l'ange apostat qui s'est par son orgueil frappé lui-même de mort, et une fois perdu n'a pas laissé d'apporter encore la mort au genre humain ? Il livre son honneur à des étrangers, celui qui, créé à l'image et à la ressemblance de Dieu, met les temps de sa vie au service des voluptés des esprits mauvais. Il livre ses années à un être cruel, celui qui dépense la durée d'existence qu'il a reçue selon le bon plaisir d'un adversaire qui le domine pour son malheur.

Aussi est-il ajouté avec justesse : « *de peur que des inconnus ne soient comblés grâce à tes forces, et que la maison d'un autre n'ait les fruits de ton travail.* » Quiconque en effet emploie la santé corporelle qu'il a reçue, la sagesse d'esprit qui lui a été impartie, non pas à

uitiis elaborat, nequaquam suis uiribus suam domum, sed extraneorum habitacula, id est immundorum spirituum facta multiplicat, nimirum uel luxuriando, uel superbiendo agens, ut etiam se addito, perditorum numerus
50 crescat. Bene autem subditur : *Et gemas in nouissimis, quando consumpseris carnes et corpus tuum.* Plerumque enim accepta salus carnis per uitia expenditur ; sed cum repente subtrahitur, cum molestiis caro atteritur, cum iam egredi anima urgetur, diu male habita quasi ad bene
55 uiuendum salus amissa requiritur. Et tunc gemunt homines quod Deo seruire noluerunt, quando damna suae neglegentiae recuperare seruiendo nequaquam possunt. Vnde alias dicitur : *Cum occideret eos, tunc inquirebant eum*[e].

60 At contra ammonendi sunt aegri, ut eo se Dei filios sentiant, quo illos disciplinae flagella castigant. Nisi enim correctis hereditatem dare disponeret, erudire eos per molestias non curaret. Hinc namque ad Iohannem Dominus per angelum dicit : *Ego quos amo redarguo et*
65 *castigo*[f]. Hinc rursum scriptum est : *Fili mi, noli neglegere disciplinam Domini, neque fatigeris cum ab eo argueris. Quem enim diligit Dominus castigat, flagellat omnem filium quem recipit*[g]. Hinc psalmista ait : *Multae tribulationes iustorum*[h]. Hinc beatus quoque Iob in dolore exclamans,
70 ait : *Si iustus fuero, non leuabo caput, saturatus afflictione et miseria*[i]. Dicendum est aegris, ut si caelestem patriam suam credunt, necessario in hac labores uelut in aliena patiantur. Hinc est enim quod lapides extra tunsi sunt, ut in constructione templi Domini absque mallei sonitu

67 quem *om. T* ‖ 73 tonsi *T E B* (*sed cf. l. 75* tundimur)

---

e. Ps. 77, 34 ‖ f. Apoc. 3, 19 ‖ g. Hébr. 12, 5-6 ‖ h. Ps. 33, 20 ‖ i. Job 10, 15

pratiquer les vertus, mais à se livrer aux vices, celui-là n'accroît pas par ses forces sa maison, mais la demeure d'autres gens, c'est-à-dire qu'il fait se multiplier les actions des esprits immondes, soit par la luxure, soit par l'orgueil, si bien que s'accroît avec sa personne le nombre des êtres perdus. Et il est ajouté avec justesse : *« et que tu ne gémisses aux derniers jours, quand tu auras usé tes chairs et ton corps. »* Souvent la santé corporelle dont on a reçu le don est dépensée par le vice ; mais quand soudain elle est retirée, quand la chair est accablée de peines, quand l'âme est sommée d'en sortir, cette santé longtemps mal possédée, maintenant perdue, on l'implore, pour bien vivre, dit-on. Et les hommes gémissent de n'avoir pas voulu servir Dieu, à l'heure où ils sont incapables de réparer les dommages de leur négligence à servir. D'où cet autre texte : *« Quand il les faisait mourir, ils le cherchaient*[e]. *»*

Par contre il faut avertir les malades de se sentir enfants de Dieu du fait même que des sévérités éducatrices les châtient. Car si Dieu n'était pas disposé à leur donner l'héritage après les avoir corrigés, il ne se soucierait pas de les former par les épreuves. Voilà pourquoi le Seigneur fait dire à Jean par l'ange : *« Ceux que j'aime, je les semonce et les châtie*[f]. *»* Et ce texte : *« Mon fils, ne néglige pas la correction du Seigneur et ne te laisse pas abattre quand il te semonce. Car le Seigneur châtie celui qu'il aime, il donne le fouet à tout fils qu'il fait sien*[g]. *»* Et le psalmiste : *« Nombreuses, les épreuves des justes*[h]. *»* Job s'écrie dans sa douleur : *« Si j'ai été juste, je ne lèverai pas la tête, rassasié comme je le suis de chagrin et de souffrance*[i]. *»* Il faut le dire aux malades : s'ils croient que la patrie céleste est leur patrie, il est nécessaire qu'ici-bas, dans une terre étrangère, ils aient des peines à souffrir. Voilà pourquoi ont été martelées dehors les pierres qui devaient être posées dans la construction du

75 ponerentur[j]. Quia uidelicet nunc foras per flagella tundimur, ut intus in templum Dei postmodum sine disciplinae percussione disponamur, quatinus quidquid in nobis est superfluum, modo percussio resecet, et tunc sola nos in aedificio concordia caritatis liget.

80 Ammonendi sunt aegri, ut considerent pro percipiendis terrenis hereditatibus quam dura carnales filios disciplinae flagella castigent. Quae ergo nobis diuinae correptionis poena grauis est, per quam et numquam amittenda hereditas percipitur, et semper mansura supplicia uitantur ?
85 Hinc etenim Paulus ait : *Patres quidem carnis nostrae habuimus eruditores, et reuerebamur eos ; non multo magis obtemperabimus patri spirituum, et uiuemus ? Et illi quidem in tempore paucorum dierum secundum uoluntatem suam erudiebant nos ; hic autem ad id quod utile est in recipiendo*
90 *sanctificationem eius*[k].

Ammonendi sunt aegri, ut considerent quanta salus cordis sit molestia corporalis, quae ad cognitionem sui mentem reuocat, et quam plerumque salus abicit, infirmitatis memoriam reformat, ut animus qui extra se in
95 elatione ducitur, cui sit condicioni subditus, ex percussa quam sustinet carne memoretur. Quod recte Balaham — si tamen uocem Dei subsequi oboediendo uoluisset — in ipsa eius itineris retardatione signatur. Balaham namque peruenire ad propositum tendit, sed eius uotum animal
100 cui praesidet praepedit[l]. Prohibitione quippe immorata asina angelum uidet, quem humana mens non uidet ; quia plerumque caro per molestias tarda flagello suo menti Deum indicat, quem mens ipsa carni praesidens

j. Cf. III Rois 6, 7 || k. Hébr. 12, 9-10 || l. Cf. Nombr. 22, 23

temple du Seigneur, sans qu'on entende le marteau[j]. C'est que nous sommes maintenant martelés par les épreuves, pour être ensuite placés dans le temple de Dieu sans les coups qui éduquent : les coups doivent retrancher maintenant tout ce qui en nous est superflu, et alors seule la concorde de la charité nous liera les uns aux autres dans l'édifice.

Il faut avertir les malades de considérer combien des fils selon la chair, pour obtenir leurs héritages terrestres, sont durement châtiés par les coups qui les dressent. Quelle peine infligée par l'éducateur céleste peut-elle être lourde, puisque par elle on obtient un héritage qui ne doit jamais se perdre et qu'on évite des supplices qui doivent durer toujours ? Paul le dit bien : « *Nous avons eu pour nous former nos pères selon la chair, et nous les respections ; ne nous soumettrons-nous pas beaucoup plus au Père des esprits pour avoir la vie ? Et eux, à vrai dire, c'était en un temps limité qu'ils nous formaient, selon leurs desseins à eux ; Dieu, lui, pour le profit que nous aurons à recevoir sa sainteté*[k]. »

Il faut avertir les malades de considérer combien la peine du corps fait la santé du cœur ; elle rappelle l'âme à la connaissance d'elle-même, et elle ravive le souvenir de sa faiblesse, que d'ordinaire la santé fait oublier. De la sorte l'âme entraînée hors d'elle-même par l'orgueil se rappelle la condition à laquelle elle est assujettie, du fait des coups qu'elle subit dans la chair. Cela est signifié bien à propos par l'épisode de Balaam retardé sur son chemin, si du moins il avait voulu obéir docilement à la voix de Dieu. Balaam est tout tendu vers le but qu'il s'est fixé ; mais la bête qu'il monte fait obstacle à son vœu[l]. Arrêtée au travers de la route, l'ânesse voit un ange que ne voit pas l'âme de l'homme : c'est que souvent la chair alourdie par les épreuves signale à l'âme par sa souffrance un Dieu que l'âme même, maîtresse de la chair, ne voyait pas, si bien qu'elle arrête dans sa marche

non uidebat, ita ut anxietatem spiritus proficere in hoc
105 mundo cupientis, uelut iter tendentis impediat, donec ei
inuisibilem qui sibi obuiat innotescat. Vnde et bene per
Petrum dicitur : *Correptionem habuit suae uesaniae subiugale mutum, quod in hominis uoce loquens prohibuit prophetae insipientiam*[m]. Insanus quippe homo a subiugali
110 muto corripitur, quando elata mens humilitatis bonum
quod tenere debeat ab afflicta carne memoratur. Sed
huius correptionis donum idcirco Balaham non obtinuit,
quia ad maledicendum pergens, uocem, non mentem
mutauit.

115 Ammonendi sunt aegri ut considerent quanti sit muneris molestia corporalis, quae et admissa peccata diluit,
et ea quae poterant admitti compescit ; quae sumpta ab
exterioribus plagis, concussae menti paenitentiae uulnera
infligit. Vnde scriptum est : *Liuor uulneris abstergit mala,*
120 *et plagae in secretioribus uentris*[n]. Mala enim liuor uulneris abstergit, quia flagellorum dolor uel cogitatas, uel
perpetratas nequitias diluit. Solet uero uentris appellatione mens accipi ; quia sicut uenter consumit escas, ita
mens pertractando excoquit curas. Quia enim uenter
125 mens dicitur, ea sententia docetur qua scriptum est :
Lucerna Domini spiraculum hominis, quae inuestigat omnia secreta uentris[o]. Ac si diceret : Diuini afflatus illuminatio,
cum in mente hominis uenerit, eam sibimetipsi illuminans
ostendit, quae ante sancti Spiritus aduentum cogitationes
130 prauas et portare poterat, et pensare nesciebat. *Liuor*
ergo *uulneris abstergit mala, et plagae in secretioribus uentris* ; quia cum exterius percutimur, ad peccatorum
nostrorum memoriam taciti afflictique reuocamur, atque
ante oculos nostros cuncta quae a nobis sunt male gesta

m. II Pierre 2, 16 || n. Prov. 20, 30 || o. Prov. 20, 27.

1. Sur Balaam, voir *infra*, p. 480, n. 1.

l'esprit tendu par le désir inquiet de faire son chemin en ce monde, le temps de lui faire discerner l'être invisible qui lui barre le passage. D'où le mot de Pierre : « *Il eut pour lui reprocher son insanité une monture muette : parlant avec une voix humaine, elle résiste à la sottise du prophète*[m]. » L'insensé est blâmé par une monture muette quand la chair meurtrie rappelle à l'âme trop fière la bienfaisante humilité qu'elle aurait dû garder. Seulement Balaam ne profita pas pleinement du don de ce blâme : en route pour maudire, il changea bien son discours, mais non son âme[1].

Il faut avertir les malades de considérer le prix de la souffrance corporelle, qui efface les péchés commis et fait barrière à ceux qui pourraient l'être. Causée par des coups frappés du dehors, elle inflige à l'âme qu'elle frappe les blessures de la pénitence. Il est écrit : « *La livide blessure efface le mal, ainsi que les plaies au plus secret du ventre*[n]. » La livide blessure efface le mal, parce que la rude correction fait disparaître les vilenies, qu'elles soient pensées ou perpétrées. Quant au ventre, il désigne souvent l'âme ; tout comme le ventre digère les aliments, l'âme ressassant ses inquiétudes finit par les réduire à son feu. Que l'âme soit désignée par le mot de ventre, cette phrase de l'Écriture l'enseigne : « *La lampe du Seigneur, c'est le souffle de vie dans l'homme, qui explore toutes les profondeurs du ventre*[o]. » C'est dire : l'illumination de l'Esprit divin, venant dans l'âme humaine, découvre à elle-même, par sa clarté, cette âme qui pouvait, avant la venue du Saint-Esprit, porter en elle des pensées mauvaises et ignorer qu'elle les pensait. De la sorte *la livide blessure efface le mal, ainsi que les plaies au plus secret du ventre*. Les coups reçus à l'extérieur nous ramènent au souvenir de nos péchés, dans le silence et l'affliction ; nous nous remettons sous les yeux tout le mal que nous avons commis, et pâtissant au-dehors nous

135 reducimus, et per hoc quod foras patimur, magis intus quod fecimus dolemus. Vnde fit ut inter aperta uulnera corporis amplius nos abluat plaga secreta uentris, quia sanat nequitias praui operis occultum uulnus doloris.

Ammonendi sunt aegri quatinus patientiae uirtutem 140 seruent, ut incessanter quanta Redemptor noster ab his quos creauerat, pertulit mala, considerent ; quod tot abiecta conuiciorum probra sustinuit, quot de manu antiqui hostis captiuorum cotidie animas rapiens, insultantium alapas accepit : quod aqua nos salutis diluens, a 145 perfidorum sputis faciem non abscondit ; quod aduocatione sua nos ab aeternis suppliciis liberans, tacitus flagella tolerauit ; quod inter angelorum choros perennes nobis honores tribuens, colaphos pertulit ; quod a peccatorum nos punctionibus saluans, spinis caput suppo- 150 nere non recusauit ; quod aeterna nos dulcedine debrians in siti sua fellis amaritudinem accepit ; quod qui pro nobis Patrem, quamuis diuinitate esset aequalis, adorauit, sub irrisione adoratus tacuit ; quod uitam mortuis praeparans, usque ad mortem ipse uita peruenit. Cur itaque 155 asperum creditur, ut a Deo homo toleret flagella pro malis, si tanta Deus ab hominibus pertulit mala pro bonis ? Aut quis sana intellegentia de percussione sua ingratus exsistit, si ipse hinc sine flagello non exiit, qui hic sine peccato uixit ?

142 abiecta *E B* : obiecta *T* ‖ quot T^{pc} : quod T^{ac} *E B* μ ‖ 150 debrians *T* : diebriam *B* inebrians *E* μ

en venons à pleurer au-dedans ce que nous avons fait. Il en résulte qu'outre les blessures visibles du corps la plaie secrète du ventre nous purifie davantage, car notre douleur, blessure cachée, assainit les malignités de l'œuvre coupable[1].

Il faut avertir les malades de considérer sans cesse, pour garder la vertu de patience, quels maux notre rédempteur a voulu subir de la part de ces êtres qu'il avait créés. Il a supporté autant de huées humiliantes qu'arrachant chaque jour à la main de l'antique ennemi des âmes prisonnières il a reçu de soufflets insultants. Il nous lavait par l'eau du salut, et il n'a pas dérobé sa face aux crachats de ceux qui refusaient la foi. Il nous libérait de supplices éternels en plaidant notre cause, et il a subi les fouets en silence. Il nous accordait des honneurs sans fin parmi les chœurs des anges, et il a enduré les coups de poing. Il nous sauvait des dards du péché, et il n'a pas refusé de présenter sa tête aux épines. Il nous enivre d'une éternelle suavité, et il a reçu pour étancher sa soif l'amertume du fiel. Pour nous il a adoré le Père, tout en étant son égal par sa divinité, et il a été adoré par dérision et s'est tu. Il préparait aux morts la vie, et il en est venu à mourir, lui, la vie ! Pourquoi dès lors trouver dur que l'homme souffre de la part de Dieu des peines à cause du mal, si de la part des hommes Dieu a souffert tant de maux pour le bien ? Un homme d'intelligence saine peut-il maugréer sous les coups, si celui qui a vécu en notre monde sans péché ne l'a pas quitté sans être lui-même frappé ?

1. Sur *plaga uentris*, cf. *Hom. Év.* 21, 1 (*PL* 76, 1169) et DUDDEN, t. 1, p. 243 : « He suffered frightfully from indigestion. »

CAPVT XIII

Quod aliter ammonendi sunt qui flagella metuunt et propterea innocenter uiuunt atque aliter qui sic in iniquitate duruerunt, ut neque per flagella corrigantur.

XXXVII Aliter ammonendi sunt qui flagella metuunt, et prop-
5 terea innocenter uiuunt ; atque aliter ammonendi sunt, qui sic in iniquitate duruerunt, ut neque per flagella corrigantur. Dicendum namque est flagella timentibus, ut et bona temporalia nequaquam pro magno desiderent, quae adesse etiam prauis uident ; et mala praesentia
10 nequaquam uelut intolerabilia fugiant, quibus hic plerumque etiam bonos affici non ignorant. Ammonendi sunt, ut si malis ueraciter carere desiderant, aeterna supplicia perhorrescant, neque in hoc suppliciorum timore remaneant, sed ad amoris gratiam nutrimento ca-
15 ritatis excrescant. Scriptum quippe est : *Perfecta caritas foras mittit timorem*[a]. Et rursum scriptum est : *Non accepistis spiritum seruitutis iterum in timore, sed spiritum adoptionis filiorum, in quo clamamus : Abba pater*[b]. Vnde idem doctor iterum dicit : *Vbi spiritus Domini, ibi liber-*
20 *tas*[c].

Si ergo adhuc a praua actione formidata poena prohibet, profecto formidantis animum nulla spiritus libertas

XIII a. I Jn 4, 18 ‖ b. Rom. 8, 15 ‖ c. II Cor. 3, 17

CHAPITRE 13

Il faut avertir différemment ceux qui craignent le châtiment et de ce fait vivent sans faire le mal, et ceux qui se sont tellement endurcis dans l'iniquité que le châtiment même ne peut les corriger.

Il faut avertir différemment ceux qui craignent le châtiment et de ce fait vivent sans faire le mal, et ceux qui se sont tellement endurcis dans l'iniquité que le châtiment même ne peut les corriger. Il faut dire à ceux qui craignent le châtiment de ne désirer nullement, comme s'ils étaient d'un grand prix, les biens temporels, qu'ils voient possédés par les méchants eux-mêmes, et de ne fuir nullement, comme insupportables, les maux présents, dont ils n'ignorent pas qu'ils touchent d'ordinaire même les bons. Il faut les avertir d'avoir la terreur des supplices éternels, s'ils désirent vraiment être exempts du malheur, et de ne pas s'en tenir à cette crainte des supplices, mais de grandir dans la générosité de l'amour[1], grâce à l'aliment de la charité. Car il est écrit : « *La parfaite charité bannit la crainte*[a]. » Et encore : « *Vous n'avez pas reçu un esprit d'esclaves, pour retomber dans la crainte, mais un esprit de fils adoptifs, dans lequel nous crions : Abba, Père*[b]. » Et le même docteur dit encore : « *Là où est l'Esprit du Seigneur, là est la liberté*[c]. »

Dès lors, si l'effroi qu'inspire la peine est ce qui retient d'agir mal, il est sûr que la liberté de l'Esprit ne règne

1. Il faut donner au mot *gratia* toute sa force. C'est la belle générosité de l'amour, sans retour égoïste. La charité que répand en nous l'Esprit-Saint (*Rom.* 5, 5) suscite cet acte libre de l'homme.

tenet. Nam si poenam non metueret, culpam procul dubio perpetraret. Ignorat itaque mens gratiam libertatis,
25 quam ligat seruitus timoris. Bona enim pro semetipsis amanda sunt, et non poenis compellentibus exsequenda. Nam qui propterea bona facit, quia tormentorum mala metuit, uult non esse quod metuat, ut audenter illicita committat. Vnde luce clarius constat quod coram Deo
30 innocentia amittitur, ante cuius oculos desiderio peccatur.

At contra hi, quos ab iniquitatibus nec flagella compescunt, tanto acriori inuectione feriendi sunt, quanto maiori insensibilitate duruerunt. Plerumque enim sine dedignatione dedignandi sunt, sine desperatione desperandi ; ita
35 dumtaxat, ut et ostensa desperatio formidinem incutiat, et subiuncta ammonitio ad spem reducat. Districtae itaque contra illos diuinae sententiae proferendae sunt, ut ad cognitionem sui considerata aeterna animaduersione reuocentur. Audiant enim in se impletum esse quod
40 scriptum est : *Si contuderis stultum in pila, quasi ptisanas feriente desuper pilo, non auferetur ab eo stultitia eius*[d]. Contra hos propheta Domino queritur, dicens : *Attriuisti eos, et rennuerunt accipere disciplinam*[e]. Hinc est quod Dominus dicit : *Interfeci et perdidi populum istum, et*
45 *tamen a uiis suis non sunt reuersi*[f]. Hinc rusus ait : *Populus non est reuersus ad percutientem se*[g].

Hinc uoce flagellantium propheta conqueritur, dicens : *Curauimus Babylonem et non est sanata*[h]. Babylon quippe curatur, nec tamen ad sanitatem reducitur, quando mens
50 in praua actione confusa, uerba correptionis audit, fla-

d. Prov. 27, 22 || e. Jér. 5, 3 || f. Jér. 15, 7 || g. Is. 9, 13 || h. Jér. 51, 9

1. La doctrine paulinienne de *Rom.* 8, 15 est déjà développée par AUGUSTIN, *Psalm.* 67, 13 (*CCL* 39, p. 877) ; *Serm.* 156, 13 (*PL* 38,

nullement au cœur qui éprouve cet effroi. Car s'il ne redoutait pas la peine, il commettrait la faute, n'en doutons pas. Elle ignore donc la généreuse liberté, l'âme que lie une servile crainte[1]. Le bien doit être aimé pour lui-même, et non pas accompli sous la pression de la peur. Quand on fait le bien parce qu'on craint le mal des tourments, on voudrait n'avoir rien à craindre, afin de pouvoir commettre hardiment ce qui est défendu. Il est clair plus que le jour qu'au regard de Dieu on perd l'innocence, puisque sous ce regard on pèche par désir.

Par contre il faut secouer ceux que les châtiments mêmes ne retiennent pas sur la pente du mal, par une semonce d'autant plus vigoureuse qu'ils se sont endurcis davantage dans l'indifférence. Avec eux, qu'on affecte d'ordinaire le mépris, sans mépriser, la désespérance, sans désespérer ; on montrera qu'on désespère d'eux juste assez pour les jeter dans la crainte, et on ajoutera une exhortation qui redonne espoir. Il faut leur citer les rigoureuses sentences divines portées contre eux, pour les rappeler à la connaissance d'eux-mêmes par la considération de l'éternel châtiment. Ils doivent s'entendre dire que la parole de l'Écriture s'est accomplie en eux : « *Quand on pilerait le sot dans un mortier, comme un pilon frappant sur l'orge, on n'ôterait pas de lui sa sottise*[d]. » C'est d'eux que le prophète se plaint au Seigneur : « *Tu les a broyés et ils n'ont pas voulu recevoir la leçon*[e]. » Et le Seigneur : « *J'ai fait mourir et j'ai détruit ce peuple, sans qu'ils reviennent de leurs voies*[f]. » Et encore : « *Le peuple n'est pas revenu à celui qui le frappait*[g]. »

Le prophète se plaint par la voix de ceux qui châtiaient : « *Nous avons soigné Babylone, et elle n'a pas été guérie*[h]. » Babylone est soignée sans revenir à la santé quand une âme rendue méconnaissable par sa conduite

857) ; *Comm. Jn* 41, 10 (*CCL* 36, p. 363) ; JEAN CASSIEN, *Conf.* 11, 13 (*SC* 54, p. 117) ; LÉON LE GRAND, *Serm.* 76, 1 (*SC* 200, p. 100).

gella correctionis percipit, et tamen ad recta salutis itinera redire contemnit. Hinc captiuo Israhelitico populo, nec tamen ab iniquitate conuerso Dominus exprobrat, dicens : *Versa est mihi domus Israhel in scoriam ; omnes isti*
55 *aes et stagnum et ferrum et plumbum in medio fornacis*[i]. Ac si aperte dicat : Purgare eos per ignem tribulationis uolui, et argentum illos uel aurum fieri quaesiui, sed in fornace mihi in aes, stagnum, ferrum et plumbum uersi sunt, quia non ad uirtutem, sed ad uitia etiam in tribu-
60 latione proruperunt. Aes quippe dum percutitur, amplius metallis ceteris sonitum reddit. Qui igitur in percussione positus erumpit ad sonitum murmurationis, in aes uersus est in medio fornacis. Stagnum uero cum ex arte componitur, argenti speciem mentitur. Qui ergo simulationis
65 uitio non caret in tribulatione, stagnum factus est in fornace. Ferro autem utitur, qui uitae proximi insidiatur. Ferrum itaque in fornace est qui nocendi malitiam non amittit in tribulatione. Plumbum quoque ceteris metallis est grauius. In fornace ergo plumbum inuenitur, qui sic
70 peccati sui pondere premitur, ut etiam in tribulatione positus a terrenis desideriis non leuetur. Hinc rursum scriptum est : *Multo labore sudatum est, et non exiuit de ea nimia rubigo eius neque per ignem*[j]. Ignem quippe nobis tribulationis admouet, ut in nos rubiginem uitiorum
75 purget ; sed nec per ignem rubiginem amittimus, quando et inter flagella uitio non caremus. Hinc propheta iterum dicit : *Frustra conflauit conflator ; malitiae eorum non sunt consumptae*[k].

XIII, 51 correctionis *T* : correptionis *E B aliique* μ || 60-71 aes — leuetur : *T in marg. super. manu medii aeui (cf. t. 1, Introduction, p. 106-107)*

---

i. Éz. 22, 18 || j. Éz. 24, 12 || k. Jér. 6, 29.

déréglée entend les mots qui la semoncent, ressent les coups qui la corrigent, et cependant néglige de revenir au droit chemin du salut. Aussi le Seigneur fait-il honte au peuple d'Israël qui, tout captif qu'il était, ne renonçait pas à l'iniquité : *« La maison d'Israël s'est changée pour moi en scories ; ils sont tous, ces gens-là, bronze et étain, fer et plomb au milieu du fourneau*[i]. » En clair, c'était dire : « J'ai voulu les purifier au feu de l'épreuve, et j'ai cherché à ce qu'ils deviennent argent ou or, mais dans le fourneau ils sont devenus pour moi bronze, étain, fer et plomb, parce qu'au cœur même de l'épreuve ils se sont lancés non dans la vertu, mais dans le vice[1]. » Frappé, le bronze résonne plus fort que les autres métaux. L'homme qui éclate en bruyants murmures sous les coups qui le frappent est changé en bronze au milieu du fourneau. Façonné avec art, l'étain donne l'impression de l'argent. L'homme qui dans l'épreuve ne laisse pas de simuler vicieusement est devenu étain dans le fourneau. Qui attente à la vie du prochain se sert du fer. C'est être fer dans le fourneau que de ne pas perdre dans l'épreuve la coupable volonté de nuire. Le plomb est plus lourd que les autres métaux. Il se trouve plomb dans le fourneau, l'homme tellement chargé du poids de son péché que même dans l'épreuve il ne se détache pas de ses désirs terrestres. Aussi est-il écrit : *« On a beaucoup peiné, et son épaisse rouille ne s'est pas détachée d'elle, même par le feu*[j]. » Le Seigneur fait venir sur nous le feu de l'épreuve pour nous purifier de la rouille des vices ; mais dans ce feu même nous n'abandonnons pas notre rouille, quand au milieu du châtiment nous ne renonçons pas au vice. Un prophète le dit encore : *« Le fondeur a soufflé en vain ; leurs malignités n'ont pas été détruites*[k]. »

1. Sur *Éz.* 22, 18, cf. *Mor.* 16, 32, 39 (*SC* 221, p. 199-201) et JÉRÔME, *Comm. Éz.* VII, 22 (*CCL* 75, p. 297-298).

Sciendum uero est, quia nonnumquam cum inter fla-
80 gellorum duritiam remanent incorrecti, dulci sunt am-
monitione mulcendi. Quos enim cruciamenta non corri-
gunt, nonnumquam ab iniquis actibus lenia blandimenta
compescunt ; quia et plerumque aegros, quos fortis pigmentorum potio curare non ualuit, ad salutem pristinam
85 tepens aqua reuocauit ; et nonnulla uulnera quae curari
incisione nequeunt, fomentis olei sanantur. Et durus adamans incisionem ferri minime recipit, sed leni hircorum
sanguine mollescit.

CAPVT XIV

Quod aliter ammonendi sunt nimis taciti atque aliter multiloquio uacantes.

XXXVIII Aliter ammonendi sunt nimis taciti, atque aliter multiloquio uacantes. Insinuari namque nimis tacitis debet,
5 quia dum quaedam uitia incaute fugiunt, occulte deterio-
ribus implicantur. Nam saepe linguam quia immoderatius
frenant, in corde grauius multiloquium tolerant ; ut eo
plus cogitationes in mente ferueant, quo illas uiolenta
custodia indiscreti silentii angustat. Quae plerumque
10 tanto latius defluunt, quanto se esse securius aestimant,
quia foris a reprehensoribus non uidentur. Vnde nonnumquam mens in superbiam tollitur, et quos loquentes
audit, quasi infirmos despicit. Cumque os corporis claudit, quantum se uitiis superbiendo aperiat non agnoscit.
15 Linguam etenim premit, mentem eleuat ; et cum suam

86 adamans *T E B Gemet.*[1.2] *aliique Alfred* : adamas *μ*

---

1. L'image du sang de bouc qui amollit le diamant le plus dur vient de Pline l'Ancien par l'intermédiaire de S. AUGUSTIN, *Ciu.* 21, 4 (*CCL* 48, p. 763).

Il faut par ailleurs le savoir, des gens incorrigibles au milieu de durs châtiments doivent être gagnés parfois par un doux avertissement. Ceux que les tourments ne corrigent pas, d'aimables tendresses les arrêtent parfois sur la voie de l'inconduite. Des malades qu'une potion énergique a été incapable de guérir sont ramenés à la santé par de l'eau tiède ; des blessures qu'on ne peut soigner par incision sont guéries par des pansements d'huile ; le dur diamant n'est pas entamé par l'incision du fer, mais le sang onctueux du bouc l'amollit[1].

CHAPITRE 14

Il faut avertir différemment les taciturnes et les bavards.

Il faut avertir différemment les taciturnes et les bavards. Il faut faire comprendre aux taciturnes qu'en évitant sans prudence certains défauts, ils sont piégés sans le savoir par des défauts pires. En réfrénant immodérément leur langue ils tolèrent souvent dans leur cœur un bavardage plus grave, si bien que les pensées y bouillonnent d'autant plus fort qu'un silence excessif les tient de force plus à l'étroit. D'ordinaire, plus ils se croient en sûreté loin du regard de censeurs, plus ce flot de pensées s'épanche largement. Alors leur âme s'enorgueillit parfois, et ils méprisent, comme des faibles, les gens qu'ils écoutent parler. On ferme la bouche corporelle, on ne s'aperçoit pas combien par l'orgueil on s'ouvre aux vices. On comprime sa langue, on laisse s'élever son cœur ; et comme on ne donne aucune attention à sa propre malignité, on porte en soi-même contre

nequitiam minime considerat, tanto apud se cunctos liberius, quanto et secretius accusat.

Ammonendi sunt igitur nimis taciti, ut scire sollicite studeant, non solum quales foras ostendere, sed etiam 20 quales se debeant intus exhibere, ut plus ex cogitationibus occultum iudicium quam ex sermonibus reprehensionem metuant proximorum. Scriptum namque est : *Fili mi, attende sapientiam meam, et prudentiae meae inclina aurem tuam, ut custodias cogitationes*[a]. Nil quippe in nobis est 25 corde fugacius, quod a nobis totiens recedit, quotiens per prauas cogitationes defluit. Hinc etenim psalmista ait : *Cor meum dereliquit me*[b]. Hinc ad semetipsum rediens, dicit : *Inuenit seruus tuus cor suum ut oraret te*[c]. Cum ergo cogitatio per custodiam restringitur, cor quod fugere 30 consueuit inuenitur.

Plerumque autem nimis taciti cum nonnulla iniusta patiuntur, eo in acriorem dolorem prodeunt, quo ea quae sustinent non loquuntur. Nam si illatas molestias tranquille lingua diceret, a conscientia dolor emanaret. Vul-35 nera enim clausa plus cruciant. Nam cum putredo quae interius feruet eicitur, ad salutem dolor aperitur. Scire igitur debent, qui plus quam expedit tacent, ne inter molesta quae tolerant, dum linguam tenent, uim doloris exaggerent. Ammonendi enim sunt ut si proximos sicut 40 se diligunt, minime illis taceant unde eos iuste reprehendunt. Vocis enim medicamine utrorumque saluti concurritur, dum et ab illo qui infert actio praua compescitur, et ab hoc qui sustinet doloris feruor uulnere aperto temperatur.

XIV, 34 dolore aliena maneret *Corb. Laud. Carn.*[2] *Belv.*

XIV a. Prov. 5, 1 || b. Ps. 39, 13 || c. II Sam. 7, 27

tout le monde des accusations d'autant plus libres qu'elles sont plus secrètes.

Il faut donc avertir les taciturnes de se demander avec soin non seulement quels ils doivent être au-dehors, mais aussi comment ils doivent se comporter au-dedans, de façon qu'ils craignent la condamnation secrète de leur pensée plus que le blâme que leur parole pourrait leur attirer de la part d'autrui. Car il est écrit : « *Mon fils, sois attentif à ma sagesse et prête l'oreille à mon savoir, afin de garder tes pensées*[a]. » C'est que rien n'est en nous de plus vagabond que le cœur, qui nous quitte autant de fois qu'il se répand en pensées déréglées. C'est le mot du psalmiste : « *Mon cœur m'a abandonné*[b]. » Et revenant à lui : « *Ton serviteur a trouvé son cœur pour te prier*[c]. » Quand la pensée est tenue en bride sous bonne surveillance, on retrouve ce cœur habitué à fuir.

Quand ils ont à souffrir d'une injustice, les taciturnes se livrent d'ordinaire à un ressentiment d'autant plus vif qu'ils ne disent mot de ce qu'ils souffrent. Si leur langue disait tranquillement les ennuis qui leur sont faits, le ressentiment disparaîtrait de leur conscience. Les plaies fermées font souffrir davantage. Quand l'infection qui travaille au-dedans est expulsée, la douleur trouve accès vers la santé[1]. Ils doivent donc le savoir, ceux qui se taisent plus qu'il n'est utile : au milieu des ennuis qu'ils ont à supporter, qu'ils n'aillent pas, en retenant leur langue, augmenter leur ressentiment. Il faut aussi les avertir que s'ils aiment leur prochain comme eux-mêmes, ils ne doivent pas lui taire ce qu'ils ont des raisons de lui reprocher. La parole est alors un remède doublement salutaire, pour l'une et l'autre partie : en celui qui attaque l'action mauvaise est réprimée, et en celui qui supporte la fièvre du ressentiment baisse, la blessure étant ouverte.

1. Sur ceux qui se taisent trop, cf. *Règle du Maître* 15, 6-7 (*SC* 106, p. 65) et JUDIC, « Pénitence publique ».

45 Qui enim proximorum mala respiciunt, et tamen in silentio linguam premunt, quasi conspectis uulneribus usum medicaminis subtrahunt, et eo mortis auctores fiunt, quo uirus quod poterant curare noluerunt. Lingua itaque discrete frenanda est, non insolubiliter obliganda.
50 Scriptum namque est : *Sapiens tacebit usque ad tempus*[d] : ut nimirum cum opportunum considerat, postposita censura silentii, loquendo quae congruunt, in usum se utilitatis impendant. Et rursum scriptum est : *Tempus loquendi, et tempus tacendi*[e]. Discrete quippe uicissitudinum
55 pensanda sunt tempora, ne aut cum restringi lingua debet, per uerba inutiliter defluat ; aut cum loqui utiliter potest, semetipsam pigre restringat. Quod bene psalmista considerans, ait : *Pone, Domine, custodiam ori meo, et ostium circumstantiae labiis meis*[f]. Non enim poni ori suo
60 parietem, sed ostium petiit, quod uidelicet aperitur et clauditur. Vnde et nobis caute discendum est, quatinus os discretum et congruo tempore uox aperiat, et rursum congruo taciturnitas claudat.

At contra ammonendi sunt multiloquio uacantes, ut
65 uigilanter aspiciant a quanto rectitudinis statu depereunt, dum per multiplicia uerba dilabuntur. Humana etenim mens aquae more et circumclusa ad superiora colligitur, quia illud repetit unde descendit ; et relaxata deperit, quia se per infima inutiliter spargit. Quot enim superua-
70 cuis uerbis a silentii sui censura dissipatur, quasi tot riuis extra se ducitur. Vnde et redire interius ad sui cognitionem non sufficit, quia per multiloquium sparsa, a secreto

d. Sir. 20, 7 || e. Eccl. 3, 7 || f. Ps. 140, 3

---

1. Cf. *Hom. Éz.* I, 9, 12-13 (*SC* 327, p. 345-347).
2. Le commentaire de *Ps.* 140, 3 reprend celui de AUGUSTIN, *Psalm.* 140, 6 (*CCL* 40, p. 2029) ; Grégoire cite cependant un texte du psautier différent de celui d'Augustin.

Ceux qui aperçoivent du mal dans leur prochain et cependant imposent le silence à leur langue, sont des gens qui à la vue d'une blessure refusent l'application d'un remède et deviennent causes de mort, pour n'avoir pas voulu soigner l'infection alors qu'ils le pouvaient. Il faut donc retenir modérément sa langue, non pas la bâillonner complètement[1]. Il est écrit : *« Le sage se taira jusqu'au bon moment*[d]*. »* Oui, lorsqu'il le juge opportun, passant outre à la consigne du silence, disant ce qui convient, il emploiera ses forces à être utile. Il est écrit encore : *« Il est un temps pour parler, et un temps pour se taire*[e]*. »* Il faut avec discernement observer la succession des moments, de façon à ne pas laisser sa langue se répandre en paroles inutiles, alors qu'il faut la retenir, et ne pas la retenir paresseusement, alors qu'on peut parler avec profit. Le psalmiste l'a bien noté : *« Seigneur, mets une garde à ma bouche et une porte bien surveillée à mes lèvres*[f]*. »* Il n'a pas demandé qu'on mette un mur à sa bouche, mais une porte, laquelle bien sûr s'ouvre et se ferme[2]. Il nous faut donc nous former à la prudence, en sorte que la voix ouvre une bouche circonspecte, et au temps convenable, et qu'au temps convenable l'amour du silence la ferme[3].

Par contre il faut avertir ceux qui passent leur temps en bavardages d'examiner avec attention quelle ferme rectitude ils perdent quand ils se répandent en un flot de paroles. L'âme humaine est comme l'eau ; enclose de tous côtés, elle s'accumule et s'élève, remontant au niveau d'où elle est descendue, mais relâchée, se répand en pure perte au ras du sol. Autant de paroles superflues qui le dissipent, enfreignant la consigne du silence, autant de ruisselets qui l'entraînent au-dehors d'elle-même. Aussi n'a-t-elle plus la force de revenir au-dedans à la connaissance d'elle-même, car dispersée par son bavardage elle

3. Parallèle textuel avec *Mor.* 7, 37, 60-61 (*CCL* 143, p. 380).

se intimae considerationis excludit. Totam uero se insidiantis hostis uulneribus detegit, quia nulla munitione
75 custodiae circumcludit. Vnde scriptum est : *Sicut urbs patens et absque murorum ambitu, ita uir qui non potest in loquendo cohibere spiritum suum*[g]. Quia enim murum silentii non habet, patet inimici iaculis ciuitas mentis ; et cum se per uerba extra semetipsam eicit, apertam se
80 aduersario ostendit. Quam tanto ille sine labore superat, quanto et ipsa quae uincitur, contra semetipsam per multiloquium pugnat.

Plerumque autem quia per quosdam gradus desidiosa mens in lapsum casus impellitur, dum otiosa cauere uerba
85 neglegimus, ad noxia peruenimus ; ut prius loqui aliena libeat, postmodum detractionibus eorum uitam de quibus loquitur mordeat, ad extremum uero usque ad apertas lingua contumelias erumpat. Hinc seminantur stimuli, oriuntur rixae, accenduntur faces odiorum, pax exstin-
90 guitur cordium. Vnde bene per Salomonem dicitur : *Qui dimittit aquam, caput est iurgiorum*[h]. Aquam quippe dimittere est linguam in fluxum eloquii relaxare. Quo contra in bona etiam parte iterum dicitur : *Aqua profunda, uerba ex ore uiri*[i]. Qui ergo dimittit aquam, caput
95 est iurgiorum, quia qui linguam non frenat, concordiam dissipat. Vnde e diuerso scriptum est : *Qui imponit stulto silentium, iras mitigat*[j].

Quod autem multiloquio quisque seruiens, rectitudinem iustitiae tenere nequaquam possit, testatur propheta,
100 qui ait : *Vir linguosus non dirigitur super terram* [k]. Hinc Salomon iterum dicit : *In multiloquio peccatum non deerit*[l]. Hinc Esaias ait : *Cultus iustitiae silentium*[m], uidelicet in-

g. Prov. 25, 28 || h. Prov. 17, 14 || i. Prov. 18, 4 || j. Prov. 26, 10 || k. Ps. 139, 12 || l. Prov. 10, 19 || m. Is. 32, 17

1. Parallèle textuel avec *Mor.* 7, 37, 59 (*CCL* 143, p. 378-379).

s'est fermé tout accès au lieu secret de la réflexion intérieure. Elle se découvre toute entière aux coups de l'ennemi à l'affut, parce qu'elle ne s'enclôt pas de la moindre enceinte qui la protège. De là le mot de l'Écriture : *« Telle une ville ouverte et sans remparts qui l'entourent, tel l'homme qui ne peut quand il parle contenir son élan*[g]. » Comme elle n'a pas le mur du silence, la cité qu'est son âme est offerte aux traits de l'ennemi ; et comme elle se précipite hors d'elle-même par tant de paroles, elle se découvre à son adversaire, lequel s'en rend maître avec d'autant moins de peine que celle qu'il est en train de vaincre combat contre elle-même par son bavardage[1].

Une âme nonchalante est entraînée d'ordinaire par degrés vers sa chute. Lorsque nous n'avons cure d'éviter les paroles oisives, nous en venons aux paroles nocives : il y a d'abord le plaisir de causer de choses et d'autres, puis des remarques mordantes sur la vie des gens, enfin le déchaînement de la langue en paroles nettement méprisantes. Alors se multiplient les piques, naissent les querelles, s'allume le feu des haines, cesse la paix des cœurs. Salomon l'a fort bien dit : *« Qui laisse s'échapper les eaux, donne naissance aux querelles*[h]. » Laisser s'échapper les eaux, c'est laisser un flot de paroles s'échapper de sa langue. Il est dit par contre en bonne part : *« Eau profonde, les paroles sortant de la bouche d'un homme*[i]. » Laisser s'échapper les eaux donne naissance aux querelles, car ne pas réfréner sa langue, c'est détruire l'union des cœurs. Aussi est-il écrit, à l'inverse : *« Celui qui fait taire le sot apaise les colères*[j]. »

Qu'un homme livré au bavardage ne puisse conserver la rectitude de la justice, le prophète l'atteste : *« Le grand parleur ne trouve pas le droit chemin sur la terre*[k]. » Voilà pourquoi Salomon dit encore : *« Le bavardage ne va pas sans péché*[l]. » Et Isaïe : *« Souci de la justice, que le silence*[m] », faisant comprendre que la justice de l'âme est

dicans quia mentis iustitia desolatur quando ab immoderata loquutione non parcitur. Hinc Iacobus dicit : *Si*
105 *quis putat se religiosum esse non refrenans linguam suam, sed seducens cor suum, huius vana est religio*[n]. Hinc rursus ait : *Sit omnis homo uelox ad audiendum, tardus autem ad loquendum*[o]. Hinc iterum, linguae uim definiens, adiungit : *Inquietum malum, plena ueneno mortifero*[p]. Hinc per
110 semetipsam nos Veritas ammonet, dicens : *Omne uerbum otiosum quod loquuti fuerint homines, rationem reddent de eo in die iudicii*[q]. Otiosum quippe uerbum est, quod aut ratione iustae necessitatis, aut intentione piae utilitatis caret. Si ergo ratio de otioso sermone exigitur, pensemus
115 quae poena multiloquium maneat, in quo etiam per noxia uerba peccatur.

CAPVT XV

Quod aliter ammonendi sunt pigri atque aliter praecipites.

XXXIX Aliter ammonendi sunt pigri, atque aliter praecipites. Illi namque suadendi sunt, ne agenda bona, dum diffe-
5 runt, amittant ; isti uero ammonendi sunt, ne dum bonorum tempus incaute festinando praeueniut, eorum merita immutent. Pigris itaque intimandum est quod saepe dum opportune agere quae possumus nolumus, paulo

n. Jac. 1, 26 || o. Jac. 1, 19 || p. Jac. 3, 8 || q. Matth. 12, 36.

1. Cf. *Hom. Év.* I, 6, 6 (*PL* 76, 1098).
2. Parallèle textuel avec *Mor.* 7, 37, 57-58 (*CCL* 143, p. 378-379).

délaissée quand on ne se garde pas de discourir sans mesure. Et Jacques : « *Si quelqu'un se figure être pieux alors qu'il ne met pas un frein à sa langue, trompant son propre cœur, sa piété est vaine*[n]. » Et encore : « *Qu'on soit toujours prompt à écouter, lent à parler*[o]. » Et à nouveau, définissant le caractère essentiel de la langue, il ajoute : « *Un mal sans repos ; elle est pleine d'un venin porteur de mort*[p]. » Et la Vérité nous en avertit par elle-même : « *De toute parole oiseuse qu'auront prononcée les hommes il leur sera demandé compte au jour du jugement*[q]. » Oiseuse, toute parole qui n'est motivée ni par la considération d'un juste besoin, ni par la charitable intention d'être utile[1]. Si donc on demande compte d'une parole oiseuse, quelle peine attend le bavardage, au cours duquel on pèche en plus par des paroles qui nuisent[2] !

CHAPITRE 15

Il faut avertir différemment les nonchalants et les impulsifs.

Il faut avertir différemment les nonchalants[3] et les impulsifs. Il faut engager les premiers à ne pas laisser passer, en différant, l'occasion de bien faire ; il faut avertir les seconds qu'en devançant imprudemment par leur hâte l'heure d'une bonne action, ils en altèrent la qualité. Il faut faire comprendre aux nonchalants que lorsque nous ne voulons pas au temps opportun faire ce que nous pouvons, il arrive souvent un peu après que,

3. L'adjectif *pigri* est rendu ici par « nonchalants », qui marque mieux le contraste avec « impulsifs ». Dans la citation des *Proverbes*, et ensuite, il va garder sa traduction usuelle, « paresseux ».

post cum uolumus non ualemus. Ipsa quippe mentis
10 desidia dum congruo feruore non accenditur, a bonorum desiderio funditus, conualescente furtim torpore mactatur. Vnde apte per Salomonem dicitur : *Pigredo immittit soporem*[a]. Piger enim recte sentiendo quasi uigilat, quamuis nil operando torpescat, sed pigredo soporem immit-
15 tere dicitur, quia paulisper etiam recte sentiendi uigilantia amittitur, dum a bene operandi studio cessatur. Vbi recte subiungitur : *Et anima dissoluta esuriet*[b]. Nam quia se ad superiora stringendo non dirigit, neglectam se inferius per desideria expandit ; et dum studiorum sublimium
20 uigore non constringitur, cupiditatis infimae fame sauciatur ; ut quo se per disciplinam ligare dissimulat, eo se esuriens per uoluptatum desideria spargat. Hinc ab eodem rursus Salomone scribitur : *In desideriis est omnis otiosus*[c]. Hinc ipsa Veritate praedicante, uno quidem
25 exeunte spiritu munda domus dicitur, sed multiplicius redeunte dum uacat occupatur[d].

Plerumque piger dum necessaria agere neglegit, quaedam sibi difficilia opponit, quaedam uero incaute formidat ; et dum quasi inuenit quod uelut iuste metuat,
30 ostendit quod in otio quasi non iniuste torpescat. Cui recte per Salomonem dicitur : *Propter frigus piger arare noluit ; mendicabit ergo aestate, et non dabitur ei*[e]. Propter frigus quippe piger non arat, dum desidiae torpore constrictus, agere quae debet bona dissimulat. Propter
35 frigus piger non arat, dum parua ex aduerso mala metuit, et operari maxima praetermittit. Bene autem dicitur : *Mendicabit aestate, et non dabitur ei.* Qui enim nunc in

XV, 12 apte *T B* : aperte *E* μ ‖ 20 fame *T B* : acumine *E aliique* ‖ sauciatur : uel fames augetur *add. Carn.*[2] *Belv.*

XV a. Prov. 19, 15 ‖ b. Prov. 19, 15 ‖ c. Prov. 21, 26 ‖ d. Cf. Matth. 12, 44 ‖ e. Prov. 20, 4

le voulant cette fois, nous ne le pouvons plus. L'âme indolente que ne réchauffe pas une suffisante ferveur sacrifiera complètement ses bons désirs, sournoisement envahie par une torpeur grandissante. De là le mot si juste de Salomon : « *La paresse instille le sommeil*[a]. » Du fait qu'il perçoit bien, le paresseux est en état de veille, tout en s'assoupissant du fait qu'il n'agit pas ; mais il est dit que la paresse instille le sommeil, parce qu'en peu de temps la vigilance même de la perception se perd, quand cesse le souci de bien agir. Aussi est-il ajouté avec raison : « *Et l'âme alanguie aura faim*[b]. » Elle ne se dirige pas en haut en se concentrant, et dès lors, se négligeant elle-même, elle se répand en désirs de biens inférieurs. La vigueur des hautes passions ne la polarise pas, et elle est tiraillée par la faim d'une basse convoitise. De la sorte, plus elle évite toute discipline qui la lierait, plus elle s'éparpille, affamée, en recherche de plaisirs. De là cet autre mot de Salomon : « *L'oisif est tout entier dans les désirs*[c]. » De là ce que la Vérité proclame elle-même : quand un esprit en sort, la maison est dite propre ; mais quand il revient en force, alors, laissée vide, la voici occupée[d].

Quand il néglige de faire ce qu'il faut, le paresseux s'objecte d'ordinaire à lui-même certaines difficultés, se livre inconsidérément à certaines appréhensions, et comme il a trouvé, croit-il, de bonnes raisons de craindre, il fait voir que son inaction n'est pas coupable langueur. Pour lui, la juste observation de Salomon : « *A cause du froid, le paresseux n'a pas voulu labourer ; en été il mendiera, et il ne lui sera pas donné*[e]. » Le paresseux ne laboure pas à cause du froid, lorsque, engourdi dans son indolente torpeur, il se cache le bien qu'il doit faire. Le paresseux ne laboure pas à cause du froid, lorsqu'il redoute de s'exposer à de légers ennuis et omet de très importantes actions. Le mot est donc juste : « *en été il mendiera, et il ne lui sera pas donné* ». Qui maintenant

bonis operibus non exsudat, cum sol iudicii feruentior apparuerit, quia frustra regni aditum postulat, nil aestate 40 accipiens mendicat. Bene huic per eumdem rursum Salomonem dicitur : *Qui obseruat uentum, non seminat ; et qui considerat nubes, numquam metit*[f]. Quid enim per uentum, nisi malignorum spirituum temptatio exprimitur ? Et quid per nubes quae mouentur a uento, nisi 45 aduersitates prauorum hominum designantur ? A uentis uidelicet impelluntur nubes, quia immundorum spirituum afflatu praui excitantur homines. *Qui* ergo *obseruat uentum, non seminat ; et qui considerat nubes, numquam metit ;* quia quisquis temptationem malignorum spiri- 50 tuum, quisquis persecutionem prauorum hominum metuit, neque nunc grana boni operis seminat, neque tunc manipulos sanctae retributionis secat.

At contra, praecipites dum bonorum actuum tempus praeueniunt, meritum peruertunt, et saepe in malis cor- 55 ruunt, dum bona minime discernunt. Qui nequaquam quae quando agant inspiciunt, sed plerumque acta quia ita non debuerint agere cognoscunt. Quibus sub auditoris specie recte apud Salomonem dicitur : *Fili, sine consilio nihil facias, et post factum non paeniteberis*[g]. Et rursum : 60 *Palpebrae tuae praecedant gressus tuos*[h]. Palpebrae quippe gressus praecedunt, cum operationem nostram consilia recta praeueniunt. Qui enim neglegit considerando praeuidere quod facit, gressus tendit, oculos claudit, pergendo iter conficit, sed praeuidendo sibimetipsi non an- 65 tecedit, atque idcirco citius corruit, quia quo pedem operis ponere debeat, per palpebram consilii non attendit.

f. Eccl. 11, 4 ‖ g. Sir. 32, 24 ‖ h. Prov. 4, 25.

ne travaille pas à des œuvres bonnes à la sueur de son front implorera en vain l'accès du Royaume, quand apparaîtra le soleil brûlant du jugement : en été il mendie sans rien recevoir. Il lui est dit encore, toujours par Salomon : *« Qui observe le vent ne sème pas, et qui contemple les nuages jamais ne moissonnera*[f]. » Que figure le vent, sinon la tentation des esprits impurs ? Et que désignent les nuages mus par le vent, sinon les oppositions des dépravés ? Car les nuages sont poussés par les vents, parce que les dépravés sont entraînés par le souffle des esprits impurs. Ainsi *qui observe le vent ne sème pas, et qui contemple les nuages jamais ne moissonnera :* quiconque a peur de la tentation des esprits malins, peur de la persécution des dépravés, ne sème pas maintenant le grain des œuvres bonnes, et ne coupe pas ensuite les gerbes de la sainte récompense.

Par contre, en devançant le temps des œuvres bonnes, les impulsifs en dénaturent la qualité et tombent dans le mal, ne sachant aucunement discerner le bien. Ils n'examinent point ce qu'ils doivent faire, ni quand, et ils reconnaissent d'ordinaire que ce qu'ils ont fait, ils n'auraient pas dû le faire de la sorte. C'est à eux, dans la personne d'un auditeur, que s'adresse Salomon : *« Mon fils, ne fais rien sans réflexion, et quand tu auras agi, tu ne te repentiras pas*[g]. » Et de nouveau : *« Que tes yeux devancent tes pas*[h]. » Les yeux devancent les pas quand une bonne délibération précède l'action. Car l'homme qui néglige de prévoir avec attention ce qu'il fera hâte bien ses pas, ferme ses yeux, poursuit activement sa route, mais il ne se précède pas lui-même en regardant d'avance, et c'est pourquoi il a tôt fait de tomber, faute de considérer avec les yeux de la délibération l'endroit où il doit poser le pas de l'œuvre.

CAPVT XVI

Quod aliter ammonendi sunt mansueti atque aliter iracundi.

XL Aliter ammonendi sunt mansueti, atque aliter iracundi. Nonnumquam namque mansueti cum praesunt, uicinum
5 et quasi iuxta positum torporem desidiae patiuntur. Et plerumque nimia resolutione lenitatis, ultra quam necesse est uigorem districtionis emolliunt. At contra iracundi cum regiminum loca percipiant, quo impellente ira in mentis uesaniam deuoluuntur, eo etiam subditorum ui-
10 tam dissipata quietis tranquillitate confundunt. Quos cum furor agit in praeceps, ignorant quidquid irati faciunt, ignorant quidquid a semetipsis irati patiuntur. Nonnumquam uero, quod est grauius, irae suae stimulum iustitiae zelum putant. Et cum uitium uirtus creditur, sine metu
15 culpa cumulatur. Saepe ergo mansueti dissolutionis torpescunt taedio ; saepe iracundi rectitudinis falluntur zelo. Illorum itaque uirtuti uitium latenter adiungitur ; his autem suum uitium quasi feruens uirtus uidetur. Ammonendi sunt igitur illi ut fugiant quod iuxta ipsos est,
20 isti quod in ipsis attendant ; illi quod non habent discernant, isti quod habent. Amplectantur mansueti sollicitudinem, damnent iracundi perturbationem. Ammonendi sunt mansueti, ut habere etiam aemulationem iustitiae

XVI, 20-22 illi quod non — damnent *T B edd.* : illi quod non habent discernant, isti quod habent amplectantur. Mansueti per sollicitudinem (ut *add. Carn.*[1]) torporem damnent *E Corb. Carn.*[1.2] *Gemet.*[3] *Long.*

CHAPITRE 16

Il faut avertir différemment les doux et les coléreux.

Il faut avertir différemment les doux et les coléreux. Lorsqu'ils exercent l'autorité, les doux sont parfois sujets à un défaut voisin de leur douceur, tout proche, la torpeur de l'indolence. Et très souvent, avec une mansuétude trop indulgente, ils font mollir plus que de raison la rigueur de la sévérité. Par contre, plus les coléreux, mis à un poste de gouvernement, se laissent emporter par la colère et sombrent dans l'égarement de l'esprit, plus ils perturbent l'existence de leurs inférieurs, leur enlevant leur paisible tranquillité. Tandis qu'ils foncent, furieux, ils ne savent pas ce qu'ils font dans leur colère, ils ne savent pas le mal que leur colère leur fait à eux-mêmes. Parfois, chose plus grave, ils pensent que l'aiguillon de leur colère est le zèle de la justice. Et comme le vice est pris pour de la vertu, la faute grossit sans crainte. Ainsi donc les doux s'engourdissent souvent dans la torpeur du relâchement, et les coléreux sont souvent trompés par le zèle de la rectitude. La vertu des premiers se double d'un secret défaut ; les seconds prennent leur défaut pour une fervente vertu. Il faut par suite avertir les premiers d'éviter un mal qui leur est tout proche, les seconds de prendre garde à un mal qui est en eux ; les premiers, de discerner ce qu'ils n'ont pas, les seconds, ce qu'ils ont. Que les doux prennent à cœur le zèle ; que les coléreux condamnent leur emportement. Il faut avertir

aliique illi quid habent discernant, isti quod non habent amplectantur. Mansueti per sollicitudinem torporem damnent *Carn.*[3] *Belv. Laud.*

studeant ; ammonendi sunt iracundi, ut aemulationi
25 quam se habere aestimant, mansuetudinem subiungant. Idcirco namque sanctus Spiritus in columba nobis est et in igne monstratus[a], quia uidelicet omnes quos implet, et columbae simplicitate mansuetos, et igne zeli ardentes exhibet.

30 Nequaquam ergo sancto Spiritu plenus est, qui aut in tranquillitate mansuetudinis feruorem aemulationis deserit, aut rursum in aemulationis ardore uirtutem mansuetudinis amittit. Quod fortasse melius ostendimus, si in medio Pauli magisterium proferamus, qui duobus dis-
35 cipulis et non diuersa caritate praeditis, diuersa tamen adiutoria praedicationis impendit. Timotheum namque ammonens, ait : *Argue, obsecra, increpa in omni patientia et doctrina*[b]. Titum quoque ammonet dicens : *Haec loquere, et exhortare, et argue cum omni imperio*[c]. Quid est
40 quod doctrinam suam tanta arte dispensat, ut in exhibenda hac, alteri imperium, atque alteri patientiam proponat, nisi quod mansuetioris spiritus Titum, et paulo feruentioris uidit esse Timotheum ? Illum per aemulationis studium inflammat, hunc per lenitatem patientiae
45 temperat. Illi quod deest iungit, huic quod super est subtrahit. Illum stimulo impellere nititur, hunc freno moderatur. Magnus quippe susceptae Ecclesiae colonus, alios palmites ut crescere debeant rigat ; alios cum plus iusto crescere conspicit resecat, ne aut non crescendo
50 fructus non ferant, aut, immoderate crescendo, quos protulerint amittant[d].

XVI a. Cf. Matth. 3, 16 ; Act. 2, 3-4 ‖ b. II Tim. 4, 2 ‖ c. Tite 2, 15 ‖ d. Cf. I Cor. 3, 6-9

1. Le même exemple tiré de *II Tim.* 4, 2 et de *Tite* 2, 15 est repris dans une *Homélie sur Ézéchiel* (I, 11, 15 = *CCL* 142, p. 175-176 = *SC* 327, p. 467). Grégoire s'en sert pour illustrer une des règles de la

les doux de chercher à avoir aussi le zèle de la justice ; il faut avertir les coléreux de joindre la douceur au zèle qu'ils estiment avoir. Si le Saint-Esprit nous a été manifesté sous la figure d'une colombe et celle du feu[a], c'est parce qu'il donne à tous ceux qu'il emplit à la fois la douce simplicité de la colombe et le feu ardent du zèle.

Non, il n'est pas plein du Saint-Esprit, l'homme qui dans sa tranquille douceur abandonne la ferveur du zèle, ou à l'inverse oublie dans la ferveur de son zèle la vertu de douceur. Nous avons un moyen bien facile de le montrer, c'est de citer un enseignement de Paul. A deux disciples, d'une semblable charité, il donne des conseils dissemblables pour la prédication. A Timothée il adresse cet avis : « *Reprends, supplie, blâme, avec toute la patience et la science possibles*[b]. » Et à Tite : « *C'est ainsi que tu dois parler, exhorter et reprendre, avec toute l'autorité possible*[c]. » Pourquoi dispense-t-il son enseignement avec tant de doigté, insistant, dans la façon de le présenter, sur l'autorité auprès de Tite, sur la patience auprès de Timothée, sinon parce qu'il a vu au cœur de l'un plus de douceur et un peu plus d'ardeur au cœur de l'autre[1] ? Il attise en l'un la flamme du zèle, il la tempère dans l'autre par la douceur de la patience. Il ajoute en l'un ce qui manque, il retranche en l'autre ce qui est de trop. Il s'efforce de pousser l'un en avant par l'éperon, il retient l'autre par le mors. Ce grand vigneron de l'Église dont il a la charge arrose certains ceps pour qu'ils croissent, il taille certains autres qu'il voit croître plus qu'il ne faut, de peur qu'ils ne portent pas de fruit faute de croître ou que croissant à l'excès ils ne perdent le fruit qu'ils formaient[d].

rhétorique profane *(qualiter loquatur)* appliquée à la prédication (cf. DAGENS, p. 127, et t. 1, Introduction, p. 41).

Sed longe alia est ira quae sub aemulationis specie subripit, alia quae perturbatum cor et sine iustitiae praetextu confundit. Illa enim in hoc quod debet inordinate 55 extenditur, haec autem semper in his quae non debet inflammatur. Sciendum quippe est quia hoc ab impatientibus iracundi differunt, quod illi ab aliis illata non tolerant, isti autem etiam quae tolerentur important. Nam iracundi saepe etiam se declinantes insequuntur, 60 rixae occasionem commouent, labore contentionis gaudent ; quos tamen melius corrigimus, si in ipsa irae suae commotione declinamus. Perturbati quippe quid audiant ignorant, sed ad se reducti tanto libentius exhortationis uerba recipiunt, quanto se tranquillius toleratos erubes- 65 cunt. Menti autem furore ebriae, omne rectum quod dicitur, peruersum uidetur. Vnde et Nabal ebrio culpam suam Abigahel laudabiliter tacuit, quam digesto uino laudabiliter dixit[e]. Idcirco enim malum quod fecerat, cognoscere potuit, quia hoc ebrius non audiuit.

70 Cum uero ita iracundi alios impetunt, ut declinari omnino non possint, non aperta exprobratione, sed sub quadam sunt cautela reuerentiae parcendo feriendi. Quod melius ostendimus, si Abner factum ad medium deducamus. Hunc quippe cum Asahel ui incaute praecipita- 75 tionis impeteret, scriptum est : *Loquutus est Abner ad Asahel, dicens : Recede, noli me sequi, ne compellar confodere te in terra. Qui audire contempsit, et noluit declinare. Percussit ergo eum Abner auersa hasta in inguine, et transfodit eum, et mortuus est*[f]. Cuius enim Asahel typum 80 tenuit, nisi eorum, quos uehementer arripiens furor in praeceps ducit ? Qui in eodem furoris impetu tanto caute declinandi sunt, quanto et insane rapiuntur. Vnde et Abner, qui sermone nostro patris lucerna dicitur, fugit,

77 terram μ

e. Cf. I Sam. 25, 2-38 || f. II Sam. 2, 22-23.

Mais bien différente est la colère qui se dissimule sous l'apparence du zèle, et la colère qui bouleverse un cœur sans même le prétexte de la justice. La première se porte par excès au-delà du devoir, l'autre s'enflamme toujours en dehors du devoir. Car il faut le savoir, les coléreux diffèrent en ceci des impatients, que ces derniers ne supportent pas les torts que leur font les autres, et que ceux-là en outre causent des torts qu'il faudra supporter. Les coléreux vous poursuivent même si vous vous esquivez, provoquent la rixe, trouvent leur joie dans l'effort de la lutte ; on les corrige cependant plus aisément en s'esquivant, quand ils sont sous le coup de leur colère. Oui, dans leur émoi, ils n'ont aucune conscience de ce qu'ils entendent ; revenus à eux ils accueillent d'autant plus volontiers le mot qui exhorte qu'ils rougissent d'avoir été plus tranquillement supportés. A une âme en fureur tout ce qu'on peut dire de juste paraît faux. Voilà pourquoi Abigaïl fit bien de taire la faute de Nabal ivre, comme elle fit bien de la lui dire quand il eut cuvé son vin[e]. S'il put reconnaître le mal qu'il avait fait, c'est que ivre il n'en entendit pas parler.

Quand les coléreux attaquent sans qu'on puisse s'esquiver, il ne faut pas leur assener un franc reproche, mais user de prudents égards, en les ménageant. Une meilleure façon de le montrer est de mettre sous les yeux un exemple, celui d'Abner. Comme Asaël fondait imprudemment sur lui, « *Abner,* est-il écrit, *s'adressant à Asaël lui dit : Arrière, ne me poursuis pas, que je ne sois contraint de te transpercer et de t'abattre. Mais lui dédaigna de l'écouter et refusa de s'écarter. Abner le frappa donc à l'aine d'un coup de revers de sa lance, et il mourut*[f]. » Que figure Asaël, sinon les hommes dont la fureur s'empare avec violence, pour les culbuter. Au temps de cette impétueuse fureur, il faut les éviter aussi prudemment qu'ils se laissent follement entraîner. Abner — nom qui

quia doctorum lingua quae supernum Dei lumen indicat,
85 cum per abrupta furoris mentem cuiuspiam ferri conspicit, cumque contra irascentem dissimulat uerborum iacula reddere, quasi persequentem non uult ferire. Sed cum iracundi nulla consideratione se mitigant, quasi Asahel persequi et insanire non cessant, necesse est ut hi qui
90 furentes reprimere conantur, nequaquam se in furore erigant, sed quidquid est tranquillitatis ostendant ; quaedam uero subtiliter proferant, in quibus ex obliquo furentis animum pungant. Vnde et Abner cum contra persequentem substitit, non eum recta, sed auersa hasta
95 transforauit. Ex mucrone quippe percutere, est impetu apertae increpationis obuiare. Auersa uero hasta persequentem ferire, est furentem tranquille ex quibusdam tangere, et quasi parcendo superare. Asahel autem protinus occumbit, quia commotae mentes dum et parci sibi
100 sentiunt, et tamen responsorum ratione in intimis sub tranquillitate tanguntur, ab eo quod se erexerant statim cadunt. Qui ergo a feruoris sui impetu sub lenitatis percussione resiliunt, quasi sine ferro moriuntur.

CAPVT XVII

Quod aliter ammonendi sunt humiles atque aliter elati.

XLI Aliter ammonendi sunt humiles, atque aliter elati. Illis insinuandum est quam sit uera excellentia quam sperando

87 quasi : et *praem.* μ ‖ 89 cessat *T B*

1. Sur l'explication du nom d'Abner, cf. JÉROME, *Nom. Hebr.* 34, 16 (*CCL* 72, p. 102, l. 16).

signifie « lampe du père[1] » —, Abner fuit : quand des docteurs, dont la parole fait voir la haute lumière de Dieu, remarquent qu'une âme est emportée sur les pentes abruptes de la fureur et qu'ils évitent de rendre à l'enragé coup de langue pour coup de langue, c'est bien pour eux refuser de frapper un poursuivant. Et quand le coléreux, sans qu'aucune considération le calme, ne cesse comme Asaël de poursuivre et de délirer, il est nécessaire que ceux qui tâchent d'étouffer sa fureur ne se dressent pas eux-mêmes, furieux, et qu'ils montrent toute la tranquillité possible ; qu'ils décochent simplement quelques fines flèches, qui aillent toucher comme de biais l'âme du forcené. Ainsi Abner, résistant à son poursuivant, ne le transperça pas d'un coup droit de sa lance, mais d'un coup de revers. Transpercer par le fer de la lance, c'est attaquer en lançant une réprimande ouverte. Frapper le poursuivant d'un coup de revers de la lance, c'est toucher tranquillement l'homme en fureur par tel ou tel mot, et comme le vaincre en le ménageant. Asaël s'écroule sur-le-champ, car lorsqu'elles sentent qu'on les ménage et sont cependant touchées au plus intime d'elles-mêmes par de raisonnables et tranquilles réponses, les âmes passionnées baissent aussitôt le ton, qu'elles avaient élevé. Ceux qui, frappés avec douceur, reviennent soudain de leur agressive violence meurent en quelque sorte sans le fer de la lance.

CHAPITRE 17

Il faut avertir différemment les humbles et les orgueilleux.

Il faut avertir différemment les humbles et les orgueilleux. Il faut faire comprendre aux premiers combien est

tenent ; istis uero intimandum est quam sit nulla tem-
5 poralis gloria, quam et amplectentes non tenent. Audiant humiles quam sint aeterna quae appetunt, quam transitoria quae contemnunt ; audiant elati quam sint transitoria quae ambiunt, quam aeterna quae perdunt. Audiant humiles ex magistra uoce Veritatis : *Omnis qui se humiliat,*
10 *exaltabitur ;* audiant elati : *Omnis qui se exaltat, humiliabitur*[a]. Audiant humiles : *Gloriam praecedit humilitas*[b] ; audiant elati : *Ante ruinam exaltatur spiritus*[c]. Audiant humiles : *Ad quem respiciam, nisi ad humilem et quietum, et trementem sermones meos*[d] ? Audiant elati : *Quid su-*
15 *perbis terra et cinis*[e] ? Audiant humiles : *Deus humilia respicit ;* audiant elati : *Et alta a longe cognoscit*[f]. Audiant humiles : *Quia Filius hominis ministrari non uenit, sed ministrare*[g] ; audiant elati : *Quia initium omnis peccati superbia*[h]. Audiant humiles : *Quia redemptor noster hu-*
20 *miliauit semetipsum, factus oboediens usque ad mortem*[i] ; audiant elati quod de eorum capite scriptum est : *Ipse est rex super uniuersos filios superbiae*[j]. Occasio igitur perditionis nostrae facta est superbia diaboli, et argumentum redemptionis nostrae inuenta est humilitas Dei.
25 Hostis enim noster inter omnia conditus, uideri supra omnia uoluit elatus ; redemptor autem noster magnus manens supra omnia, fieri inter omnia dignatus est paruus.

XVII, 19 superbia : est *add.* *μ*

XVII a. Lc 18, 14 ‖ b. Prov. 15, 33 ‖ c. Prov. 16, 18 ‖ d. Is. 66, 2 ‖ e. Sir. 10, 9 ‖ f. Ps. 137, 6 ‖ g. Matth. 20, 28 ‖ h. Sir. 10, 15 ‖ i. Phil. 2, 8 ‖ j. Job 41, 25

---

1. La tournure *audiant ... audiant...* était déjà utilisée par AUGUSTIN, *Serm.* 85, 3-5 (*PL* 38, 521-523) : *Audiant diuites ... audiant pauperes ...* Cf. aussi CÉSAIRE D'ARLES, *Serm.* 48, 1 (*CCL* 103, p. 216 = *SC* 243, p. 390-391).

vraie l'excellence qu'ils possèdent en espérance ; il faut persuader les seconds qu'elle n'est rien, cette gloire temporelle que même en l'étreignant ils ne possèdent pas. Que les humbles entendent dire qu'ils sont éternels, les biens auxquels ils aspirent, passagers ceux qu'ils dédaignent ; que les orgueilleux entendent dire qu'ils sont passagers, les biens qu'ils convoitent, éternels, ceux qu'ils perdent. Que les humbles écoutent la voix magistrale de la Vérité : *« Quiconque s'abaisse sera élevé. »* Que les orgueilleux écoutent : *« Quiconque s'élève sera abaissé*[a]. *»* Que les humbles écoutent : *« L'humilité précède la gloire*[b]. *»* Que les orgueilleux écoutent : *« L'arrogance précède la ruine*[c]. *»* Que les humbles écoutent : *« Sur qui abaisserai-je mes yeux, sinon sur l'homme humble et paisible, et qui tremble à ma parole*[d] *? »* Que les orgueilleux écoutent : *« Pourquoi font-elles les fières, la terre et la cendre*[e] *? »* Que les humbles écoutent : *« Dieu jette les yeux sur ce qui est humble. »* Que les orgueilleux écoutent : *« Et il connaît de loin ce qui est élevé*[f]. *»* Que les humbles écoutent : *« Le Fils de l'homme n'est pas venu pour être servi, mais pour servir*[g]. *»* Et les orgueilleux : *« Le commencement de tout péché, c'est l'orgueil*[h]. *»* Que les humbles écoutent : *« Notre rédempteur s'est abaissé lui-même, se faisant obéissant jusqu'à la mort*[i]. *»* Que les orgueilleux écoutent[1] ce qui est dit de leur chef : *« Il est roi au-dessus de tous les fils de l'orgueil*[j]. *»* L'orgueil du diable a entraîné notre perte, et l'humilité de Dieu a été le moyen habile[2] de notre rédemption. Car notre ennemi, être créé parmi les êtres créés, a voulu paraître élevé au-dessus de tous ; notre rédempteur, au contraire, sans cesser d'être le très grand, au-dessus de tous les êtres créés, a daigné se faire parmi tous le tout-petit[3].

2. Sur le sens de *argumentum*, voir *supra*, p. 305, n. 2.
3. Parallèle textuel avec *Mor.* 34, 23, 54 (*CCL* 143B, p. 1770-1771).

Dicatur ergo humilibus, quia dum se deiciunt, ad Dei similitudinem ascendunt ; dicatur elatis, quia dum se 30 erigunt, in apostatae angeli imitationem cadunt. Quid itaque elatione deiectius, quae dum supra se tenditur, ab altitudine uerae celsitudinis elongatur ? Et quid humilitate sublimius, quae dum se in ima deprimit, auctori suo manenti super summa coniungit ?

35 Est tamen aliud quod in eis debeat caute pensari, quia saepe quidam humilitatis decipiuntur specie, quidam uero elationis suae ignoratione falluntur. Nam plerumque nonnullis qui sibi humiles uidentur, is qui hominibus deferri non debet, coniunctus est timor ; plerumque uero elatos 40 comitari solet liberae uocis assertio. Et cum quaedam increpanda sunt uitia, illi reticent ex timore, et tamen tacere se aestimant ex humilitate ; isti loquuntur per impatientiam elationis, et tamen loqui se credunt per libertatem rectitudinis. Illos ut peruersa non increpent, 45 sub specie humilitatis premit culpa formidinis ; istos ad increpanda quae non debent, aut magis increpanda quam debent, sub imagine libertatis effrenatio impellit tumoris. Vnde et elati ammonendi sunt, ne plus quam decet sint liberi ; et humiles ammonendi sunt, ne plus quam expedit 50 sint subiecti, ne aut illi defensionem iustitiae uertant in exercitatione superbiae, aut isti cum student plus quam necesse est hominibus subici, compellantur eorum etiam uitia uenerari.

Considerandum uero est quod plerumque elatos utilius 55 coripimus, si eorum correptionibus quaedam laudum fomenta misceamus. Inferenda namque illis sunt aut alia

Qu'on le dise donc aux humbles : en s'abaissant ils montent vers la ressemblance de Dieu. Qu'on le dise aux orgueilleux : en s'élevant, à l'imitation de l'ange apostat, ils déchoient. Dès lors, quoi de plus méprisable que l'orgueil ? En se poussant au-dessus de lui-même, il s'éloigne de la cime de la véritable grandeur. Et quoi de plus élevé que l'humilité ? En s'abaissant tout bas, elle s'unit à son Créateur, qui demeure au-dessus de ce qu'il y a de plus haut.

En ces hommes il est toutefois autre chose à prudemment discerner. Certains sont souvent leurrés par une apparence d'humilité, d'autres trompés par la méconnaissance de leur orgueil. Souvent, oui, des gens qui se croient humbles ont en même temps en face des hommes une crainte qu'ils ne devraient pas leur témoigner ; et souvent l'orgueil est accompagné d'une prétentieuse liberté de langage. Alors, quand il faut blâmer un vice, les premiers se taisent, par crainte, tout en croyant se taire par humilité, et les orgueilleux parlent avec l'impatience de la superbe, tout en croyant le faire avec la franchise de la droiture. Une coupable appréhension, sous l'apparence de l'humilité, retient les premiers de blâmer des écarts de conduite ; une fatuité sans retenue, sous prétexte de liberté, pousse les seconds à blâmer ce qu'ils n'ont pas à blâmer, ou à le faire plus qu'ils ne devraient. Il faut donc rappeler aux orgueilleux que leur liberté a des limites, et il faut rappeler aux humbles que leur déférence peut être excessive, de telle sorte que les premiers ne fassent pas de la défense de la vérité un déploiement d'orgueil, et que les seconds, en s'efforçant plus qu'il ne faudrait d'être déférents envers les personnes, ne soient poussés à respecter jusqu'à leurs vices.

Nous devons nous dire aussi que souvent on corrige les orgueilleux plus efficacement si l'on mêle aux blâmes le réconfort de quelques éloges. Il faut leur représenter soit des mérites qu'ils possèdent par ailleurs, soit du

bona quae in ipsis sunt, aut dicendum certe quae poterant esse si non sunt. Et tunc demum resecanda sunt mala quae nobis displicent, cum prius ad audiendum placabi-
60 lem eorum mentem fecerint praemissa bona quae placent. Nam et equos indomitos blanda prius manu tangimus, ut eos nobis plenius postmodum etiam per flagella subigamus. Et amaro pigmentorum poculo mellis dulcedo adiungitur, ne ea quae saluti profutura est, in ipso gustu
65 aspera amaritudo sentiatur ; dum uero gustus per dulcedinem fallitur, humor mortiferus per amaritudinem uacuatur. Ipsa ergo in elatis inuectionis exordia, permixta sunt laude temperanda, ut dum admittunt fauores quos diligunt, etiam correptiones recipiant quas oderunt.

70 Plerumque autem persuadere elatis utilia melius possumùs, si prouectum eorum nobis potius quam illis profuturum dicamus, si eorum meliorationem nobis magis quam sibi impendi postulemus. Facile enim ad bonum elatio flectitur, si eius inflexio prodesse et aliis credatur.
75 Vnde Moyses, qui regente se Deo, deserti iter duce aerea columna pergebat, cum Obab cognatum suum a gentilitatis conuersatione uellet educere, et omnipotentis Dei dominio subiugare, ait : *Proficiscimur ad locum quem Dominus daturus est nobis ; ueni nobiscum, ut bene facia-*
80 *mus tibi, quia Dominus bona promisit Israheli.* Cui cum respondisset ille : *Non uadam tecum, sed reuertar in terram meam in qua natus sum* ; ilico adiunxit : *Noli nos relinquere ; tu enim nosti in quibus locis per desertum castra ponere debeamus, et eris ductor noster*[k]. Neque enim
85 Moysi mentem ignorantia itineris angustabat, quam et ad prophetiae scientiam cognitio diuinitatis expanderat, quam columna exterius praeibat, quam de cunctis interius per conuersationem cum Deo sedulam loquutio familiaris

83 locis *om.* *T E B* || 86 scientia *T*

k. Nombr. 10, 29-31.

moins ceux qu'ils pourraient avoir, s'ils ne les ont pas. Et il faut retrancher le mal qui en eux déplaît lorsque justement le rappel des mérites qui en eux plaisent aura disposé leur âme à une paisible écoute. Nous commençons par flatter de la main les chevaux indomptés, afin de pouvoir nous les soumettre entièrement, même par la cravache. A une potion amère on ajoute la douceur du miel, pour qu'on ne ressente pas l'amertume salutaire mais désagréable au goût ; et tandis que le goût est trompé par la douceur, l'humeur porteuse de mort est purgée par l'amertume. Avec les orgueilleux il faut adoucir les premières phrases de la réprimande en y mêlant la louange : en recevant les compliments qu'ils aiment, ils accueilleront aussi les reproches qu'ils détestent.

Il nous est d'ordinaire plus facile de persuader avec fruit les orgueilleux en leur disant que leurs progrès nous sont plus profitables qu'à eux, en leur demandant de travailler à leur amendement pour nous plus que pour eux. Car l'orgueil se plie aisément au bien, s'il croit qu'en s'y pliant il sera utile aussi aux autres. Au temps où Moïse, sous la conduite de Dieu, poursuivait sa marche dans le désert, guidé par la colonne de nuée, il voulut tirer son parent Obab du milieu païen où il vivait et le soumettre à l'autorité du Dieu tout-puissant. « *Nous partons,* lui dit-il, *vers le lieu que doit nous donner le Seigneur ; viens avec nous, que nous te fassions du bien, car le Seigneur a promis de bonnes choses à Israël. — Je n'irai pas avec toi,* lui répondit l'autre, *je retournerai dans mon pays, là où je suis né. — Ne nous quitte pas,* reprit aussitôt Moïse, *car tu connais, toi, les endroits où nous devrons camper dans le désert, et tu seras notre guide*[k]. » Moïse n'était pas inquiété par une ignorance de la route, lui dont la connaissance de la divinité avait ouvert l'âme à la science prophétique, lui que la colonne de nuée précédait au-dehors, lui qu'instruisait de tout au-dedans son dialogue familier avec Dieu, soigneusement poursuivi.

instruebat. Sed uidelicet uir prouidus elato auditori col-
90 loquens, solatium petiit ut daret ; ducem requirebat in uia, ut dux ei fieri potuisset ad uitam. Egit itaque ut superbus auditor uoci ad meliora suadenti eo magis fieret deuotus, quo putaretur necessarius ; et unde se exhortatorem suum praecedere crederet, inde se sub uerbis ex-
95 hortantis inclinaret.

CAPVT XVIII

Quod aliter ammonendi sunt pertinaces atque aliter inconstantes.

XLII Aliter ammonendi sunt pertinaces, atque aliter inconstantes. Illis dicendum est quod plus de se quam sunt
5 sentiunt, et idcirco alienis consiliis non adquiescunt ; istis uero intimandum est quod ualde se despicientes neglegunt, et ideo leuitate cogitationum a suo iudicio per temporum momenta flectuntur. Illis dicendum est quia nisi meliores se ceteris aestimarent, nequaquam cuncto-
10 rum consilia suae deliberationi postponerent ; istis dicendum est quia si hoc quod sunt, utcumque attenderent, nequaquam eos per tot uarietatis latera mutabilitatis aura uersaret. Illis per Paulum dicitur : *Nolite prudentes esse apud uosmetipsos*[a] ; at contra isti audiunt : *Non circum-*
15 *feramur omni uento doctrinae*[b]. De illis per Salomonem dicitur : *Comedent fructus uiae suae, suisque consiliis saturabuntur*[c] ; de istis autem ab eo rursus scribitur : *Cor stultorum dissimile erit*[d].

XVIII a. Rom. 12, 16 || b. Éphés. 4, 14 || c. Prov. 1, 31 || d. Prov. 15, 7

---

1. Il s'agit des hommes qui sont inconstants moins par paresse ou étourderie que parce qu'ils sont influençables.

Mais s'adressant à un auditeur hautain, cet homme avisé lui demanda de lui donner son soutien ; il le requérait comme guide sur la route, afin de pouvoir devenir son guide vers la vie. Il fit donc que son fier auditeur, se jugeant nécessaire, s'abandonne de bon cœur à la voix qui lui conseillait un meilleur parti : il croirait précéder celui qui l'exhortait, il en serait plus docile à son exhortation.

CHAPITRE 18

Il faut avertir différemment les entêtés et les inconstants.

Il faut avertir différemment les entêtés et les inconstants[1]. Il faut dire aux premiers qu'ils se croient plus qu'ils ne sont, et voilà pourquoi ils n'acquiescent pas aux conseils d'autrui ; il faut faire comprendre aux seconds qu'ils font trop peu de cas d'eux-mêmes, se méprisant, et de ce fait se départent à la légère de leur façon de juger, selon les circonstances. Il faut dire aux premiers que s'ils ne s'estimaient pas meilleurs que les autres ils ne préféreraient pas leur propre décision à tous les conseils ; il faut dire aux seconds que s'ils savaient être un peu attentifs à ce qu'ils sont, ils ne seraient pas des girouettes tournoyant au vent changeant. Aux premiers il est dit par Paul : « *Ne soyez pas sages à vos propres yeux*[a]. » Par contre que les seconds écoutent : « *Ne nous laissons pas ballotter à tout vent en matière de doctrine*[b]. » Il est dit des premiers par Salomon : « *Ils mangeront les fruits de leur conduite et seront rassasiés de leurs propres conseils*[c]. » Et il est écrit par lui encore des seconds : « *Au cœur des sots, la dissemblance*[d]. »

Cor quippe sapientum sibimetipsi semper est simile,
20 quia dum rectis persuasionibus adquiescit, constanter se in bono opere dirigit. Cor uero stultorum dissimile est, quia dum mutabilitate se uarium exhibet, numquam id quod fuerat manet. Et quia quaedam uitia sicut ex semetipsis gignunt alia, ita ex aliis oriuntur, sciendum
25 summopere est quia tunc ea corripiendo melius tergimus, cum ab ipso amaritudinis suae fonte siccamus. Pertinacia quippe ex superbia, inconstantia autem ex leuitate generatur.

Ammonendi sunt igitur pertinaces, ut elationem suae
30 cogitationis agnoscant, et semetipsos uincere studeant ; ne dum rectis aliorum suasionibus foris superari despiciunt, intus a superbia captiui teneantur. Ammonendi sunt, ut sollerter aspiciant quia filius hominis, cui una semper cum Patre uoluntas est, ut exemplum nobis fran-
35 gendae nostrae uoluntatis praebeat, dicit : *Non quaero uoluntatem meam, sed uoluntatem eius qui misit me Patris*[e]. Qui ut huius adhuc uirtutis gratiam commendaret, seruaturum se hoc in extremo iudicio praemisit, dicens : *Non possum ego a meipso facere quidquam, sed sicut*
40 *audio, iudico*[f]. Qua itaque conscientia dedignatur homo alienae uoluntati adquiescere, quando Dei atque hominis filius, cum uirtutis suae gloriam uenit ostendere, testatur se non a semetipso iudicare ?

At contra ammonendi sunt inconstantes, ut mentem
45 grauitate roborent. Tunc enim genimina in se mutabilitatis arefaciunt, cum a corde prius radicem leuitatis abscidunt, quia et tunc fabrica robusta construitur, cum prius locus solidus, in quo poni fundamentum debeat, prouidetur. Nisi ergo ante mentis leuitas caueatur, cogi-

XVIII, 26 ipsa *T E*

e. Jn 5, 30 ; cf. 6, 38 || f. Jn 5, 30

Le cœur des sages est toujours semblable à lui-même, parce qu'en acquiesçant aux suggestions justes il se dirige avec constance vers ce qu'il est bon de faire. Au cœur des sots la dissemblance, parce qu'en changeant, ce cœur se montre divers sans jamais demeurer ce qu'il a été. Et comme il est des défauts qui en engendrent d'autres, de même qu'ils proviennent eux-mêmes d'autres défauts, il est très important de savoir que nous les faisons mieux disparaître par le blâme quand nous faisons tarir leur source amère. L'entêtement naît de l'orgueil, l'instabilité de la légèreté de caractère.

Il faut donc avertir les entêtés de reconnaître leur orgueil d'esprit et de s'appliquer à se vaincre eux-mêmes ; qu'en dédaignant de céder au-dehors aux justes suggestions des autres, ils ne soient pas retenus captifs de l'orgueil. Il faut les avertir de considérer sérieusement que le Fils de l'homme, qui a toujours un seul vouloir avec le Père, nous dit pour nous montrer comment vaincre notre propre volonté : « *Je ne cherche pas ma volonté, mais celle du Père qui m'a envoyé*[e]. » Et pour faire valoir encore la beauté de pareille vertu, il commença par dire qu'il l'observerait au dernier jugement : « *Je ne puis rien faire de moi-même, mais selon ce que j'entends, je juge*[f]. » Est-il bien conscient, l'homme qui refuse d'acquiescer à une volonté d'autrui, alors que le Fils de Dieu et de l'homme, au jour même où il vient manifester sa glorieuse puissance, affirme qu'il ne juge pas de lui-même ?

Par contre il faut avertir les inconstants de donner à leur âme la force de la pondération. Pour étouffer en eux la multiplication des changements, ils en couperont d'abord dans leur cœur la racine, la légèreté : on construit une solide bâtisse quand on se pourvoit d'abord d'une base ferme sur laquelle on posera des fondations. Si l'on ne commence par se garder de la légèreté d'esprit, on ne

50 tationum inconstantia minime uincitur. A quibus alienum Paulus se fuisse perhibuit, cum dicit : *Numquid leuitate usus sum ? Aut quae cogito, secundum carnem cogito, ut sit apud me est et non*[g] ? Ac si aperte dicat : Idcirco mutabilitatis aura non moueor, quia leuitatis uitio non 55 succumbo.

CAPVT XIX

Quod aliter ammonendi sunt gulae dediti atque aliter abstinentes.

XLIII Aliter ammonendi sunt gulae dediti, atque aliter abstinentes. Illos enim superfluitas loquutionis, leuitas operis 5 atque luxuria, istos uero saepe impatientiae, saepe uero superbiae culpa comitatur. Nisi enim gulae deditos immoderata loquacitas raperet, dives ille quia epulatus cotidie splendide dicitur in lingua grauius non arderet, dicens : *Pater Abraham, miserere mei, et mitte Lazarum,* 10 *ut intingat extremum digiti sui in aqua, ut refrigeret linguam meam, quia crucior in hac flamma*[a]. Quibus profecto uerbis ostenditur quia epulando cotidie crebrius in lingua peccauerat, qui totus ardens refrigerari se praecipue in lingua requirebat.

15 Rursum quia gulae deditos leuitas protinus operis sequitur, auctoritas sacra testatur, dicens : *Sedit populus manducare et bibere, et surrexerunt ludere*[b]. Quos plerumque edacitas usque ad luxuriam pertrahit, quia dum

XIX, 7 quia *T* : qui *E B μ (fort. recte)*

---

g. II Cor. 1, 17.
XIX a. Lc 16, 24 || b. Ex. 32, 6

vaincra pas l'inconstance des projets. Paul témoigne qu'il en fut exempt : *« Ai-je fait preuve de légèreté ? Et mes projets, sont-ils projets de la chair, en sorte qu'il y ait en moi le oui et le non*[g] *? »* C'était dire nettement : « Je ne me laisse pas agiter par les sautes de vent, parce que je ne cède pas à ce défaut qu'est la légèreté. »

CHAPITRE 19

Il faut avertir différemment les gourmands et les abstinents.

Il faut avertir différemment les gourmands et les abstinents. Car la gourmandise est accompagnée du bavardage, de l'inconstance au travail et de la luxure ; l'abstinence l'est souvent de l'impatience, et souvent du péché d'orgueil. Si les plaisirs de la bouche n'entraînaient pas un excessif besoin de parler, le riche de la parabole, dont il est dit qu'il faisait chaque jour de luxueux festins, n'aurait pas ressenti plus douloureusement dans sa langue la brûlure du feu : *« Père Abraham, aie pitié de moi, et envoie Lazare tremper dans l'eau le bout de son doigt pour me rafraîchir la langue, car je suis à la torture dans cette flamme*[a]. *»* Ces paroles montrent bien qu'en festoyant chaque jour il avait péché plus fréquemment par la langue, puisque plongé tout entier dans le feu il demandait qu'on rafraîchisse spécialement sa langue.

En outre, que l'inconstance au travail accompagne la gourmandise, l'autorité de la sainte Écriture le confirme : *« Le peuple s'assit pour manger et boire, puis les gens se levèrent pour se divertir*[b]. *»* La voracité entraîne d'ordinaire la luxure, car la satiété qui ballonne le ventre excite

satietate uenter extenditur, aculei libidinis excitantur.
20 Vnde et hosti callido, qui primi hominis sensum in concupiscentia pomi aperuit, sed in peccati laqueo strinxit, diuina uoce dicitur : *Pectore et uentre repes*[c], ac si ei aperte diceretur : Cogitatione et ingluuie super humana corda dominaris. Quia gulae deditos luxuria sequitur,
25 propheta testatur, qui dum aperta narrat, occulta denuntiat, dicens : *Princeps coquorum destruxit muros Hierusalem*[d]. Princeps namque coquorum uenter est, cui magna cura obsequium a coquis impenditur, ut ipse delectabiliter cibis impleatur. Muri autem Hierusalem uirtutes sunt
30 animae, ad desiderium supernae pacis eleuatae. Coquorum igitur princeps muros Hierusalem deicit ; quia dum uenter ingluuie tenditur, uirtutes animae per luxuriam destruuntur.

Quo contra nisi mentes abstinentium plerumque im-
35 patientia a sinu tranquillitatis excuteret, nequaquam Petrus cum diceret : *Ministrate in fide uestra uirtutem, in uirtute autem scientiam, in scientia autem abstinentiam* ; protinus uigilanter adiungeret, dicens : *In abstinentia autem patientiam*[e] . Deesse quippe abstinentibus patientiam
40 praeuidit, quae eis ut adesset ammonuit. Rursum nisi cogitationes abstinentium nonnumquam superbiae culpa

24 dominaberis *μ* || 25 qui dum *T*^{pc} *B* *μ* : quia dum *E* *(cf. l. 18.31.51)* || 37 scientia^{1} *T*

---

c. Gen. 3, 14 || d. IV Rois 25, 8-10 ; Jér. 52, 12-14 || e. Pierre 1, 5-6

---

1. Ce passage résume *Mor.* 21, 2, 5 (*CCL* 143A, p. 1067, l. 84s.) : « Le mal de la luxure se perpètre soit par la pensée soit par l'acte. Car notre astucieux adversaire, quand l'obtention de l'acte lui est refusée, s'efforce de souiller le fond secret de la pensée. Aussi est-il dit par le Seigneur au serpent : " Tu ramperas sur la poitrine et le ventre ". Le serpent rampe sur le ventre, quand l'ennemi sournois fait commettre la luxure dans les membres humains à lui soumis jusqu'à l'accomplissement

l'aiguillon de la volupté. A l'astucieux ennemi qui ouvrit les sens du premier homme à la convoitise du fruit, mais aussi l'enserra dans les liens du péché, il est dit par la voix divine : *« Tu ramperas sur la poitrine et le ventre*[c] *»,* comme s'il était dit en clair : « Tu es le maître des cœurs humains par la pensée et par le gosier[1]. » Que la luxure accompagne la gourmandise, un prophète l'atteste, faisant entendre le sens caché d'un fait constaté qu'il mentionne : *« Le chef des cuisiniers détruisit les murs de Jérusalem*[d]. *»* Le chef des cuisiniers[2], c'est le ventre, pour lequel les cuisiniers sont aux petits soins, en sorte qu'il se remplisse de mets délectables. Les murs de Jérusalem, ce sont les vertus de l'âme qui s'élève au désir de la paix d'en haut. Le chef des cuisiniers abat les murs de Jérusalem : quand le ventre est tendu par ce qu'il engloutit, les vertus de l'âme sont détruites par la luxure.

Par contre, si l'impatience n'arrachait pas très souvent les abstinents à leur heureuse tranquillité d'âme, Pierre n'aurait pas dit : *« Mettez au service de votre foi la vertu, à celui de la vertu, la science, à celui de la science, l'abstinence »,* et il n'aurait pas ajouté aussitôt, avec clairvoyance : *« à celui d'abstinence, la patience*[e]. *»* C'est qu'il a prévu que la patience manquerait aux abstinents, et les a avertis de l'avoir. A nouveau, si un orgueil coupable ne se glissait dans les pensées des abstinents,

de l'acte. Le serpent rampe sur la poitrine, quand il souille dans leur pensée ceux qu'il ne peut souiller par l'acte ... Mais comme on parvient de la pensée à l'accomplissement de l'acte, le serpent est décrit avec justesse comme rampant d'abord sur la poitrine, puis sur le ventre. » La poitrine renferme le cœur, siège des pensées les plus intimes.

2. Le texte original et la Vulgate parlent du « commandant de la garde ». Grégoire suit ici la *Vetus latina,* calquée sur la LXX, qui interprète mal la locution hébraïque et parle du « chef des cuisiniers ». Sur le commentaire de *IV Rois* 25, 10, cf. *Mor.* 30, 18 59 (*PL* 76, 556B = *CCL* 143B, p. 1530) et GILLET, *Morales*, p. 89-102.

transfigeret, Paulus minime dixisset : *Qui non manducat, manducantem non iudicet*[f]. Qui rursus ad alios loquens, dum de abstinentiae uirtute gloriantium praecepta prae-
45 stringeret, adiunxit : *Quae sunt rationem quidem habentia sapientiae in superstitionem et humilitatem, et ad non parcendum corpori, non in honore aliquo ad saturitatem carnis*[g].

Qua in re notandum est quod in disputatione sua
50 praedicator egregius superstitioni humilitatis speciem iungit, quia dum plus quam necesse est per abstinentiam caro atteritur, humilitas foris ostenditur, sed de hac ipsa humilitate grauiter interius superbitur. Et nisi aliquando mens ex abstinentiae uirtute tumesceret, nequaquam hanc
55 uelut inter magna merita pharisaeus arrogans studiose numeraret, dicens : *Ieiuno bis in sabbato*[h]. Ammonendi ergo sunt gulae dediti, ne in eo quod escarum delectationi incubant, luxuriae se mucrone transfigant quanta sibi per esum loquacitas, quanta mentis leuitas insidietur, aspi-
60 ciant, ne dum uentri molliter seruiunt uitiorum laqueis crudeliter astringantur. Tanto enim longius a secundo parente receditur, quanto per immoderatum usum dum manus ad cibum tenditur, parentis primi lapsus iteratur.

At contra ammonendi sunt abstinentes, ut sollicite
65 semper aspiciant, ne cum gulae uitium fugiunt, acriora his uitia quasi ex uirtute generentur, ne dum carnem macerant, ad impatientiam spiritus erumpant et nulla iam uirtus sit quod caro uincitur, si spiritus ab ira superatur. Aliquando autem dum mens abstinentium ab
70 ira se deprimit, hanc quasi peregrina ueniens laetitia corrumpit, et eo abstinentiae bonum deperit, quo sese ab

46 in superstitione et humilitate *edd.* μ || 58 quanta *T E B* : et *praem.* μ

f. Rom. 14, 3 || g. Col. 2, 23 || h. Lc 18, 12

Paul n'aurait pas dit : *« Que celui qui ne mange pas ne juge pas celui qui mange*[f]*. »* Et à d'autres destinataires, faisant allusion aux prescriptions de gens tout fiers de leur vertueuse abstinence, il ajouta : *« Ces prescriptions sont mises au compte de la sagesse, comme marque de piété scrupuleuse et d'humilité, et pour leur rudesse envers le corps ; sans valeur pourtant contre l'insolence de la chair*[g]*. »*

Il faut noter à ce propos que dans sa déclaration le grand prédicateur joint à la piété scrupuleuse l'apparence de l'humilité, car lorsque la chair est matée plus qu'il ne faut par l'abstinence, l'humilité se montre bien sans doute au-dehors, mais au-dedans on s'enorgueillit gravement de cette humilité même. Si son âme n'avait tiré vanité de sa vertueuse abstinence, le pharisien prétentieux ne se serait pas pressé de la compter parmi ses grands mérites : *« Je jeûne deux fois la semaine*[h] *»,* dit-il. On doit donc avertir les esclaves de la gourmandise : en s'adonnant aux plaisirs de la table, qu'ils ne se transpercent pas du poignard de la luxure ; qu'ils voient bien de quels dangers la bonne chère les menace : bavardage, légèreté de caractère. En servant tendrement leur ventre, ils se laisseraient ligoter cruellement par les lacets des vices. On se détourne en effet d'autant plus du second Adam qu'en tendant les mains vers les mets pour un usage immodéré on réitère la chute du premier.

Par contre il faut avertir les abstinents de considérer toujours avec soin qu'en fuyant le vice de la gourmandise ils pourraient voir des vices plus graves naître de leur vertu même ; de considérer que la mortification de la chair peut provoquer de brusques impatiences de l'esprit, et qu'on a beau vaincre la chair, il n'y a plus de vertu si l'esprit est dominé par la colère. Parfois les abstinents répriment leur colère, mais alors une joie qui semble venue d'ailleurs compromet cette victoire, et le mérite de l'abstinence disparaît du fait même qu'on se garde moins

spiritalibus uitiis minime custodit. Vnde recte per prophetam dicitur : *In diebus ieiuniorum uestrorum inueniuntur uoluptates uestrae.* Et paulo post : *In iudicia et rixas*
75 *ieiunatis, et percutitis pugnis*[i]. Voluptas quippe ad laetitiam pertinet, pugnus ad iram. Incassum ergo per abstinentiam corpus atteritur, si inordinatis demissa motibus mens uitiis dissipatur. Rursumque ammonendi sunt, ut abstinentiam suam et semper sine imminutione custodiant
80 et numquam hanc apud occultum iudicem eximiae uirtutis credant, ne si fortasse magni esse meriti creditur, cor in elatione subleuetur. Hinc namque per prophetam dicitur : *Numquid tale est ieiunium quod elegi ? Sed frange esurienti panem tuum, et egenos uagosque induc in domum*
85 *tuam*[j].

Qua in re pensandum est uirtus abstinentiae quam parua respicitur quae nonnisi ex aliis uirtutibus commendatur. Hinc Iohel ait : *Sanctificate ieiunium*[k]. Ieiunium quippe sanctificare, est adiunctis bonis aliis dignam Deo
90 abstinentiam carnis ostendere. Ammonendi sunt abstinentes, ut nouerint, quia tunc placentem Deo abstinentiam offerunt, cum ea quae sibi de alimentis subtrahunt, indigentibus largiuntur. Sollerter namque audiendum est, quod per prophetam Dominus redarguit, dicens : *Cum*
95 *ieiunaretis et plangeretis in quinto et in septimo mense per hos septuaginta annos, numquid ieiunium ieiunastis mihi ? Et cum comeditis et cum bibitis, numquid non uobis comeditis, et uobismetipsis bibitis*[l] ? Non enim Deo, sed sibi quisque ieiunat, si ea quae uentri ad tempus subtra-
100 hit, non inopibus tribuit, sed uentri postmodum offerenda custodit.

i. Is. 58, 3-4 || j. Is. 58, 5-7 || k. Joël 2, 15 || l. Zach. 7, 5 s.

1. A propos de ceux qui jeûnent mais sont portés à la colère ou à l'orgueil, Grégoire songe-t-il avec une pointe d'humour au patriarche de Constantinople, Jean le Jeûneur ? cf. A. VIRGILI, *S. Gregorio Magno e il suo libro « la Regola Pastorale »*, Firenze 1904, p. 26.

des vices de l'esprit[1]. Aussi est-il dit par le prophète : *« Aux jours où vous jeûnez trouvent place vos plaisirs »*, et un peu après : *« C'est pour des procès et des querelles que vous jeûnez, et vous frappez du poing*[i2]. » Le plaisir est en lien avec la joie, et le poing avec la colère. C'est en vain qu'on mate le corps par l'abstinence, si l'âme, cédant à leurs mouvements désordonnés, est défaite par les vices. Et il faut à nouveau avertir ces hommes à la fois de continuer toujours leur abstinence sans relâchement et de ne jamais la croire vertu exceptionnelle aux yeux du juge invisible, de peur que l'estimant très méritoire ils n'aient leur cœur enivré par l'orgueil. Aussi est-il dit par un prophète : *« Est-ce cela, le jeûne que j'ai choisi ? Non, romps ton pain avec celui qui a faim, et introduis les pauvres et les sans-logis dans ta maison*[j]. »

Sans l'appui d'autres vertus, réfléchissons-y, combien la vertu d'abstinence apparaît petite ! C'est pourquoi Joël a dit : *« Sanctifiez le jeûne*[k]. » Sanctifier le jeûne, c'est présenter à Dieu une abstinence digne de lui, en y joignant d'autres offrandes. Il faut avertir les abstinents de bien savoir que l'abstinence offerte à Dieu lui plaît quand ils font largesse aux pauvres des mets dont ils se privent. On doit écouter avec soin le reproche que fait le Seigneur par un prophète : *« Quand vous jeûnez et vous lamentez, le cinquième et le septième mois, pendant ces soixante-dix ans, avez-vous vraiment jeûné pour moi ? Et quand vous mangez et buvez, n'est-ce pas pour vous que vous mangez et pour vous que vous buvez*[l] *? »* On jeûne pour soi et non pour Dieu, si l'on ne distribue pas aux pauvres ce que l'on soustrait pour un temps à son ventre, mais qu'on le garde pour l'offrir plus tard à ce ventre.

2. Ce passage d'*Isaïe* (58, 4-5) est déjà utilisé par AUGUSTIN dans le *De utilitate ieiunii* V, 7 (*BA* 2, p.598-599). Par ailleurs ce développement avec les mêmes citations scripturaires est condensé dans *Hom. Év.* I, 16, 6 (*PL* 76, 1138).

Itaque ne aut illos appetitus gulae a mentis statu deiciat, aut istos afflicta caro ex elatione supplantet, audiant illi ex ore Veritatis : *Attendite autem uobis, ne*
105 *forte grauentur corda uestra in crapula et ebrietate et curis huius mundi.* Vbi utilis quoque pauor adiungitur : *Et superueniat in uos repentina dies illa. Tamquam laqueus enim superueniet in omnes, qui sedent super faciem omnis terrae*[m]. Audiant isti : *Non quod intrat in os, coinquinat*
110 *hominem, sed quod procedit ex ore coinquinat hominem*[n]. Audiant illi : *Esca uentri, et uenter escis ; Deus autem et hunc et haec destruit*[o]. Et rursum : *Non in comessationibus et ebrietatibus*[p]. Et rursum : *Esca nos non commendat Deo*[q]. Audiant isti : *Quia omnia munda mundis ; coinqui-*
115 *natis autem et infidelibus nihil est mundum*[r]. Audiant illi : *Quorum deus uenter est, et gloria in confusione ipsorum*[s]. Audiant isti : *Discedent quidam a fide.* Et paulo post : *Prohibentium nubere, abstinere a cibis, quos Deus creauit ad percipiendum cum gratiarum actione fidelibus et his qui*
120 *cognouerunt ueritatem*[t]. Audiant illi : *Bonum est non manducare carnem neque bibere uinum neque in quo frater tuus scandalizatur*[u]. Audiant isti : *Modico uino utere propter stomachum et frequentes tuas infirmitates*[v]. Quatinus et illi discant cibos carnis inordinate non appetere, et isti
125 creaturam Dei quam non appetunt, non audeant condemnare.

m. Lc 21, 34-35 || n. Matth. 15, 11 || o. I Cor. 6, 13 || p. Rom. 13, 13 || q. I Cor. 8, 8 || r. Tite 1, 15 || s. Phil. 3, 19 || t. I Tim. 4, 1-3 || u. Rom. 14, 21 || v. I Tim. 5, 23.

Dès lors, que la convoitise de la bouche n'entraîne pas pour les gourmands la déchéance de l'âme, et que la macération de la chair ne fasse pas tomber les abstinents par l'orgueil. Que les premiers entendent de la bouche de la Vérité : *« Tenez-vous sur vos gardes, de crainte que vos cœurs ne s'appesantissent dans les goinfreries, l'ivresse, et les préoccupations de ce monde »*, à quoi s'ajoute une salutaire menace : *« et que ce jour-là ne s'abatte soudain sur vous. Car il s'abattra comme un filet sur tous ceux qui habitent sur toute la surface de la terre*[m]. » Que les seconds écoutent : *« Ce n'est pas ce qui entre dans la bouche qui souille l'homme ; ce qui sort de la bouche, voilà ce qui souille l'homme*[n]. » Que les premiers écoutent : *« Les aliments sont pour le ventre, et le ventre pour les aliments. Mais Dieu détruira ceux-ci et celui-là*[o]. » Et encore : *« Pas de ripailles ni de beuveries*[p]. » Et encore : *« Ce n'est pas un aliment qui nous recommande auprès de Dieu*[q]. » Que les seconds écoutent : *« Tout est pur aux purs. Mais pour ceux qui sont souillés et sans foi, rien n'est pur*[r]. » Que les premiers écoutent : *« Ils ont pour dieu leur ventre, et mettent leur gloire dans leur honte*[s]. » Que les seconds écoutent : *« Certains renieront leur foi »*, et un peu plus loin : *« gens qui défendent de se marier, d'user d'aliments que Dieu a créés pour être pris avec action de grâces par ceux qui ont la foi et connaissent la vérité*[t]. » Que les premiers écoutent : *« Il est louable de s'abstenir de manger de la viande et de boire du vin, et de tout ce qui peut faire buter ton frère*[u]. » Que les seconds écoutent : *« Prends un peu de vin à cause de ton estomac et de tes fréquents malaises*[v]. » Tout cela, pour que les premiers apprennent à ne pas rechercher de façon déréglée les aliments corporels, et les seconds à ne pas avoir l'audace de condamner ce que dans la création de Dieu ils ne recherchent pas.

CAPVT XX

Quod aliter ammonendi sunt qui iam sua misericorditer tribuunt atque aliter qui adhuc et aliena rapere contendunt.

XLIV Aliter ammonendi sunt qui iam sua misericorditer
5 tribuunt, atque aliter qui adhuc et aliena rapere contendunt. Ammonendi namque sunt qui iam sua misericorditer tribuunt, ne cogitatione tumida super eos se quibus terrena largiuntur, extollant ; ne idcirco se meliores aestiment, quia contineri per se ceteros uident. Nam terrenae
10 dominus domus famulorum ordines ministeriaque dispertiens, hos ut regant, illos uero statuit ut ab aliis regantur. Istos iubet ut necessaria ceteris praebeant, illos ut accepta ab aliis sumant. Et tamen plerumque offendunt qui regunt, et in patris familias gratia permanent qui reguntur.
15 Iram merentur qui dispensatores sunt, sine offensione perdurant qui ex aliena dispensatione subsistunt. Ammonendi sunt igitur qui iam quae possident misericorditer tribuunt, ut a caelesti Domino dispensatores se positos subsidiorum temporalium agnoscant ; et tanto humiliter
20 praebeant, quanto et aliena esse intellegunt quae dispensant. Cumque in illorum ministerio quibus accepta largiuntur constitutos se esse considerant, nequaquam eorum mentes tumor subleuet, sed timor premat.

CHAPITRE 20

Il faut avertir différemment ceux qui, sensibles aux misères, donnent déjà de leurs biens, et ceux qui tentent encore de ravir le bien d'autrui.

Il faut avertir différemment ceux qui, sensibles aux misères, donnent déjà de leurs biens, et ceux qui tentent encore de ravir le bien d'autrui. Il faut avertir ceux qui, sensibles aux misères, donnent déjà de leurs biens, de ne pas s'élever, avec l'enflure de l'orgueil, au-dessus de ceux auxquels ils font largesse de leurs ressources terrestres : qu'ils ne se croient pas meilleurs que les autres, du fait qu'ils se voient leur assurer subsistance. Un maître de maison, ici-bas, répartit entre ses serviteurs postes et offices, décide que ceux-ci dirigeront, que ceux-là seront dirigés. Il ordonne que ceux-ci fournissent le nécessaire à d'autres, que ceux-là le reçoivent. Et cependant, très souvent, ceux qui dirigent indisposent, tandis que les dirigés restent dans les bonnes grâces du père de famille. Ceux qui gèrent s'attirent la colère, ceux qui subsistent grâce à la gérance d'autrui continuent de servir sans faute. Il faut donc avertir ceux qui, sensibles aux misères, donnent déjà de leurs biens, de se reconnaître comme des gérants établis par le Seigneur du ciel pour répartir les moyens temporels de subsister ; et qu'ils les fournissent humblement, comprenant que les biens qu'ils répartissent ne sont pas à eux. Considérant qu'ils ont été mis au service de ceux à qui ils font largesse de biens qu'ils ont eux-mêmes reçus, qu'ils ne s'enflent pas d'orgueil, mais que la crainte rende humble leur âme.

Vnde et necesse est ut sollicite perpendant ne commissa
25 indigne distribuant ; ne quaedam quibus nulla, ne nulla quibus quaedam, ne multa quibus pauca, ne pauca praebeant quibus impendere multa debuerunt ; ne praecipitatione hoc quod tribuunt inutiliter spargant ; ne tarditate petentes noxie crucient ; ne recipiendae hic gratiae inten-
30 tio subrepat ; ne dationis lumen laudis transitoriae appetitio exstinguat ; ne oblatum munus coniuncta tristitia obsideat ; ne in bene oblato munere animus plus quam decet hilarescat ; ne sibi quidquam, cum totum recte impleuerint, tribuant, et simul omnia postquam perege-
35 rint perdant.

Ne enim sibi uirtutem suae liberalitatis deputent, audiant quod scriptum est : *Si quis administrat, tamquam ex uirtute quam administrat Deus*[a]. Ne in benefactis immoderatius gaudeant, audiant quod scriptum est : *Cum*
40 *feceritis omnia quae praecepta sunt uobis, dicite : Serui inutiles sumus ; quae debuimus facere, fecimus*[b]. Ne largitatem tristitia corrumpat, audiant quod scriptum est : *Hilarem datorem diligit Deus*[c]. Ne ex impenso munere transitoriam laudem quaerant, audiant quod scriptum
45 est : *Nesciat sinistra tua quid faciat dextera tua*[d]. Id est : piae dispensationi nequaquam se gloria uitae praesentis admisceat, sed opus rectitudinis appetitio ignoret fauoris. Ne impensae gratiae uicissitudinem requirant, audiant quod scriptum est : *Cum facis prandium aut cenam, noli*
50 *uocare amicos tuos, neque fratres tuos, neque cognatos, neque uicinos diuites, ne forte et ipsi te reinuitent, et fiat tibi retributio ; sed cum facis conuiuium, uoca pauperes,*

XX a. I Pierre 4, 11 ‖ b. Lc 17, 10 ‖ c. II Cor. 9, 7 ‖ d. Matth. 6, 3

Il est dès lors nécessaire qu'ils veillent avec grande attention à ne pas être injustes dans la distribution de ce qui leur est confié : ne pas donner tels et tels biens quand ils devraient n'en donner aucun ; ni aucun, quand ils devraient en donner certains ; ni beaucoup au lieu de peu ; ni peu au lieu de beaucoup ; pas de précipitation, au risque de disperser de façon inutile ; pas d'atermoiements, au risque de faire souffrir de façon nuisible ceux qui leur demandent ; pas de secrète intention de recevoir leur merci ; pas de désir de louanges passagères qui ternisse la lumineuse beauté de l'acte de donner ; pas de tristesse qui accompagne le geste d'offrande ; pas de joie immodérée au fond du cœur, quand ce geste a été bien fait ; quand tout a été accompli comme il se doit, qu'on n'aille pas s'en attribuer quelque chose, et perdre d'un seul coup tout ce qu'on a fait.

Pour ne pas s'attribuer le mérite de sa libéralité, qu'on écoute ce mot de l'Écriture : « *Si quelqu'un assume un service, que ce soit avec la force que Dieu communique*[a]. » Pour ne pas se réjouir immodérément de ses bonnes actions, qu'on écoute encore ce mot : « *Quand vous aurez fait tout ce qu'on vous a commandé, dites : Nous sommes des serviteurs inutiles, nous avons fait ce que nous devions faire*[b]. » Pour que la tristesse n'altère pas la générosité, qu'on écoute : « *Dieu aime celui qui donne avec joie*[c]. » Pour qu'on ne cherche pas une louange passagère à cause de la faveur dispensée, qu'on écoute : « *Que ta main gauche ignore ce que fait ta main droite*[d] », c'est-à-dire, que la gloire de la vie présente ne se mêle jamais à l'œuvre de la bonté, que le désir de la faveur ignore l'œuvre de la rectitude. Pour qu'on ne cherche pas de retour au bienfait accordé, qu'on écoute : « *Quand tu donnes un déjeuner ou un dîner, n'appelle pas tes amis, ni tes frères, ni ta parenté, ni de riches voisins, de peur qu'ils ne t'invitent à leur tour et que cela ne te soit rendu. Mais quand tu donnes un bon repas, appelle des pauvres, des*

debiles, claudos, caecos ; et beatus eris, quia non habent unde retribuere tibi[e]. Ne quae praebenda sunt citius, sero
55 praebeantur, audiant quod scriptum est : *Ne dicas amico tuo : Vade et reuertere, et cras dabo tibi, cum statim possis dare*[f]. Ne sub obtentu largitatis ea quae possident inutiliter spargant, audiant quod scriptum est : *Sudet eleemosyna in manu tua.* Ne cum multa necesse sint, pauca
60 largiantur, audiant quod scriptum est : *Qui parce seminat, parce et metet*[g]. Ne cum pauca oportet, plurima praebeant et ipsi postmodum minime inopiam tolerantes ad impatientiam erumpant, audiant quod scriptum est : *Non ut aliis sit remissio, uobis autem tribulatio, sed ex aequa-*
65 *litate, uestra abundantia illorum inopiam suppleat, ut et illorum abundantia uestrae inopiae sit supplementum*[h]. Cum enim dantis mens ferre inopiam nescit, si multa sibi subtrahit, occasionem contra se impatientiae exquirit. Prius namque praeparandus est patientiae animus, et tunc
70 aut multa sunt aut cuncta largienda, ne dum minus aequanimiter inopia irruens fertur, et praemissae largitatis merces pereat, et adhuc mentem deterius murmuratio subsequens perdat. Ne omnino nihil eis praebeant, quibus conferre aliquid paruum debent, audiant quod scriptum
75 est : *Omni petenti te tribue*[i]. Ne saltim aliquid praebeant, quibus omnino conferre nil debent, audiant quod scriptum est : *Da bono, et non receperis peccatorem ; benefac humili, et non dederis impio*[j]. Et rursum : *Panem tuum et uinum super sepulturam iusti constitue, et noli ex eo*
80 *manducare et bibere cum peccatoribus*[k].

XX, 74 parum *T E*

---

e. Lc 14, 12-13 || f. Prov. 3, 28 || g. II Cor. 9, 6 || h. II Cor. 8, 13 || i. Lc 6, 30 || j. Sir. 12, 5-6 || k. Tob. 4, 18 (17)

---

1. Cf. AUGUSTIN, *Psalm.* 102, 12 et 103, s. 3, 10 (*CCL* 40, p. 1462 et 1509) où cette formule est déjà présentée comme une citation scripturaire, cf. t. 1, Introduction, p. 50. S. BERNARD la cite une fois (*Ep.* 95 = *SBO* 7, p. 245, l. 12). Les éditeurs se gardent bien de donner une référence. Cf. *Didachè* 1, 6 (*SC* 248, p. 147 et n. 5).

estropiés, des boiteux, des aveugles, et tu seras heureux, parce qu'ils n'ont pas de quoi te le rendre[e]. » Pour qu'on ne fournisse pas trop tard ce qui doit être vite fourni, qu'on écoute : « *Ne dis pas à ton ami : va, et puis reviens, et demain je te donnerai, alors que tu peux donner tout de suite*[f]. » Pour qu'on ne gaspille pas inutilement, sous prétexte de largesse, les biens que l'on possède, qu'on écoute : « *Que ton aumône sue dans ta main*[1]. » Pour éviter d'accorder peu, alors qu'il faudrait beaucoup, qu'on écoute : « *Qui sème chichement, moissonne de même chichement*[g]. » Pour éviter les grandes largesses, alors qu'il faudrait peu, et de peur qu'ensuite, supportant mal la pénurie, on n'ait des éclats d'impatience, qu'on écoute : « *Il ne faut pas qu'il y ait soulagement pour les autres et détresse pour vous, mais égalité : que votre superflu supplée à leur indigence, et que pour la vôtre leur superflu vous soit un appoint*[h]. » Car si le donateur se dépouille trop, sans savoir supporter l'indigence, il cherche une occasion d'impatience contre lui-même. Il doit d'abord préparer son cœur à la patience, et alors faire de grandes largesses ou faire largesse de tout : il ne faut pas que la gêne, survenant, soit mal supportée, qu'on perde le mérite des largesses antérieures et que les murmures qui les suivent ne fassent à l'âme un tort encore plus grand. Pour qu'on se garde de ne rien donner du peu que l'on devrait donner, qu'on écoute : « *Donne à quiconque te demande*[i]. » Pour qu'on se garde de donner quelque chose alors qu'il faudrait ne rien donner du tout, qu'on écoute : « *Donne à un homme de bien et n'accueille pas un pécheur ; sois bienfaisant pour l'humble et ne donne pas à l'impie*[j]. » Et encore : « *Réserve ton pain et ton vin pour la sépulture du juste, et ne mange pas ni ne bois avec les pécheurs*[k2]. »

2. Sur la construction subtile, par ses inversions et ses chiasmes, de ce chapitre, cf. JUDIC, « Structure et fonction ».

Panem enim et uinum suum peccatoribus praebet, qui iniquis subsidia pro eo quod iniqui sunt impendit. Vnde et nonnulli huius mundi diuites, cum fame crucientur Christi pauperes, effusis largitatibus nutriunt histriones.
85 Qui uero indigenti etiam peccatori panem suum, non quia peccator, sed quia homo est, tribuit, nimirum non peccatorem, sed iustum pauperem nutrit, quia in illo non culpam, sed naturam diligit.

Ammonendi sunt etiam qui iam sua misericorditer
90 largiuntur, ut sollicite custodire studeant, ne cum commissa peccata eleemosynis redimunt, adhuc redimenda committant ; ne uenalem Dei iustitiam aestiment, si cum curant pro peccatis nummos tribuere, arbitrentur se posse inulte peccare. *Plus est* namque *anima quam*
95 *esca, et corpus quam uestimentum*[1]. Qui ergo escam atque uestimentum pauperibus largitur, sed tamen animae uel corporis iniquitate polluitur, quod minus est iustitiae obtulit, et quod maius est, culpae ; sua enim Deo dedit, et se diabolo.

100 At contra ammonendi sunt qui adhuc et aliena rapere intendunt, ut sollicite audiant quid ueniens in iudicium Dominus dicat. Ait namque : *Esuriui, et non dedistis mihi manducare ; sitiui, et non dedistis mihi potum ; hospes eram, et non collegistis me ; nudus, et non operuistis me ;*
105 *infirmus et in carcere, et non uisitastis me*. Quibus etiam praemittit, dicens : *Discedite a me, maledicti, in ignem*

84 striones *T B* stritiones *E* ‖ 87 pauperem : *om. T B cum Alfredo (fort. recte)* ‖ 93 arbitrantur *T E B*

1. Lc 12, 23 ; Matth. 6, 25

1. Cf. t. 1, Introduction, p. 50.

Il met son pain et son vin à la disposition des pécheurs, celui qui accorde son secours à des gens qui font le mal, en tant qu'ils font le mal. Ainsi certains riches en ce monde entretiennent par leurs libéralités des histrions, alors que les pauvres du Christ sont torturés par la faim. D'autre part celui qui donne son pain à un pécheur indigent, non pas en tant que pécheur, mais en tant qu'homme, ce n'est pas un pécheur qu'il nourrit, mais un juste qui est un pauvre, car ce qu'il aime en lui, ce n'est pas la faute, mais la nature[1].

Il faut avertir ceux qui, sensibles aux misères, font largesse de leurs biens, de veiller avec soin, en rachetant par leurs aumônes les péchés qu'ils ont commis, à ne pas commettre encore d'autres péchés à racheter ; qu'ils ne se figurent pas que la justice de Dieu est vénale, en estimant qu'ils peuvent pécher impunément, s'ils ont soin de distribuer de l'argent pour leurs péchés[2]. Car *l'âme est plus que la nourriture, et le corps plus que le vêtement*[l]. Qui fait largesse au pauvre de la nourriture et du vêtement, mais souille son âme et son corps par l'iniquité, a offert pour la justice ce qui est le moins précieux, et pour le péché ce qui l'est le plus : il a donné à Dieu ce qui est à lui, mais lui, il s'est livré au diable.

Par contre il faut avertir ceux qui s'efforcent encore de ravir le bien d'autrui d'écouter avec soin la parole que dira le Seigneur quand il viendra juger. Car il déclare : *« J'ai eu faim, et vous ne m'avez pas donné à manger ; j'ai eu soif, et vous ne m'avez rien donné à boire ; j'étais un étranger, et vous ne m'avez pas accueilli ; j'étais nu, et vous ne m'avez pas vêtu ; malade et en prison, et vous ne m'avez pas visité. »* Or il avait commencé par dire à ces hommes : *« Allez-vous-en loin de moi, maudits,*

2. Sur *pro peccatis nummos tribuere*, cf. *Mor.* 12, 51, 57 (*SC* 212, p. 229 = *CCL* 143A, p. 663) et CÉSAIRE D'ARLES, *Serm.* 32, 1 (*CCL* 103, p. 139 = *SC* 243, p. 156-157).

aeternum, qui paratus est diabolo et angelis eius[m]. Ecce nequaquam audiunt, quia rapinas uel quaelibet alia uiolenta commiserant, et tamen aeternis gehennae ignibus
110 mancipantur. Hinc ergo colligendum est quanta damnatione plectendi sunt qui aliena rapiunt, si tanta animaduersione feriuntur qui sua indiscrete tenuerunt. Perpendant quo eos obliget reatu res rapta, si tali subicit poenae non tradita. Perpendant quid mereatur iniustitia illata, si tanta percus-
115 sione digna est pietas non impensa.

Cum aliena rapere intendunt, audiant quod scriptum est : *Vae ei qui multiplicat non sua ; usquequo et adgrauat contra se densum lutum*[n] ? Auaro quippe densum lutum contra se adgrauare, est terrena lucra cum pondere peccati
120 cumulare. Cum multiplicare large habitationis spatia cupiunt, audiant quod scriptum est : *Vae qui coniungitis domum ad domum, et agrum agro copulatis, usque ad terminum loci. Numquid habitabitis soli uos in medio terrae*[o] ? Ac si aperte diceret : Quousque uos extenditis, qui
125 non habere in communi mundo consortes minime potestis ? Coniunctos quidem premitis, sed contra quos uos ualeatis extendere, semper inuenitis. Cum augendis pecuniis inhiant, audiant quod scriptum est : *Auarus non impletur pecunia ; et qui amat diuitias, fructus non capiet ex eis*[p].
130 Fructus quippe ex illis caperet, si eas bene spargere, non amando, uoluisset. Quia uero eas diligendo retinet, hic utique sine fructu derelinquet. Cum repleri cunctis simul opibus inardescunt, audiant quod scriptum est : *Qui festi-*

117 et *T E B : om.* μ ‖ 125 non : *om. E* μ *(fort. recte)*

m. Matth. 25, 41-43 ‖ n. Hab. 2, 6 ‖ o. Is. 5, 8 ‖ p. Eccl. 5, 9

1. Autre leçon possible *qui habere in communi* : « Jusqu'où allez-vous vous étendre, incapable que vous êtes d'avoir des compagnons dans un monde commun à tous ? » La phrase suivante incline à adopter la leçon *qui* non *habere*.

au feu éternel, préparé pour le diable et ses anges[m]. » Voici que ces hommes n'entendent pas dire qu'ils ont commis des rapines et toutes sortes de violences, et cependant ils sont livrés aux feux éternels de la géhenne ! Nous pouvons en déduire de quelle condamnation doivent être frappés ceux qui ravissent le bien d'autrui, si garder pour soi le sien est l'objet d'une telle sévérité ! Qu'ils mesurent bien la culpabilité encourue à cause du bien qu'ils ont ravi, si le bien qu'on n'a pas donné fait encourir une telle peine. Qu'ils mesurent ce que mérite l'injustice causée, si la bonté non pratiquée est digne d'un pareil châtiment.

Quand des hommes ont l'intention de ravir le bien d'autrui, qu'ils écoutent ce qui est écrit : *« Malheur à l'homme qui amasse ce qui n'est pas à lui ! Jusqu'où amasse-t-il, même contre lui, cette charge de boue épaisse*[n] *? »* Pour l'avare, amasser contre lui une charge de boue épaisse, c'est ajouter à des profits terrestres la charge du péché. Lorsque ces gens désirent agrandir largement les espaces où ils vivent, qu'ils écoutent : *« Malheur à vous, qui ajoutez maison à maison et joignez champ à champ, jusqu'au bout du pays. Allez-vous habiter seuls au milieu de la terre*[o] *? »* C'était dire en clair : « Jusqu'où allez-vous vous étendre, alors que vous ne pouvez pas ne pas avoir[1] de compagnons dans un monde commun à tous ? Vous opprimez vos voisins, mais vous trouvez toujours des gens aux dépens desquels il vous faudra être capable de vous étendre. » Quand ils aspirent à accroître leurs richesses, qu'ils écoutent : *« L'avare n'est pas rassasié par l'argent, et celui qui aime les richesses n'en récoltera pas les fruits*[p] *? »* S'il avait voulu les bien distribuer, renonçant à les aimer, il en récolterait les fruits. Mais parce que, les chérissant, il les retient, il les laissera ici bas, sans fruit. Quand on brûle d'être comblé de toutes les richesses réunies, qu'on écoute : *« Qui est*

nat ditari, non erit innocens[q] ; profecto enim quia augere
135 opes ambit, uitare peccatum neglegit ; et more auium
captus, cum escam terrenarum rerum auidus conspicit, quo
stranguletur peccati laqueo non agnoscit.

Cum quaelibet praesentis mundi lucra desiderant, et
quae de futuro damna patiuntur, ignorant, audiant quod
140 scriptum est : *Hereditas ad quam festinatur in principio, in
nouissimo benedictione carebit*[r]. Ex hac quippe uita initium
ducimus ut ad benedictionis sortem in nouissimum uenia-
mus. Qui itaque in principio hereditari festinant, sortem
sibi in nouissimo benedictionis amputant, quia dum per
145 auaritiae nequitiam hic multiplicari appetunt, illic ab aeterno patrimonio exheredes fiunt. Cum uel plura ambiunt,
uel obtinere cuncta quae ambierint possunt, audiant, quod
scriptum est : *Quid prodest homini si totum mundum lucre-
tur, animae uero suae detrimentum faciat*[s] ? Ac si aperte
150 Veritas dicat : Quid prodest homini si totum quod extra se
est congregat, sed hoc solum quod ipse est, damnat ?
Plerumque autem citius raptorum auaritia corrigitur, si in
uerbis admonentis quam fugitiua sit praesens uita, mons-
tretur ; si eorum ad medium memoria deducatur, qui et
155 ditari in hoc mundo diu conati sunt, et tamen in adeptis
diuitiis diu manere nequiuerunt, quibus festina mors repente et simul abstulit quidquid eorum nequitia nec simul
nec repente congregauit ; qui hic rapta reliquerunt, sed
secum ad iudicium causas rapinae detulerunt. Horum
160 itaque exempla audiant, quos in uerbis suis procul dubio
et ipsi condemnant ; ut cum post uerba ad cor redeunt
imitari saltem quos iudicant, erubescant.

137 stranguilitur *T* ‖ 148 prode est *T (sic fere semper)*

---

q. Prov. 28, 20 ‖ r. Prov. 20, 21 ‖ s. Matth. 16, 26.

pressé de s'enrichir, ne sera pas irréprochable[q]. » Oui, du fait qu'il ambitionne d'accroître sa fortune, il n'a cure d'éviter le péché ; pris au piège comme un oiseau, il regarde, avide, l'appât des biens terrestres, et il ne remarque pas le lacet du péché qui va l'étrangler.

Quand on désire les avantages du monde présent, quels qu'ils soient, sans savoir les dommages que l'on subira à l'avenir, qu'on écoute : « *L'héritage vers lequel on se hâte au début, ne sera pas béni à la fin*[r]. » En cette vie, nous prenons le départ, pour arriver aux derniers temps à recevoir la bénédiction. Ceux qui se hâtent au début d'avoir l'héritage se privent à la fin d'avoir part à la bénédiction : ils aspirent à s'accroître ici-bas par leur coupable cupidité, ils manqueront d'hériter le patrimoine éternel. Quand on convoite d'avoir davantage, ou qu'on peut conserver ce que l'on a convoité, qu'on écoute : « *Que sert à un homme de gagner le monde entier, s'il subit la perte de son âme*[s] ? » C'est comme si la Vérité disait ouvertement : « Que sert à un homme d'accumuler tout ce qui est au-dehors de lui, au dam d'un seul bien, ce qu'il est lui-même ? » Mais souvent un moyen plus rapide de guérir la cupidité des ravisseurs, c'est que la parole d'avertissement leur montre combien fugitive est la vie présente, qu'on leur rappelle l'histoire de ces hommes qui s'efforcèrent longtemps de s'enrichir en ce monde et cependant ne purent rester longtemps en possession des richesses acquises ; de ces hommes auxquels une mort rapide enleva soudain et d'un seul coup tout ce que leur malhonnêteté n'avait accumulé ni d'un seul coup ni soudain, et qui laissèrent là ce qu'ils avaient ravi, emportèrent avec eux, pour le jugement, la responsabilité de leurs rapines. Qu'on écoute l'exemple donné en ces hommes qu'à n'en pas douter on condamne en paroles, afin que revenant à soi après les paroles on aie honte du moins d'imiter des gens que l'on condamne.

CAPVT XXI

Quod aliter ammonendi sunt qui nec aliena appetunt nec sua largiuntur atque aliter qui et ea quae habent tribuunt et tamen aliena rapere non desistunt.

XLV Aliter ammonendi sunt qui nec aliena appetunt, nec 5 sua largiuntur ; atque aliter qui et ea quae habent tribuunt, et tamen aliena rapere non desistunt. Ammonendi namque sunt qui nec aliena appetunt, nec sua largiuntur, ut sollicite sciant quod ea de qua sumpti sunt, cunctis hominibus terra communis est, et idcirco alimenta 10 quoque omnibus communiter profert. Incassum se ergo innocentes putant, qui commune Dei munus sibi priuatum uindicant ; qui cum accepta non tribuunt, in proximorum nece grassantur, quia tot pene cotidie perimunt, quot morientium pauperum apud se subsidia abscondunt. 15 Nam cum quaelibet necessaria indigentibus ministramus, sua illis reddimus, non nostra largimur ; iustitiae potius debitum soluimus, quam misericordiae opera implemus.

Vnde et ipsa Veritas cum de misericordia caute exhibenda loqueretur, ait : *Attendite ne iustitiam uestram* 20 *faciatis coram hominibus*[a]. Cui sententiae etiam psalmista concinens dicit : *Dispersit dedit pauperibus, iustitia eius manet in aeternum*[b]. Cum enim largitatem impensam

XXI a. Matth. 6, 1 || b. Ps. 111,9

1. Sur le thème du monde commun, cf. AMBROISE, *De Nabuthe*, et t. 1, Introduction, p. 38, n. 2 ; cf. aussi AUGUSTIN, *Serm.* 85, 3-5 (*PL* 38, 521-523).

CHAPITRE 21

Il faut avertir différemment ceux qui, sans désirer le bien d'autrui, ne font pas largesse du leur, et ceux qui donnent du leur et cependant ne cessent de ravir celui d'autrui.

Il faut avertir différemment ceux qui, sans désirer le bien d'autrui, ne font pas largesse du leur, et ceux qui donnent du leur et cependant ne cessent de ravir celui d'autrui. Il faut avertir ceux qui, sans désirer le bien d'autrui, ne font pas largesse du leur, de bien savoir que la terre d'où est tirée ce bien est commune à tous les hommes, et que par conséquent elle offre à tous en commun de quoi les nourrir. Ils se croient donc en vain irréprochables, ceux qui revendiquent le don commun de Dieu comme leur bien propre ; ceux qui, faute de donner de ce qu'ils ont reçu, vont de meurtre en meurtre, parce qu'autant de fois ils cachent chez eux ce qui pourrait nourrir des pauvres en train de mourir, autant de vies ils font périr chaque jour. Quand nous procurons le nécessaire à des indigents, nous leur rendons ce qui est leur bien, nous ne faisons pas largesse du nôtre ; nous acquittons une dette plus que nous n'accomplissons une œuvre de miséricorde[1].

Aussi la Vérité a-t-elle dit elle-même, en parlant d'une précaution à avoir dans nos témoignages de miséricorde : « *Veillez à ne pas pratiquer votre justice devant les hommes*[a]. » En consonance avec cet avis, le psalmiste dit : « *Il a fait largesse, il a donné aux pauvres, sa justice demeure pour l'éternité*[b]. » Après avoir parlé des largesses

pauperibus praemisisset, non hanc uocare misericordiam, sed *iustitiam* maluit ; quia quod a communi Domino
25 tribuitur, iustum profecto est, ut qui quae accipiunt, eo communiter utantur. Hinc etiam Salomon ait : *Qui iustus est, tribuit et non cessabit*[c]. Ammonendi sunt quoque ut sollicite attendant quod ficulnea quae fructum non habuit, contra hanc districtus agricola queritur, quod etiam
30 terram occupauit[d]. Terram quippe ficulnea sine fructu occupat, quando mens tenacium hoc quod prodesse multis poterat, inutiliter seruat. Terram ficulnea sine fructu occupat, quando locum quem exercere alius per solem boni operis ualuit, stultus per desidiae umbram premit.

35 Hi autem dicere nonnumquam solent : Concessis utimur, aliena non quaerimus, et si digna misericordiae retributione non agimus, nulla tamen peruersa perpetramus. Quod idcirco sentiunt, quia uidelicet aurem cordis a uerbis caelestibus claudunt. Neque enim *diues* in Euan-
40 gelio, *qui induebatur purpura et bysso, qui epulabatur cotidie splendide*[e] aliena rapuisse sed infructuose propriis usus fuisse perhibetur, eumque post hanc uitam ultrix gehenna suscepit, non quia aliquid illicitum gessit, sed quia immoderato usu totum se licitis tradidit.

45 Ammonendi sunt tenaces, ut nouerint quod hanc primam Deo iniuriam faciunt, quia danti sibi omnia, nullam misericordiae hostiam reddunt. Hinc etenim psalmista ait : *Non dabit Deo depropitiationem suam, nec pretium redemptionis animae suae*[f]. Pretium namque redemptionis
50 dare, est opus bonum praeuenienti nos gratiae reddere.

c. Prov. 21, 26 || d. Cf. Lc 13, 6 s. || e. Lc 16, 19 || f. Ps. 48, 8-9

1. Référence à la doctrine augustienne de la grâce (cf. Davis, p. 263).

faites aux pauvres, il a mieux aimé les appeler non pas « miséricorde », mais *« justice » ;* car ce qui est accordé par le Seigneur commun, il est assurément juste que ceux qui le reçoivent en usent pour l'utilité commune. D'où encore le mot de Salomon : *« Celui qui est juste donne, et ne cessera pas*[c]*. »* Il faut donc avertir ces hommes de remarquer soigneusement la sévérité avec laquelle le cultivateur se plaignit du figuier resté sans fruit, parce qu'il occupait inutilement la terre[d]. Le figuier occupe la terre sans porter de fruit, quand le cœur des avares garde inutilement ce qui aurait pu être profitable à beaucoup. Le figuier occupe la terre sans porter de fruit, quand un sot étouffe sous l'ombre de sa paresse une pièce de terre qu'un autre aurait pu mettre en valeur au soleil de l'œuvre bonne.

Mais ces gens disent parfois : « Nous usons de ce qui nous est concédé, nous ne cherchons pas le bien d'autrui, et si nous ne faisons aucun acte de miséricorde qui mérite une récompense, nous ne perpétrons du moins aucune malhonnêteté. » Tel est leur sentiment, parce qu'ils ferment l'oreille de leur cœur aux paroles divines. De ce *riche* de l'Évangile *qui se vêtait de pourpre et de fin lin, faisait chaque jour de splendides festins*[e], il n'est pas dit qu'il ait ravi le bien des autres, mais qu'il a usé sans fruit des siens ; et qu'après cette vie-ci la géhenne vengeresse s'est chargée de lui, non pour quelque action illicite, mais parce qu'il s'est livré tout entier à des joies licites par un usage immodéré.

Il faut avertir les avares de reconnaître qu'ils font à Dieu qui leur a tout donné cette première injustice de ne pas lui faire en retour l'offrande de la miséricorde. A ce sujet le psalmiste a ce mot : *« Il ne donnera pas à Dieu de quoi le rendre propice, ni le prix du rachat pour son âme*[f]*. »* Donner le prix de son rachat, c'est donner l'œuvre bonne en retour de la grâce qui prévient[1]. A ce sujet, le

Hinc Iohannes exclamat dicens : *Iam securis ad radicem arborum posita est. Omnis arbor quae non facit fructum bonum, excidetur, et in ignem mittetur*[g]. Qui ergo se innoxios, quia aliena non rapiunt, aestimant, ictum se-
55 curis uicinae praeuideant, et torporem improuidae securitatis amittant, ne cum ferre fructus boni operis neglegunt, a praesenti uita funditus quasi a uiriditate radicis exsecentur.

At contra ammonendi sunt, qui et ea quae habent
60 tribuunt, et aliena rapere non desistunt, ne ualde munifici uideri appetant, et de boni specie deteriores fiant. Hi etenim propria indiscrete tribuentes, non, ut supra iam diximus, ad impatientiae murmurationem proruunt, sed cogente se inopia, usque ad auaritiam deuoluuntur. Quid
65 uero eorum mente infelicius, quibus de largitate auaritia nascitur, et peccatorum seges quasi ex uirtute seminatur ? Prius itaque ammonendi sunt ut tenere sua rationabiliter sciant, et tunc demum ut aliena non ambiant. Si enim radix culpae in ipsa effusione non exuritur, numquam
70 per ramos exuberans auaritiae spina siccatur. Occasio ergo rapiendi subtrahitur, si bene prius ius possidendi disponatur. Tunc uero ammoniti audiant, quomodo quae habent misericorditer tribuant, quando nimirum didicerunt ut bona misericordiae per interiectam rapinae ne-
75 quitiam non confundant. Violenter enim exquirunt quae misericorditer largiantur. Sed aliud est pro peccatis mi-

XXI, 52 arborum *T E B* : arboris *μ* ‖ 76 largiuntur *μ*

g. Lc 3, 9

1. Sous ce terme de *munifici*, Grégoire vise sans doute cette pratique si caractéristique de la cité antique qu'est l'évergétisme, pratique en pleine crise à son époque sous le coup de la ruine de l'aristocratie traditionnelle, en Italie du moins, et du développement de la charité chrétienne (cf. t. 1, Introduction, p. 36, n. 1).

cri de Jean : « *Déjà la cognée est posée à la racine des arbres. Tout arbre qui ne fait pas de bons fruits sera coupé et mis au feu*[g]. » Ceux qui s'estiment sans faute du fait qu'ils ne ravissent pas le bien d'autrui, qu'ils prévoient le coup de la hache toute proche et chassent la torpeur d'une imprévoyante sécurité, de peur qu'en négligeant de porter les fruits de l'œuvre bonne ils ne soient retranchés complètement de la vie présente, comme de la racine nourricière de frondaisons.

Quant aux gens qui donnent de leurs biens et ne cessent pas de ravir ceux des autres, il faut les avertir de ne pas chercher à paraître généreux[1] : se couvrant de cette apparence de bien, qu'ils n'aggravent pas en eux le mal. En donnant sans discernement de leurs biens, ils n'en arrivent pas, sans doute, à ces murmures d'impatience dont nous avons parlé plus haut, mais contraints par le manque de ressources ils sont entraînés dans la cupidité. Quelle situation spirituelle plus malheureuse ? En eux, la cupidité naît de la générosité, et une moisson de péchés est, peut-on dire, semée par la vertu ! Il faut donc commencer par les avertir de s'assurer la possession raisonnable de leurs biens, et alors seulement de ne pas convoiter ceux des autres. Car si la racine de la faute n'est pas brûlée au moment où elle prodigue sa sève, l'épine de la cupidité foisonnera sur les branches, sans jamais sécher. Ce qui donne lieu de ravir disparaît donc, si le droit de posséder est d'abord bien établi[2]. Ainsi avertis, que ces gens entendent dire alors comment donner de leurs biens par compassion, c'est-à-dire quand ils auront appris à ne pas dénaturer leur bienfaisante miséricorde en y mêlant l'injuste rapine. Car c'est par la violence qu'ils recherchent de quoi faire largesse par miséricorde. Mais pratiquer la miséricorde pour ses

2. Cf. t. 1, Introduction, p. 73, n. 2.

sericordiam facere, aliud pro misericordia facienda peccare ; quae iam nec misericordia nuncupari potest, quia ad dulcem fructum non proficit quae per uirus pestiferae
80 radicis amarescit.

Hinc est enim quod ipsa etiam sacrificia per prophetam Dominus reprobat, dicens : *Ego Dominus diligens iudicium, et odio habens rapinam in holocausto*[h]. Hinc iterum dicit : *Hostiae impiorum abominabiles, quia offeruntur ex*
85 *scelere*[i]. Qui saepe quoque et indigentibus subtrahunt quae Deo largiuntur. Sed quanta eos animaduersione rennuat per quendam sapientem Dominus demonstrat, dicens : *Qui offert sacrificium ex substantia pauperis, quasi qui uictimat filium in conspectu patris sui*[j]. Quid namque
90 esse intolerabilius potest, quam mors filii ante oculos patris ? Hoc itaque sacrificium quanta ira aspiciatur ostenditur, quod orbati patris dolori comparatur. Et tamen plerumque quanta tribuunt, pensant ; quanta autem rapiunt, considerare dissimulant. Quasi mercedem nume-
95 rant, et perpendere culpas recusant. Audiant itaque quod scriptum est : *Qui mercedes congregauit, misit eas in sacculum pertusum*[k]. In sacculo quippe pertuso uidetur, quando pecunia mittitur ; sed quando amittitur, non uidetur. Qui ergo quanta largiuntur aspiciunt, sed quanta
100 rapiunt non perpendunt, in pertuso sacculo mercedes mittunt, quia profecto has in spem suae fiduciae intuentes congerunt, sed non intuentes perdunt.

78 nec : nequaquam μ ‖ 87 sapientem : aput Salomonem *add. T in marg.* Salomonem *B Gemet.*[1.2] ‖ 99 quantum[2] μ

h. Is. 61, 8 ‖ i. Prov. 21, 27 ‖ j. Sir. 34, 24 (20) ‖ k. Aggée 1, 6.

péchés est une chose, pécher pour pratiquer la miséricorde en est une autre ; alors la miséricorde ne peut plus être appelée telle, car rendue amère par la sève d'une racine vénéneuse elle n'arrive pas à donner le fruit savoureux.

Voilà pourquoi, par son prophète, le Seigneur va jusqu'à réprouver des sacrifices : « *Moi, je suis le Seigneur, qui aime le jugement et déteste la rapine dans l'holocauste*[h]. » Et encore : « *Les victimes des impies sont abominables, offertes comme elles le sont à la suite du crime*[i]. » Or ces gens vont souvent jusqu'à ravir aux pauvres ce dont ils font largesse à Dieu. Mais avec quelle sévérité il les repousse, le Seigneur le fait voir par l'intermédiaire d'un sage : « *Offrir un sacrifice pris sur le bien du pauvre, c'est comme immoler un fils sous les yeux de son père*[j]. » Quoi de plus intolérable que la mort d'un fils sous les yeux de son père ? C'est bien faire voir avec quelle colère ce sacrifice est regardé, que de la comparer à la douleur d'un père privé de son enfant. Et d'ordinaire, cependant, ces hommes évaluent ce qu'ils donnent mais négligent de considérer ce qu'ils ravissent. Ils font le compte de leur salaire, peut-on dire, mais se refusent à évaluer leurs fautes. Qu'ils écoutent donc : « *Celui qui a accumulé ses salaires les a mis dans une bourse percée*[k]. » On voit bien quand on met son argent dans une bourse percée, mais on ne voit pas quand on le perd. Regarder par conséquent ce dont on fait largesse sans évaluer ce qu'on ravit, c'est mettre ses salaires dans une bourse percée : on se voit accumuler ces sommes sur lesquelles on compte, mais sans le voir on les perd[1].

1. Cf. t. 1, Introduction, p. 73, n. 2 ; cf. aussi, sur *Aggée* I, 6, *Hom. Éz.* I, 4, 10 (*SC* 327, p. 169 = *CCL* 142, p. 55).

CAPVT XXII

Quod aliter ammonendi sunt discordes atque aliter pacati.

XLVI Aliter ammonendi sunt discordes, atque aliter pacati. Discordes namque ammonendi sunt ut certissime sciant 5 quia quantislibet uirtutibus polleant, spiritales fieri nullatenus possunt, si uniri per concordiam proximis neglegunt. Scriptum quippe est : *Fructus spiritus est caritas, gaudium, pax*[a]. Qui ergo seruare pacem non curat, ferre fructum spiritus recusat. Hinc Paulus ait : *Cum sit inter* 10 *uos zelus et contentio, nonne carnales estis*[b] ? Hinc iterum dicit : *Pacem sequimini cum omnibus, et sanctimoniam, sine qua nemo uidebit Deum*[c]. Hinc rursum ammonens ait : *Solliciti seruare unitatem spiritus in uinculo pacis : unum corpus et unus spiritus, sicut uocati estis in una spe* 15 *uocationis uestrae*[d]. Ad unam igitur uocationis spem nequaquam pertingitur, si non ad eam unita cum proximis mente curratur.

At saepe nonnulli quo quaedam specialiter dona percipiunt, superbiendo donum concordiae quod maius est, 20 amittunt ; ut si fortasse carnem prae ceteris gulae refrenatione quis edomat, concordare eis quos superat absti-

XXII a. Gal. 5, 22 || b. I Cor. 3, 3 || c. Hébr. 12, 14 || d. Éphés. 4, 3-4

CHAPITRE 22

Il faut avertir différemment les fauteurs de division et les gens paisibles

Il faut avertir différemment les fauteurs de division et les gens paisibles. Il faut avertir les fauteurs de division de se rendre nettement compte que si grandes et nombreuses que soient leurs qualités, ils sont absolument incapables de devenir des hommes spirituels s'ils négligent de s'unir à leur prochain par la concorde. « *Le fruit de l'Esprit,* est-il écrit, *c'est la charité, la joie, la paix*[a]. » Qui n'a cure de garder la paix refuse donc de porter le fruit de l'Esprit. Aussi Paul déclare-t-il : « *Puisqu'il y a entre vous jalousie et dissension, n'êtes-vous pas charnels*[b] ? » Et encore : « *Recherchez la paix avec tous, et la sainteté sans laquelle personne ne verra Dieu*[c]. » Et cet avis à nouveau : « *Soucieux de garder l'unité de l'esprit par le lien de la paix : un seul corps et un seul esprit, de même que vous avez été appelés par votre vocation à une seule espérance*[d]. » Nous ne saurions donc atteindre le bien unique que sur cet appel nous espérons, si nous ne courons vers lui en union de cœur avec les autres.

Mais il arrive souvent que des gens favorisés spécialement de tel et tel dons s'enorgueillissent et de ce fait perdent le don de la concorde, lequel est plus important[1]. Il peut se produire, par exemple, qu'un homme dompte sa chair plus que les autres en réfrénant sa gourmandise,

1. Le texte des Mauristes présentait ici un balancement *quo* ... *eo* dont le sens est clair et le style bien grégorien (voir quelques lignes plus bas). Malheureusement aucun manuscrit ne semble attester *eo*.

nendo contemnat. Sed qui abstinentiam a concordia separat, quid ammoneat psalmista perpendat ; ait enim : *Laudate eum in tympano et choro*[e]. In tympano namque
25 sicca et percussa pellis resonat, in choro autem uoces societate concordant. Quisquis itaque corpus affligit, sed concordiam deserit, Deum quidem laudat in tympano, sed non laudat in choro. Saepe uero dum quosdam maior scientia erigit, a ceterorum societate disiungit, et quasi
30 quo plus sapiunt, eo a concordiae uirtute desipiscunt. Hi itaque audiant quid per semetipsam Veritas dicat : *Habete sal in uobis, et pacem habete inter uos*[f]. Sal quippe sine pace non uirtutis est donum, sed damnationis argumentum. Quo enim quisque melius sapit, eo deterius delin-
35 quit, et idcirco inexcusabiliter merebitur supplicium, quia prudenter, si uoluisset, potuit uitare peccatum.

Quibus recte quoque per Iacobum dicitur : *Quod si zelum amarum habetis, et contentiones sunt in cordibus uestris, nolite gloriari, et mendaces esse aduersum uerita-*
40 *tem. Non est ista sapientia desursum descendens, sed terrena, animalis, diabolica. Quae autem desursum est sapientia primum quidem pudica est, deinde pacifica*[g]. Pudica uidelicet, quia caste intellegit ; pacifica autem, quia per elationem se minime a proximorum societate disiungit.
45 Ammonendi sunt dissidentes, ut nouerint quod tamdiu nullum boni operis Deo sacrificium immolant, quamdiu a proximorum caritate discordant. Scriptum namque est : *Si offers munus tuum ad altare, et ibi recordatus fueris quia frater tuus habet aliquid aduersum te, relinque ibi*
50 *munus tuum ante altare, et uade prius reconciliare fratri*

XXII, 38-39 in corde uestro μ

---

e. Ps. 150, 4 || f. Mc 9, 50 || g. Jac. 3, 14-15.17

---

1. Cf. *Hom. Éz.* I, 8, 8 (*SC* 327, p. 287). Source de ce commentaire dans AUGUSTIN, *Psalm.* 150, 7 (*CCL* 40, p. 2195).

et dédaigne de s'accorder avec ceux qu'il surpasse par son abstinence. Mais si l'on sépare l'abstinence de la concorde, qu'on médite l'avertissement du psalmiste : *« Louez-le par le tambour et en chœur*[e]. » Dans un tambour un cuir sec résonne sous les coups ; dans un chœur des voix associées sont en accord. Quiconque mortifie son corps mais laisse de côté la concorde, loue donc Dieu par le tambour, mais ne loue pas en chœur[1]. Il arrive souvent qu'une science plus grande enorgueillisse certains hommes, et les écarte de la société des autres ; et plus ils savent, plus ils perdent le goût de cette vertu qu'est la concorde. Qu'ils écoutent, ces hommes, ce que dit la Vérité en personne : *« Ayez du sel en vous, et ayez la paix entre vous*[f]. » Sans la paix, le sel n'est pas le don d'une vertu, mais un motif de condamnation. Plus un homme sait, plus son manquement est grave, et il mérite le supplice sans excuse possible, parce qu'avec de la prudence il aurait pu s'il avait voulu éviter le péché.

A ces gens il est dit par Jacques : *« Si vous avez une amère jalousie et s'il y a dans vos cœurs des animosités, ne faites pas les fiers, et ne mentez pas à la vérité. Il n'y a pas là une sagesse qui descende d'en haut, mais une sagesse terrestre, animale, diabolique. La sagesse qui vient d'en haut est d'abord pure, puis pacifique*[g]. » Pure, parce que son regard est exempt de tout ce qui le troublerait[2] ; pacifique, parce que l'orgueil ne distend pas les liens qui l'unissent aux autres. Il faut avertir ces dissidents de se rendre bien compte qu'aucune de leurs bonnes actions ne peut être un sacrifice offert à Dieu aussi longtemps que leur cœur ne bat pas de l'amour du prochain. *« Si tu présentes ton offrande à l'autel,* est-il écrit, *et que tu te souviennes que ton frère a quelque chose contre toi, laisse là ton offrande devant l'autel, et va d'abord te réconcilier*

2. Le mot *castus* suggère l'idée de respect, de soin scrupuleux, l'exemption de tout ce qui trouble.

tuo, et tunc ueniens offers munus tuum[h]. Ex qua scilicet praeceptione pensandum est quorum hostia repellitur, quam intolerabilis culpa monstratur. Nam cum mala cuncta bonis sequentibus diluantur, pensemus quanta sint
55 mala discordiae, quae nisi exstincta funditus fuerint, bonum subsequi non permittunt. Ammonendi sunt discordes, ut si aures a mandatis caelestibus declinant, mentis oculos ad consideranda ea quae in infimis uersantur, aperiant ; quod saepe aues unius eiusdemque generis
60 sese socialiter uolando non deserunt, quod gregatim animalia bruta pascuntur. Quia si sollerter aspicimus, concordando sibi irrationalis natura indicat, quantum malum per discordiam rationalis natura committat, quando haec a rationis intentione perdidit, quod illa
65 motu naturali custodit.

At contra ammonendi sunt pacati, ne dum plus quam necesse est, pacem quam possident amant, ad perpetuam peruenire non appetant. Plerumque enim grauius intentionem mentium rerum tranquillitas temptat ; ut quo non
70 sunt molesta quae tenent, eo minus amabilia fiant quae uocant ; et quo delectant praesentia, eo non inquirantur aeterna. Vnde et per semetipsam Veritas loquens, cum terrenam pacem a superna distingueret, atque ad uenturam discipulos ex praesenti prouocaret, ait : *Pacem meam*
75 *relinquo uobis, pacem meam do uobis*[i]. Relinquo scilicet transitoriam, do mansuram. Si ergo in eam cor quae

55 fuerint : *om. T E B (fort. recte)*

---

h. Matth. 5, 23 || i. Jn 14, 27

---

1. Il faut donner ici à la préposition *ab* le sens de « en s'écartant de » (voir, pour une valeur analogue, 3, 26, l. 36-37 : *ab aeternis nos miseros ... cernimus*). Ainsi l'ont comprise Davis (p. 165) : *though exercising reason* et Funk (p. 201) : *trotz des Vernunftgebrauch*. Ici *rationis intentio* est en parallèle avec *motus naturalis* : la nature meut *(mouet)*

avec ton frère, et alors viens présenter ton offrande[h]. » Ce précepte, réfléchissons-y, montre à quel point est intolérable la faute de ceux dont l'offrande est repoussée. Tout mal est purifié par un bien qui suivra ; évaluons ce qu'est le mal de la discorde, puisque faute d'être complètement éliminé il empêche le bien qui suivra. Il faut avertir les fauteurs de division que s'ils détournent leurs oreilles des leçons divines, ils doivent du moins ouvrir les yeux de leur âme sur ce qui se passe chez les êtres les plus humbles : les oiseaux de la même unique espèce savent voler en bandes sans se quitter, les bestiaux sans intelligence paissent en troupeaux. Si nous savons bien regarder, la gent sans raison indique par sa concorde quel mal la gent raisonnable commet par la discorde : se soustrayant à la tendance de la raison[1], celle-ci a perdu ce que celle-là garde en vertu d'un instinct inné.

Par contre il faut avertir les gens paisibles de ne pas s'attacher plus qu'il ne convient à la paix qu'ils possèdent, en oubliant de désirer celle qui dure toujours. Très souvent, en effet, un état de choses tranquille est plus gravement éprouvant pour l'élan des âmes : moins ce qu'on tient comporte de peine, moins se fait aimable ce qu'il faut appeler de ses vœux, et plus les biens présents charment, moins on recherche les biens éternels. Distinguant la paix terrestre de la paix d'en haut, et appelant ses disciples de la paix présente à la paix à venir, la Vérité disait de sa propre bouche : « *J'abandonne pour vous ma paix, je vous donne ma paix*[i]. » C'était dire : « J'abandonne la paix transitoire, je donne celle qui

vers la concorde, la raison tend *(intendit)* aussi vers elle. La bête obéit à l'instinct, mais l'homme s'écarte au contraire de la ligne de la raison. On aurait pu traduire aussi peut-être : « la gent raisonnable, inattentive à la raison », mais il s'agit moins ici de l'attention à la raison que de la tendance foncière de la raison elle-même.

relicta est figitur, numquam ad illam quae danda est, peruenitur. Pax igitur praesens ita tenenda est, ut et diligi debeat et contemni ; ne si immoderate diligitur, diligentis
80 animus in culpa capiatur.

Vnde et ammonendi sunt pacati, ne dum nimis humanam pacem desiderant, prauos hominum mores nequaquam redarguant et consentiendo peruersis, ab auctoris sui se pace disiungant, ne dum humana foras iurgia
85 metuunt, interni foederis discissione feriantur. Quid est enim pax transitoria, nisi quoddam uestigium pacis aeternae ? Quid ergo esse dementius potest, quam uestigia in puluere impressa diligere, sed ipsum a quo impressa sunt, non amare ? Hinc Dauid dum totum se ad foedera
90 pacis internae constringeret, testatur quod cum malis concordiam non teneret, dicens : *Nonne qui te oderunt, Deus, oderam illos, et super inimicos tuos tabescebam ? Perfecto odio oderam illos, inimici facti sunt mihi*[j]. Inimicos etenim Dei perfecto odio odisse est et quod facti
95 sunt diligere et quod faciunt increpare, mores prauorum premere, uitae prodesse.

Pensandum est igitur, quando ab increpatione quiescitur, quanta culpa cum pessimis pax tenetur, si propheta tantus hoc uelut in hostiam Deo obtulit, quod contra se
100 pro Domino prauorum inimicitias excitauit. Hinc est quod Leui tribus assumptis gladiis per castrorum media

91 oderant *T*

---

j. Ps. 138, 21

---

1. Le texte grégorien de *Jn* 14, 27 : *pacem meam relinquo uobis, pacem meam do uobis* présente un écart par rapport à la Vulgate : *pacem relinquo uobis, pacem meam do uobis* Pourtant ce texte convient moins bien au commentaire que fait Grégoire que le texte de la Vulgate. L'édition des Mauristes a le texte de la Vulgate. Sur le commentaire,

demeure[1]. » Si donc le cœur s'attache à la paix qui a été abandonnée, jamais on ne parviendra à celle qui doit être donnée. La paix présente doit donc être possédée de telle façon qu'on l'aime et qu'à la fois on en fasse fi : si elle est aimée de façon immodérée, le cœur qui aime pourrait tomber dans le piège d'une faute.

Il faut donc avertir les gens paisibles : que par un désir excessif d'être en paix avec les hommes, ils ne s'abstiennent pas de dénoncer les écarts de conduite, et ne renoncent pas, sympathisant avec les dévoyés, à la paix qui les unit à leur créateur, car en redoutant au-dehors des différends avec les hommes, ils seraient punis par la rupture de l'alliance contractée au-dedans. La paix passagère, qu'est-elle, sinon comme une trace de la paix éternelle ? Alors est-il stupidité plus grande que celle d'aimer les traces laissées par des pas dans la poussière, sans aimer la personne dont elles sont les traces ? Se liant tout entier par le pacte de la paix intérieure, David affirme qu'il n'a aucune union de cœur avec les méchants : *« Ceux qui te haïssent, ô Dieu, ne les haïssais-je pas, et n'avais-je pas en dégoût tes ennemis ? Je les haïssais d'une haine parfaite, ils sont devenus pour moi des ennemis*[j]. » Haïr les ennemis de Dieu d'une haine parfaite, c'est à la fois aimer ce qu'ils ont été faits et blâmer ce qu'ils font, flétrir la conduite des dévoyés, servir leur vie.

Quand on n'ose pas réprimander, il faut donc bien voir qu'il y a faute grave à rester ainsi en paix avec les méchants, s'il est vrai qu'un prophète aussi grand a offert comme un sacrifice à Dieu le fait d'avoir excité contre lui, pour le Seigneur, leurs inimitiés. Voilà pourquoi il est dit que les hommes de la tribu de Lévi, passant à

cf. AUGUSTIN, *Comm. Jn* 77 (*CCL* 36, p. 521-522). Dans le texte cité Grégoire oppose, non sans excès de subtilité, *relinquo*, « je laisse », avec le sens de « abandonner », et *do*, « je donne », et il distingue ainsi la paix à laquelle le Christ renonce et celle qu'il donne.

transiens, quia feriendis noluit peccatoribus parcere, Deo manus dicta est consecrasse[k]. Hinc Finees peccantium ciuium gratiam spernens, coeuntes cum Madianitis per-
105 culit, et iram Domini iratus placauit[1]. Hinc per semetipsam Veritas dicit : *Nolite arbitrari, quia uenerim pacem mittere in terra. Non ueni pacem mittere, sed gladium*[m]. Malorum namque cum incaute amicitiis iungimur, culpis ligamur. Vnde Iosaphat, qui tot de ante acta uita prae-
110 coniis attollitur, de Achab regis amicitiis pene periturus increpatur. Cui a Domino per prophetam dicitur : *Impio praebes auxilium, et his qui oderunt Dominum, amicitia iungeris ; et idcirco iram quidem Domini merebaris, sed bona opera inuenta sunt in te, eo quod abstuleris lucos de*
115 *terra Iuda*[n]. Ab illo enim qui summe rectus est, eo ipso iam discrepat, quo peruersorum amicitiis uita nostra concordat.

Ammonendi sunt pacati, ne si ad correptionis uerba prosiliant, temporalem pacem sibi perturbare formident.
120 Rursumque ammonendi sunt, ut eandem pacem dilectione integra intrinsecus teneant, quam per inuectionem uocis sibi extrinsecus turbant. Quod utrumque prouide Dauid se perhibet seruare, cum dicit : *Cum his qui oderant pacem, eram pacificus, cum loquebar illis, impugnabant me*
125 *gratis*[o]. Ecce et loquens impugnabatur ; et tamen impugnatus, erat pacificus, quia nec insanientes cessabat reprehendere, nec reprehensos neglegebat amare. Hinc etiam Paulus ait : *Si fieri potest, quod ex uobis est, cum omnibus hominibus pacem habentes*[p]. Hortaturus enim
130 discipulos ut pacem cum omnibus haberent, praemisit,

110 Achab : Aab *T*

k. Cf. Ex. 32, 27 s. || l. Cf. Nombr. 25, 7 || m. Matth. 10, 34 || n. II Chr. 19, 2-3 || o. Ps. 119, 7 || p. Rom. 12, 18

1. Dans le texte de la Vulgate, Phinéès ne tue qu'un Hébreu et une Madianite, le pluriel semble être de Grégoire.

travers le camp l'épée à la main, refusèrent d'épargner les pécheurs à châtier et consacrèrent ainsi leurs mains à Dieu[k]. Voilà pourquoi, méprisant la faveur de ses concitoyens pécheurs qui frayaient avec les Madianites, Phinéès les frappa et par sa colère apaisa la colère du Seigneur[11]. Voilà pourquoi la Vérité dit elle-même : *« Ne pensez pas que je sois venu apporter la paix sur la terre. Je ne suis pas venu apporter la paix, mais le glaive[m]. »* Les liens d'amitié que nous contractons imprudemment avec les méchants nous associent à leurs fautes. Josaphat, dont la vie avait mérité jusque-là tant d'éloges, est blâmé à cause de son amitié avec le roi Achab, au point d'être en passe d'en périr. Le Seigneur lui dit par un prophète : *« Tu portes secours au méchant, et tu te lies d'amitié avec ceux qui haïssent le Seigneur, et c'est pourquoi tu méritais bien la colère du Seigneur ; mais on a trouvé en toi de bonnes actions, parce que tu as fait disparaître les bois sacrés dans la terre de Juda[n]. »* Car nous vivons en discordance avec celui qui est la rectitude souveraine du seul fait que nous sommes par l'amitié en concorde avec les dévoyés.

Il faut avertir les gens paisibles de ne pas redouter de troubler la paix de leurs jours si leur voix se hausse pour le blâme. Il faut les avertir en revanche de garder au-dedans, par une charité entière, cette paix qu'ils troublent au-dehors par un éclat de voix. David atteste qu'il suit consciemment cette double règle : *« Avec ceux qui haïssent la paix, j'étais pacifique ; quand je leur parlais, ils m'attaquaient sans raison[o]. »* Voilà : tandis qu'il parlait, il était attaqué, et cependant, attaqué, il était pacifique, car il ne cessait jamais, d'une part, de reprendre ces furieux, et de l'autre, ne négligeait pas d'aimer ceux qu'il reprenait. A ce sujet Paul dit aussi : *« S'il est possible, autant qu'il dépend de vous, soyez en paix avec tous les hommes[p]. »* Avant d'exhorter ses disciples à être en paix avec

dicens : *Si fieri potest*, atque subiunxit : *Quod ex uobis est*. Difficile quippe erat ut si male acta corriperent, habere pacem cum omnibus possent. Sed cum temporalis pax in prauorum cordibus ex nostra increpatione confun-
135 ditur, inuiolata necesse est ut in nostro corde seruetur. Recte itaque ait : *Quod ex uobis est*. Ac si nimirum dicat : Quia pax ex duarum partium consensu subsistit, si ab eis qui corripiuntur expellitur, integra tamen in uestra qui corripitis mente teneatur. Vnde hisdem rursum dis-
140 cipulos ammonet, dicens : *Si quis non oboedit uerbo nostro per epistulam, hunc notate, et non commisceamini cum illo, ut confundatur*. Atque ilico adiunxit : *Et nolite ut inimicum existimare illum, sed corripite ut fratrem*[q]. Ac si diceret : Pacem cum eo exteriorem soluite, sed interiorem circa
145 illum medullitus custodite, ut peccantis mentem sic uestra discordia feriat, quatenus pax a uestris cordibus nec abnegata discedat.

CAPVT XXIII

Quod aliter ammonendi sunt seminantes iurgia atque aliter pacifici.

XLVII Aliter ammonendi sunt seminantes iurgia, atque aliter pacifici. Ammonendi namque sunt qui iurgia seminant,
5 ut cuius sint sequaces agnoscant. De apostata quippe angelo scriptum est, cum bonae messi zizania fuisset

q. II Thess. 3, 14.

1. Ce chapitre présente les trois modules d'expression du style de Grégoire selon F. Gastaldelli, « Osservazioni per un profilo letterario di san Gregorio Magno », *Salesianum* 26, 1964, p. 459-460 : module

tous, il a dit : *« S'il est possible »*, et il a ajouté : *« autant qu'il dépend de vous »*. C'est qu'il leur était difficile de blâmer des actions mauvaises tout en restant en paix avec tous. Mais quand la paix du temps est troublée dans le cœur des méchants par nos remontrances, il est indispensable qu'elle soit gardée intacte dans le nôtre. Paul a donc raison de dire : *« autant qu'il dépend de vous »*. C'était dire : « Comme la paix subsiste par le consentement des deux parties, si elle est repoussée par ceux qui sont blâmés, qu'elle soit du moins gardée entière dans votre âme à vous, qui blâmez. » Aussi donne-t-il encore cet avis à ses disciples : *« Si quelqu'un n'obéit pas à ce que nous disons par cette lettre, notez-le, et ne le fréquentez plus, pour le confondre. »* Et il ajouta aussitôt : *« Et ne le considérez pas comme un ennemi, mais comme un frère*[q]*. »* C'était dire : « Rompez avec lui la paix extérieure, mais gardez au fond du cœur, à son sujet, la paix intérieure ; que votre désaccord frappe l'âme en faute sans que la paix, même refusée, quitte votre cœur à vous[1]. »

CHAPITRE 23

Il faut avertir différemment les semeurs de disputes et les artisans de paix.

Il faut avertir différemment les semeurs de disputes et les artisans de paix. Il faut avertir les semeurs de disputes de bien voir à l'école de qui ils se sont mis. Il est écrit de l'ange apostat, quand l'ivraie eut été mêlée au bon

musical, module formé d'une chute d'éléments coordonnés, module formé d'un jeu de subordonnées.

inserta : *Inimicus homo hoc fecit*[a]. De cuius etiam membro per Salomonem dicitur : *Homo apostata, uir inutilis, graditur ore peruerso, annuit oculis, terit pede ; digito loquitur,*
10 *prauo corde machinatur malum, et in omni tempore iurgia seminat*[b]. Ecce quem seminantem iurgia dicere uoluit, prius apostatam nominauit ; quia nisi more superbientis angeli a conspectu conditoris prius intus auersione mentis caderet, foras postmodum usque ad seminanda iurgia
15 non ueniret. Qui recte describitur quod annuit oculis, digito loquitur, terit pede. Interior namque est custodia, quae ordinata seruat exterius membra. Qui ergo statum mentis perdidit, subsequenter foras in inconstantiam motionis fluit, atque exteriori mobilitate indicat, quod nulla
20 interius radice subsistat.

Audiant iurgiorum seminatores quod scriptum est : *Beati pacifici, quoniam filii Dei uocabuntur*[c]. Atque e diuerso colligant, quia si Dei uocantur filii qui pacem faciunt, procul dubio satanae sunt filii qui confundunt.
25 Omnes autem qui per discordiam separantur a uiriditate dilectionis, arefiunt. Qui etsi boni operis fructus in suis actionibus proferunt, profecto nulli sunt, quia non ex unitate caritatis oriuntur. Hinc ergo perpendant seminantes iurgia, quam multipliciter peccant ; qui dum unam
30 nequitiam perpetrant, ab humanis cordibus cunctas simul uirtutes eradicant. In uno enim malo innumera peragunt, quia seminando discordiam, caritatem quae nimirum uirtutum est omnium mater, extinguunt. Quia autem nihil est pretiosius Deo uirtute dilectionis, nil desiderabilius
35 est diabolo extinctione caritatis. Quisquis igitur semi-

XXIII a. Matth. 13, 28 || b. Prov. 6, 12-14 || c. Matth. 5, 9

---

1. Grégoire a en vue le sens premier du mot *apostata*, transcription latine du grec ἀποστάτης, « celui qui se tient à l'écart, qui s'éloigne ».

grain : « *L'ennemi a fait cela*[a]. » De l'homme qui l'a pour chef, il est dit par Salomon : « *Un apostat, un homme inutile ; il s'avance, la bouche tordue, cligne des yeux, gratte du pied ; il parle avec le doigt, son cœur pervers ourdit le mal, et en toute circonstance il sème les disputes*[b]. » Voyez, Salomon voulait désigner un semeur de disputes, et il a commencé par l'appeler apostat[1], car si cet homme, à la façon de l'ange devenu orgueilleux, n'avait pas d'abord chuté au-dedans loin de la vue de son créateur, dont son âme s'était détachée, il n'en serait pas venu ensuite au-dehors à semer les disputes. Il est juste de le décrire comme clignant des yeux, parlant avec son doigt, grattant du pied. Il est au-dedans, le poste de surveillance qui à l'extérieur maintient les membres en bon ordre. Celui dont l'âme a perdu sa ferme tenue se laisse aller par suite au-dehors à une capricieuse agitation, et sa mobilité extérieure indique qu'il n'a pas de racines qui le soutiennent.

Qu'ils écoutent, les semeurs de disputes, ce qui est écrit : « *Bienheureux, les artisans de paix, car ils seront appelés enfants de Dieu*[c]. » Et que par contraste ils concluent : si les hommes qui mettent la paix sont appelés enfants de Dieu, ceux qui la troublent sont à n'en pas douter enfants de Satan. Or tous ceux qui se coupent de la jeune sève de la charité se dessèchent. Ils ont beau agir pour produire le fruit des œuvres bonnes, non, ces fruits sont nuls, parce qu'ils ne proviennent pas de la charité, qui est une. Qu'ils mesurent donc, les semeurs de disputes, à quel point ils multiplient les péchés ! En perpétrant une seule iniquité, ils arrachent du cœur des hommes les racines de toutes les vertus. Par un seul mal, ils causent d'innombrables maux, parce qu'en semant la discorde, ils éteignent la charité, qui est bien la mère de toutes les vertus. Comme il n'est rien de plus précieux aux yeux de Dieu que la vertu de charité, rien n'est plus désirable pour le diable que de l'éteindre. Tout homme

nando iurgia dilectionem proximorum perimit, hosti Dei familiarius seruit, quia qua ille amissa cecidit, hanc iste uulneratis cordibus subtrahens, eis iter ascensionis abscidit.

40 At contra ammonendi sunt pacifici, ne tantae actionis pondus leuigent, si inter quos fundare pacem debeant, ignorent. Nam sicut multum nocet si unitas desit bonis, ita ualde est noxium si non desit malis. Si ergo peruersorum nequitia in pace iungitur, profecto eorum malis
45 actibus robur augetur ; quia quo sibi in malitia congruunt, totos se robustius bonorum afflictionibus illidunt. Hinc namque est quod contra damnati illius uasis, uidelicet Antichristi praedicatores, diuina uoce beato Iob dicitur : *Membra carnium eius cohaerentia sibi*[d]. Hinc sub
50 squamarum specie de eius satellitibus perhibetur : *Vna uni coniungitur, et ne spiraculum quidem incedit per eas*[e]. Sequaces quippe illius quo nulla inter se discordiae aduersitate diuisi sunt, in bonorum grauius nece glomerantur. Qui ergo iniquos pace sociat, iniquitati uires administrat,
55 quia bonos deterius deprimunt, quos et unanimiter persequuntur. Vnde praedicator egregius graui Pharisaeorum Sadducaeorumque persecutione deprehensus, inter semetipsos diuidere studuit, quos contra se unitos grauiter uidit, cum clamauit, dicens : *Viri fratres, ego Pharisaeus*
60 *sum, filius Pharisaeorum, de spe et resurrectione mortuorum ego iudicor*[f]. Dumque Sadducaei spem resurrectio-

XXIII, 59 cum clamauit : conclamauit *T*

d. Job 41, 14 (15) || e. Job 41, 7-8 || f. Act. 23, 6.

1. Ici les Mauristes avaient corrigé de façon à lire *quo* ... *eo*, mais les manuscrits ont *totos* à la place de *eo*... (cf. *supra*, p. 403, n. 1) ; de même quelques lignes plus loin, ils corrigeaient le texte avec *quo* ... *eo*, alors que le manuscrit de Troyes n'a pas *eo*.

donc qui tue l'amour en semant les disputes sert en bon familier l'ennemi de Dieu ; pour l'avoir perdu, celui-ci chuta, et celui-là, en l'enlevant du cœur blessé des hommes, leur coupe la route qui monte.

Par contre il faut avertir les artisans de paix de ne pas ôter de son poids à leur noble action, faute de connaître les hommes parmi lesquels ils doivent établir la paix. Oui, il est sans doute très dommageable que l'unité vienne à manquer parmi les bons, mais il l'est tout autant qu'elle ne manque pas aux méchants. Si les dévoyés s'unissent dans la paix pour le mal, alors, bien sûr, s'accroît leur force pour mal faire. Plus ils s'accordent en malice, plus vigoureusement ils se ruent tout entiers pour écraser les bons[1]. De là, ce qui est déclaré au bienheureux Job par la voix divine, contre les prédicateurs de ce vase de colère, l'Antichrist[2] : *« Les muscles de son corps adhèrent les uns aux autres[d]. »* De là ce qui est affirmé de ses satellites, figurés par des écailles : *« L'une se joint à l'autre, et pas un souffle ne peut passer par elles[e]. »* Comme ses partisans ne sont pas divisés entre eux par la moindre divergence de sentiments, leur massive attaque contre la vie des bons se fait plus dure. Associer les méchants dans la paix, c'est donner des forces à l'iniquité ; ils accablent plus dangereusement les bons, harcelés par eux d'un même cœur. Aussi le prédicateur par excellence, aux prises avec des pharisiens et des sadducéens acharnés à le poursuivre, tâcha de les diviser, en disant bien haut : *« Frères, je suis pharisien, moi, fils de pharisiens ; c'est au sujet de notre espérance et de la résurrection des morts que je suis jugé[f]. »* Les sadducéens niaient qu'il y eût

2. Le thème de l'Antichrist comme, un peu plus loin, le thème de la résurrection des morts à partir de *Act.* 23, 6 renvoient à l'eschatologie de Grégoire. Voir, par exemple, *Mor.* 12, 43, 48, et 14, 21, 25 (*SC* 212, p. 217 et 355), où l'Antichrist est dit *uas perditionis*, et *supra*, p. 294, n. 1. Cf. aussi *Mor.* 27, 26, 49 (*CCL* 143B, p. 1368-1369).

nemque mortuorum esse denegarent, quam Pharisaei iuxta sacri eloquii praecepta crederent, facta in persecutorum unanimitate dissensio est, et diuisa turba illaesus
65 Paulus exiit, quae hunc unita prius immaniter pressit.

Ammonendi itaque sunt qui faciendae pacis studiis occupantur, ut prauorum mentibus prius amorem debeant internae pacis infundere, quatinus eis postmodum ualeat exterior pax prodesse ; ut dum eorum cor in illius
70 cognitione suspenditur, nequaquam ad nequitiam ex huius perceptione rapiatur ; dumque supernam prouident, terrenam nullo modo ad usum suae deteriorationis inclinent. Cum uero peruersi quique tales sunt, ut nocere bonis nequeant, etiamsi concupiscant, inter hos nimirum
75 debet terrena pax construi et priusquam ab eis ualeat superna cognosci ; ut hi scilicet quos contra dilectionem Dei malitia suae impietatis exasperat, saltim ex proximi amore mansuescant ; et quasi e uicino ad melius transeant, ut ad illam quae a se longe est, pacem conditoris
80 ascendant.

CAPVT XXIV

Quod aliter ammonendi sunt qui sacrae legis uerba non recte intellegunt atque aliter qui recte quidem intellegunt sed haec humiliter non loquuntur.

XLVIII Aliter ammonendi sunt qui sacrae legis uerba non recte
5 intellegunt ; atque aliter qui recte quidem intellegunt, sed haec humiliter non loquuntur. Ammonendi enim sunt

espérance et résurrection pour les morts ; les pharisiens y croyaient, selon les enseignements du texte sacré. Une faille se fit dans l'unanimité des poursuivants, et Paul s'en alla indemne, une fois divisée cette meute qui, unie, l'avait d'abord harcelé sans pitié.

Il faut donc avertir ceux qui s'emploient à établir la paix d'inspirer d'abord l'amour de la paix intérieure aux cœurs mauvais, afin que la paix extérieure puisse ensuite leur être bienfaisante. Attirés par la connaissance de la première, ils ne seront pas entraînés vers le mal en jouissant de la seconde ; en prévision de la paix céleste, ils n'utiliseront pas la paix terrestre pour leur dégradation. Comme les pervers sont incapables de nuire aux bons, même s'ils le désirent, il faut qu'entre eux s'établisse la paix terrestre, avant même qu'ils ne puissent connaître la paix céleste ; ainsi ces hommes auxquels la malice de l'impiété rend intolérable l'amour de Dieu pourront s'adoucir du moins par l'amour de leur prochain ; partant de ce qui est à leur portée, ils vont vers le mieux, de façon à monter jusqu'à la paix qui est bien loin d'eux, la paix de leur créateur.

CHAPITRE 24

Il faut avertir différemment ceux qui ne comprennent pas correctement le texte de la loi sainte, et ceux qui le comprennent correctement, mais n'en parlent pas humblement.

Il faut avertir différemment ceux qui ne comprennent pas correctement le texte de la loi sainte, et ceux qui le comprennent correctement, mais n'en parlent pas humblement. Il faut avertir ceux qui ne comprennent pas

qui sacrae legis uerba non recte intellegunt, ut perpendant, quia saluberrimum uini potum in ueneni sibi poculum uertunt, ac per medicinale ferrum uulnere mortali
10 se feriunt, dum per hoc in se sana perimunt, per quod salubriter abscidere sauciata debuerunt. Ammonendi sunt, ut perpendant quod Scriptura sacra in nocte uitae praesentis quasi quaedam nobis lucerna sit posita, cuius nimirum uerba dum non recte intellegunt, de lumine
15 tenebrescunt. Quos uidelicet ad intellectum prauum intentio peruersa non raperet, nisi prius superbia inflaret. Dum enim se prae ceteris sapientes arbitrantur, sequi alios ad melius intellecta despiciunt ; atque ut apud imperitum uulgus scientiae sibi nomen extorqueant, student
20 summopere et ab aliis recte intellecta destruere, et sua peruersa roborare.

Vnde bene per prophetam dicitur : *Secuerunt praegnantes Galaad ad dilatandum terminum suum*[a]. Galaad namque aceruus testimonii interpretatur[b]. Et quia cuncta
25 simul congregatio Ecclesiae per confessionem seruit testimonio ueritatis, non incongrue per Galaad Ecclesia exprimitur, quae ore cunctorum fidelium, de Deo quaeque sunt uera testatur. Praegnantes autem uocantur animae, quae intellectum uerbi ex diuino amore conci-
30 piunt, si ad perfectum tempus ueniant, conceptam intellegentiam operis ostensione parliturae. Terminum uero suum dilatare, est opinionis suae nomen extendere. Secuerunt ergo praegnantes Galaad ad dilatandum terminum suum : quia nimirum haeretici mentes fidelium quae

XXIV a. Amos 1, 13 || b. Cf. Gen. 31, 48

---

1. A propos de Galaad, cf. AUGUSTIN, *Psalm.* 59, 9 (*CCL* 39, p. 760).

2. Cf. *Mor.* 3, 25, 49 (*CCL* 143, p. 146) ; 8, 40, 64 (p. 431) ; 16, 48, 61-62 (p. 834 = *SC* 221, p. 231). Les hérétiques évoquent pour Grégoire d'une part des controverses passées appartenant à la tradition chrétienne (cf. *Mor.* 14, 56, 72 = *SC* 212, p. 434, qui s'inspire de S. Jérôme), d'autre part des problèmes présents : les Lombards ariens, les partisans

correctement le texte de la loi sainte de se rendre compte qu'ils changent une coupe de vin bienfaisant en un breuvage qui leur sera un poison, et qu'ils se servent d'un fer guérisseur pour se frapper d'une blessure mortelle, parce qu'ils détruisent en eux des tissus sains avec ce qui aurait dû servir à retrancher les tissus malades. Il faut les avertir de se rendre compte que l'Écriture sainte est comme une lampe posée là pour nous dans la nuit de la vie présente, et que ses mots, quand on les comprend mal, deviennent de lumière ténèbres. Mais il est clair qu'une tendance vicieuse ne les entraînerait pas à une fausse compréhension, s'ils ne commençaient par s'enfler d'orgueil. Se croyant plus sages que les autres, ils dédaignent de suivre autrui pour une compréhension meilleure. Et pour obtenir à tout prix un renom de science auprès d'une masse ignorante, ils s'efforcent de démolir ce que d'autres ont bien compris et de donner force à leurs faussetés.

Il est dit très justement par le prophète : *« Ils ont éventré les femmes enceintes de Galaad pour élargir leur territoire*[a]*. »* Galaad signifie « monceau du témoignage[b] ». Puisque la communauté ecclésiale toute entière est au service de la vérité, en la professant pour un témoignage, elle est figurée non sans convenance par Galaad, elle dont les fidèles, d'une seule voix, attestent ce qui est vrai de Dieu[1]. Les âmes sont dites enceintes : elles conçoivent de l'amour divin l'intelligence de la parole, toutes prêtes, si elles arrivaient au terme de leur temps, à enfanter l'intelligence conçue en mettant au jour l'œuvre. Élargir son territoire, c'est étendre son renom. Ils ont éventré les femmes enceintes de Galaad pour élargir leur territoire : les hérétiques[2] font mourir par leurs prédications

des Trois Chapitres en Italie du Nord, encore qu'il s'agisse d'un schisme et non d'une hérésie, et quelques autres groupes dans les territoires byzantins (cf. DAGENS, p. 340-342 et G.R. EVANS, *The thought of Gregory the Great*, Cambridge 1986, p. 130-134).

35 iam aliquid de ueritatis intellectu conceperant peruersa praedicatione perimunt, et scientiae sibi nomen extendunt. Paruulorum corda iam de uerbi conceptione grauida, erroris gladio scindunt, et quasi doctrinae sibi opinionem faciunt. Hos ergo cum conamur instruere ne 40 peruersa sentiant, ammoneamus prius necesse est, ne inanem gloriam quaerant. Si enim radix elationis absciditur, consequenter rami prauae assertionis arefiunt.

Ammonendi sunt etiam, ne errores discordiasque generando, legem Dei quae idcirco data est ut sacrificia 45 Satanae prohibeat, eandem ipsam in Satanae sacrificium uertant. Vnde per prophetam Dominus queritur, dicens : *Dedi ei frumentum, uinum et oleum, et argentum multiplicaui ei et aurum, quae fecerunt Bahal*[c]. Frumentum quippe a Domino accipimus, quando in dictis obscurioribus 50 subducto tegmine litterae per medullam spiritus legis interna sentimus. Vinum suum nobis Dominus praestat, cum Scripturae suae alta praedicatione nos debriat. Oleum quoque suum nobis tribuit, cum praeceptis apertioribus uitam nostram blanda lenitate disponit. Argen55 tum multiplicat cum nobis luce veritatis plena eloquia subministrat. Auroque nos ditat, quando cor nostrum intellectu summi fulgoris irradiat. Quae cuncta haeretici Bahal offerunt, quia apud auditorum suorum corda corrupte omnia intellegendo peruertunt. Et de frumento Dei, 60 uino atque oleo, argento pariter et auro, Satanae sacrificium immolant, quia ad errorem discordiae uerba pacis inclinant. Vnde ammonendi sunt ut perpendant, quia dum peruersa mente de praeceptis pacis discordiam faciunt, iusto Dei examine ipsi de uerbis uitae moriuntur.

c. Os. 2, 8 (10)

1. Sur l'exigence de connaissance de l'Écriture, cf. JUDIC, « La Bible », p. 472-473. Sur l'Écriture comme lumière et parole de vie, cf. P. CATRY, « Lire l'Écriture selon Grégoire le Grand », *Collectanea Cirterciensia* 34, 1972, p. 195.

perverses les âmes fidèles qui avaient déjà conçu par l'intelligence un peu de la vérité, et ils étendent leur renom de science ! Ils déchirent du glaive de l'erreur les cœurs des tout-petits, déjà lourds de la parole qu'ils ont conçue, et ils se font une réputation de docteurs ! Quand nous nous efforçons de les instruire pour qu'ils cessent de mal comprendre, il nous faut les avertir d'abord de ne pas chercher la vaine gloire. Qu'on arrache la racine de l'orgueil, et ces rameaux que sont les assertions fausses se dessèchent.

Un avertissement encore à leur donner : qu'en faisant naître erreurs et discordes ils n'obtiennent pas qu'une loi donnée pour interdire les sacrifices à Satan ne mène à sacrifier à Satan. Le Seigneur s'en plaint par le prophète : *« Je lui ai donné le froment, le vin et l'huile, et j'ai multiplié pour elle l'argent et l'or, et ils ont travaillé pour Baal*[c]*. »* Nous recevons du Seigneur le froment quand, écartant le voile de la lettre, à propos de textes plus obscurs, nous percevons grâce à la fine pointe de l'esprit ce qui est au cœur de la Loi. Le Seigneur nous procure son vin quand il nous enivre par une profonde prédication de son Écriture. Il nous fait aussi présent de son huile quand par des leçons plus accessibles il met l'ordre dans notre vie avec une attirante douceur. Il multiplie l'argent quand il met sous nos yeux des pages rayonnantes de vérité. Son or nous enrichit quand l'intuition d'une splendeur souveraine irradie notre cœur. Tout cela, les hérétiques l'offrent à Baal, parce qu'ils pervertissent le cœur de leurs auditeurs par des interprétations constamment vicieuses. Avec le froment de Dieu, son vin et son huile, son argent aussi et son or, ils offrent un sacrifice à Satan, parce qu'ils font servir les paroles de paix à l'égarement de la discorde. Il faut donc les avertir de bien se rendre compte qu'en causant tendancieusement la discorde à partir de leçons de paix, ils trouvent eux-mêmes la mort dans les paroles de vie, par un juste jugement de Dieu[1].

65 At contra ammonendi sunt qui recte quidem uerba legis intellegunt, sed haec humiliter non loquuntur, ut in diuinis sermonibus priusquam eos aliis proferant, semetipsos requirant, ne insequentes aliorum facta, se deserant, et cum recte cuncta de sacra Scriptura sentiunt, 70 hoc solum quod per illam contra elatos dicitur, non attendant. Improbus quippe et imperitus est medicus, qui alienum mederi appetit, et ipse uulnus quod patitur nescit. Qui igitur uerba Dei humiliter non loquuntur, prefecto ammonendi sunt, ut cum medicamina aegris 75 apponunt, prius uirus suae pestis inspiciant, ne alios medendo moriantur. Ammoneri debent, ut considerent, ne a uirtute dicti, dicendi qualitate discordent, ne loquendo aliud, et ostendendo aliud praedicent. Audiant itaque quod scriptum est : *Si quis loquitur, quasi sermones* 80 *Dei*[d]. Qui ergo uerba quae proferunt, ex propriis non habent, cur quasi de propriis tument ? Audiant quod scriptum est : *Sicut ex Deo coram Deo in Christo loquimur*[e]. Ex Deo enim coram Deo loquitur, qui praedicationis uerbum et quia a Deo accepit intellegit, et placere 85 per illud Deo non hominibus quaerit. Audiant quod scriptum est : *Abominatio Domini est omnis arrogans*[f]. Quia uidelicet dum in uerbo Dei gloriam propriam quaerit, ius dantis inuadit, eumque laudi suae postponere nequaquam metuit, a quo hoc ipsum quod laudatur 90 accepit.

Audiant quod praedicatori per Salomonem dicitur : *Bibe aquam de cisterna tua, et fluenta putei tui. Deriuentur fontes tui foras, et in plateis aquas diuide. Habeto eas solus, nec sint alieni participes tui*[g]. Aquam quippe prae-

d. I Pierre 4, 11 ‖ e. II Cor. 2, 17 ‖ f. Prov. 16, 5 ‖ g. Prov. 5, 15-17

Il faut avertir par contre ceux qui, tout en comprenant correctement le texte de la Loi, n'en parlent pas humblement, de s'examiner eux-mêmes avant de présenter aux autres la parole divine : tout à la critique des actes d'autrui, ils pourraient bien s'oublier, et avec leur science exacte de toute l'Écriture omettre simplement d'y remarquer ce qui est dit contre les orgueilleux. Malhonnête et incompétent, le médecin qui aspire à guérir le mal d'autrui et ignore la blessure dont il souffre lui-même. Ceux qui ne disent pas humblement la parole de Dieu doivent, bien sûr, prendre conscience du poison qui les infecte avant d'appliquer des remèdes aux malades, de peur de mourir tout en soignant les autres. Ils doivent être avertis de veiller à ce que leur façon de dire ne jure pas avec la qualité de ce qui est dit ; à ne pas prêcher en disant une chose et en donnant l'exemple d'une autre. Qu'ils écoutent ce qui est écrit : *« Si quelqu'un parle, que ce soit comme les paroles de Dieu*[d]. » Ces hommes qui prononcent des paroles ne venant pas de leur fonds, pourquoi s'enflent-ils, comme si elles venaient de leur fonds ? Qu'ils écoutent ce qui est écrit : *« Nous parlons comme de la part de Dieu, en présence de Dieu, dans le Christ*[e]. » Parler comme de la part de Dieu, en présence de Dieu, c'est comprendre qu'on a reçu de Dieu la parole qu'on prêche, et qu'on cherche par elle à plaire à Dieu, non aux hommes. Qu'ils écoutent ce qui est écrit : *« Abomination pour le Seigneur, tout homme arrogant*[f]. » En cherchant sa propre gloire dans la parole de Dieu, il viole le droit du donateur, et n'a pas la moindre crainte de préférer son honneur personnel à l'honneur de celui auquel il doit ce dont il s'honore !

Qu'ils écoutent ce qui est dit par Salomon au prédicateur : *« Bois l'eau de ta citerne et ce qui sourd dans ton puits. Que tes fontaines ruissellent au-dehors, et partage tes eaux sur les places. Possède-les seul, et que des étrangers n'y aient point part avec toi*[g]. » Le prédicateur boit

95 dicator de cisterna sua bibit, cum ad cor suum rediens, prius audit ipse quod dicit. Bibit sui fluenta putei, si sui irrigatione infunditur uerbi. Vbi bene subiungitur : *Deriuentur fontes tui foras, et in plateis aquas diuide.* Rectum quippe est ut prius ipse bibat, et tunc praedicando aliis
100 influat. Fontes namque foras deriuare, est exterius aliis uim praedicationis infundere. In plateis autem aquas diuidere, est in magna auditorum amplitudine iuxta uniuscuiusque qualitatem diuina eloquia dispensare. Et quia plerumque inanis gloriae appetitus subrepit dum
105 sermo Dei ad multorum notitiam currit, postquam dictum est : *In plateis aquas diuide,* recte subiungitur : *Habeto eas solus, nec sint alieni participes tui.* Alienos quippe malignos spiritus uocat, de quibus per prophetam temptati uoce hominis dicitur : *Alieni insurrexerunt in me, et*
110 *fortes quaesierunt animam meam*[h]. Ait ergo : *Aquas et in plateis diuide, et tamen solus habe.* Ac si apertius dicat : Sic necesse est ut praedicationi exterius seruias, quatinus per elationem te immundis spiritibus non coniungas, ne in diuini uerbi ministerio hostes tuos ad te participes
115 admittas. Aquas ergo et in plateis diuidimus, et tamen soli possidemus, quando et exterius late praedicationem fundimus, et tamen per eam humanas laudes assequi minime ambimus.

h. Ps. 53, 5.

---

1. Cf. *Hom. Éz.* I, 12, 12 (*CCL* 142, p. 189-190 = *SC* 327, p. 505-507). C'est ici un type de commentaire scripturaire visant à résoudre une contradiction apparente. Julien de Tolède au VIIe siècle fit un recueil de ces paradoxes scripturaires — l'*Antikeimenôn* — avec leurs résolutions données par les Pères, dont certaines extraites du *Pastoral* : 3, 24 sur *Prov.* 5, 16-17 ; 3, 35 sur *Matth.* 5, 16 ; 3, 16 sur *II Tim.* 4, 2 et *Tite* 2, 15 (*PL* 96, 647-663-665-700).

2. *Iuxta uniuscuiusque qualitatem*, formule qui définit bien le sens du *Pastoral*. J. MURPHY (*Rhetoric in the Middle Ages. A History of rhetorical theory from saint Augustine to the Renaissance*, Berkeley 1974,

l'eau de sa citerne quand revenant à son cœur il écoute d'abord lui-même ce qu'il dit. Il boit ce qui sourd dans son propre puits s'il s'abreuve au flot de sa propre parole[1]. Là il est ajouté avec à propos : *« Que tes fontaines ruissellent au-dehors, et partage tes eaux sur les places. »* Car il est dans l'ordre qu'il boive d'abord lui-même et qu'ensuite sa prédication abreuve les autres. Faire ruisseler les fontaines au-dehors, c'est infuser du dehors dans les autres la force de la parole prêchée. Partager ses eaux sur les places, c'est devant un large auditoire mettre les paroles divines à la portée de tous, suivant la qualité de chacun[2]. Et comme d'ordinaire l'appétit de la vaine gloire s'éveille quand la parole de Dieu court instruire un grand nombre d'hommes, après qu'il a été dit : *« partage tes eaux sur les places »,* il est ajouté avec raison : *« possède-les seul, et que des étrangers n'y aient point part avec toi. »* Étrangers, les esprits mauvais, dont le prophète fait dire à un personnage tenté : *« Des étrangers se sont levés contre moi et des hommes robustes en veulent à ma vie[h]. »* Il est donc déclaré : *« Partage tes eaux sur les places et cependant possède-les seul. »* C'est dire en clair : « Il est indispensable que tu te consacres au-dehors à la prédication, mais sans avoir de contacts par l'orgueil avec les esprits impurs, de peur de laisser venir à toi tes ennemis, comme tes associés dans la prédication de la parole divine. » Nous partageons donc les eaux sur les places et cependant les possédons seuls, quand notre parole se répand largement au-dehors, sans que par elle nous ayons la moindre recherche des louanges humaines.

p. 294) souligne la nouveauté introduite par Grégoire par rapport à la rhétorique antique ; celle-ci se souciait des circonstances ou des types de discours, tandis que Grégoire s'attache à la nature des auditeurs. Cf. aussi M. BANNIARD, « *Iuxta uniuscuiusque qualitatem.* L'écriture médiatrice chez Grégoire le Grand », *Colloque de Chantilly*, p. 477-488.

CAPVT XXV

Quod aliter ammonendi sunt qui cum praedicare digne ualeant, prae nimia humilitate formidant, atque aliter quos a praedicatione imperfectio uel aetas prohibet et tamen praecipitatio impellit.

XLIX 5 Aliter ammonendi sunt qui cum praedicare digne ualeant, prae nimia humilitate formidant, atque aliter ammonendi sunt quos a praedicatione imperfectio uel aetas prohibet, et tamen praecipitatio impellit. Ammonendi namque sunt qui cum praedicare utiliter possunt, im-
10 moderata tamen humilitate refugiunt, ut ex minori consideratione colligant, quantum in maioribus rebus delinquant. Si enim indigentibus proximis ipsi quas haberent pecunias absconderent, adiutores procul dubio calamitatis exstitissent. Quo igitur reatu constringantur aspiciant, qui
15 dum peccantibus fratribus uerbum praedicationis subtrahunt, morientibus mentibus uitae remedia abscondunt. Vnde et bene quidam sapiens dicit : *Sapientia abscondita et thesaurus inuisus, quae utilitas in utrisque*[a] ? Si populos fames attereret, et occulta ipsi frumenta seruarent, auc-
20 tores procul dubio mortis exsisterent. Qua itaque plectendi sunt poena considerent, qui cum fame uerbi animae pereant, ipsi panem perceptae gratiae non ministrant. Vnde et bene per Salomonem dicitur : *Qui abscondit frumenta, maledicetur in populis*[b]. Frumenta quippe abs-
25 condere, est praedicationis sanctae apud se uerba retinere.

XXV a. Sir. 20, 32 (30) || b. Prov. 11, 26

CHAPITRE 25

Il faut avertir différemment ceux qui, bien doués pour prêcher, redoutent de le faire par une humilité excessive, et ceux à qui leur insuffisance ou leur âge interdit la prédication et cependant s'y lancent étourdiment.

Il faut avertir différemment ceux qui, bien doués pour prêcher, redoutent de le faire par une humilité excessive, et ceux à qui leur insuffisance ou leur âge interdit la prédication et cependant s'y lancent étourdiment. Il faut avertir ceux qui peuvent prêcher avec fruit et cependant se dérobent par une humilité exagérée : que réfléchissant sur un cas de moindre importance ils concluent à la gravité plus grande de leur manquement. Supposons en effet qu'ils cachent à des proches dans le besoin des sommes d'argent qu'eux ils possèdent ; ils seraient pour quelque chose dans leur détresse. Qu'ils voient donc la faute dont ils ont à répondre ; en refusant de prêcher la parole à des pécheurs, leurs frères, ils soustraient à des âmes mourantes les remèdes qui font vivre. Un sage l'a fort bien dit : *« Sagesse cachée et trésor invisible, à quoi servent l'une et l'autre*[a] *? »* Si, la famine minant des peuples, ils tenaient cachés leur froment, ils seraient sans aucun doute cause de morts. Qu'ils considèrent donc de quelle peine ils doivent être frappés, quand des âmes périssent de la faim de la parole, et qu'ils ne leur présentent pas le pain qu'ils ont reçu par grâce. De là le mot très juste de Salomon : *« Celui qui cache le froment sera maudit parmi les peuples*[b]. *»* Cacher le froment, c'est retenir en soi la parole à saintement proclamer. On est

In populis autem talis quisque maledicitur, quia in solius culpa silentii pro multorum, quos corrigere potuit, poena damnatur. Si medicinalis artis minime ignari secandum uulnus cernerent, et tamen secare recusarent, profecto
30 peccatum fraternae mortis ex solo torpore committerent. Quanta ergo culpa inuoluantur aspiciant, qui dum cognoscant uulnera mentium, curare ea neglegunt sectione uerborum. Vnde et bene per prophetam dicitur : *Maledictus qui prohibet gladium suum a sanguine*[c]. Gladium
35 quippe a sanguine prohibere, est praedicationis uerbum a carnalis uitae interfectione retinere. De quo rursum gladio dicitur : *Et gladius meus manducabit carnes*[d].

Hi itaque cum apud se sermonem praedicationis occultant, diuinas contra se sententias terribiliter audiant,
40 quatinus ab eorum cordibus timorem timor expellat. Audiant quod talentum qui erogare noluit, cum sententia damnationis amisit[e]. Audiant quod Paulus eo se a proximorum sanguine mundum credidit, quo feriendis eorum uitiis non pepercit, dicens : *Contestor uos hodierna die,*
45 *quia mundus sum a sanguine omnium ; non enim subterfugi quominus annuntiarem omne consilium Dei uobis*[f]. Audiant quod uoce angelica Iohannes ammonetur, cum dicitur : *Qui audit, dicat : Veni*[g]. Vt nimirum cui se uox interna insinuat, illuc etiam clamando alios quo ipse rapitur
50 trahat, ne clausas fores etiam uocatus inueniat, si uocanti uacuus appropinquat. Audiant quod Esaias quia a uerbi ministerio tacuit, illustratus superno lumine, magna uoce paenitentiae se ipse reprehendit, dicens : *Vae mihi quia tacui*[h]. Audiant quod per Salomonen in illum praedica-

XXV, 31 cognoscant *T E* : -cunt *B* μ

c. Jér. 48, 10 ‖ d. Deut. 32, 42 ‖ e. Cf. Matth. 25, 14-30 ‖ f. Act. 20, 26-27 ‖ g. Apoc. 22, 17 ‖ h. Is. 6, 5

maudit par les peuples, parce qu'on est condamné pour la seule faute de son silence, en raison des châtiments du grand nombre d'autres qu'on aurait pu remettre sur le droit chemin. Si des hommes connaissant fort bien l'art de guérir et voyant une plaie à débrider, refusaient de le faire, ils se rendraient évidemment coupables de la mort d'un frère par leur seule inertie. Dès lors, qu'ils voient, ces gens, dans quelle faute ils sombrent, eux qui connaissent les maladies des âmes et négligent de les soigner par le fer de la parole. Aussi est-il dit avec justesse par le prophète : *« Maudit, qui refuse le sang à son glaive*[c]. *»* Refuser le sang à son glaive, c'est empêcher la parole prêchée de faire mourir la vie charnelle. De ce glaive il est dit encore : *« Et mon glaive se repaîtra de chair*[d]. *»*

Ainsi donc, quand ils gardent cachée par devers eux la parole à prêcher, que ces hommes écoutent en tremblant les sentences divines portées contre eux, en sorte que la crainte chasse de leur cœur la crainte. Qu'ils écoutent : « Celui qui n'a pas voulu distribuer son talent l'a perdu[e]. » Qu'ils écoutent : Paul s'est cru innocent du sang de ses concitoyens, parce qu'il n'a pas épargné les coups contre leurs vices : *« Je l'atteste aujourd'hui devant vous : je suis innocent de votre sang à tous, car je ne me suis pas dérobé quand il fallait vous annoncer tout le dessein de Dieu sur vous*[f]. *»* Qu'ils écoutent Jean, averti par la voix de l'ange : *« Que celui qui écoute dise : Viens*[g]. *»* Si la voix murmure au-dedans de lui, c'est pour que, parlant bien haut, il attire les autres là où lui-même est ravi, de peur qu'il n'y trouve les portes closes, tout appelé qu'il était, s'il s'approchait les mains vides de celui qui l'avait appelé. Qu'ils écoutent Isaïe se reprocher d'une grande voix repentante, inondé de la lumière d'en haut, d'avoir manqué en se taisant de servir la parole : *« Malheur à moi, parce que je me suis tu*[h]. *»* Qu'ils écoutent la promesse que fit Salomon : la science de la

55 tionis scientia multiplicari promittitur, qui in hoc quod iam obtinuit, torporis uitio non tenetur. Ait namque : *Anima quae benedicit, impinguabitur ; et qui inebriat, ipse quoque inebriabitur*[i]. Qui enim exterius praedicando benedicit, interioris augmenti pinguedinem recipit, et dum 60 uino eloquii auditorum mentem debriare non desinit, potu multiplicati muneris debriatus excrescit. Audiant quod Dauid hoc Deo in munere obtulit, quod praedicationis gratiam quam acceperat non abscondit, dicens : *Ecce labia mea non prohibebo, Domine, tu cognouisti ; 65 iustitiam tuam non abscondi in corde meo, ueritatem tuam et salutare tuum dixi*[j].

Audiant quod sponsi colloquio ad sponsam dicitur : *Quae habitas in hortis, amici auscultant ; fac me audire uocem tuam*[k]. Ecclesia quippe in hortis habitat, quae ad 70 uiriditatem intimam exculta plantaria uirtutum seruat. Cuius uocem amicos auscultare est electos quosque uerbum praedicationis illius desiderare ; quam uidelicet uocem sponsus audire desiderat, quia ad praedicationem eius per electorum suorum animas anhelat. Audiant quod 75 Moyses cum irascentem Deum populo cerneret, et assumi ad ulciscendum gladios iuberet ; illos a parte Dei denuntiauit exsistere, qui delinquentium scelera incunctanter ferirent, dicens : *Si quis est Domini, iungatur mihi ; ponat uir gladium super femur suum ; ite et redite de porta usque 80 ad portam per medium castrorum, et occidat unusquisque fratrem, et amicum, et proximum suum*[l]. Gladium quippe super femur ponere est praedicationis studium uoluptatibus carnis anteferre, ut cum sancta quis studet dicere, curet necesse est illicitas suggestiones edomare. De porta 85 uero usque ad portam ire est a uitio usque ad uitium, per quod ad mentem mors ingreditur, increpando dis-

i. Prov. 11, 25 ‖ j. Ps. 39, 10-11 ‖ k. Cant. 8, 13 ‖ l. Ex. 32, 26-27

prédication ne cessera de croître en celui qui, l'ayant déjà obtenue un peu, ne sera pas retenu par une vicieuse inertie : « *Mets succulents à l'âme qui bénit, et vins capiteux à qui sert des vins capiteux*[i]. » Oui, celui qui bénit au-dehors en prêchant reçoit au-dedans accroissement de mets succulents ; et en ne cessant d'enivrer ses auditeurs du vin de la parole, il est, par une multiplication du don reçu, enivré d'une joie grandissante. Qu'ils écoutent David faisant son offrande à Dieu, celle de la prédication, grâce reçue de lui, et qu'il ne mit pas sous le boisseau : « *Voici que je ne clorai pas mes lèvres, Seigneur, tu le sais ; je n'ai pas caché ta justice dans mon cœur, j'ai dit ta vérité et ton salut*[j]. »

Qu'ils écoutent ce qui est dit à l'épouse dans son colloque avec l'époux : « *Toi qui habites dans les jardins : mes amis prêtent l'oreille, fais-moi entendre ta voix*[k]. » L'Église habite dans les jardins, attentive qu'elle est à cultiver les vertus, jeunes plantes qui verdoient aux enclos du dedans. Les amis qui prêtent l'oreille à sa voix, ce sont les élus, qui désirent la prédication de la parole ; et l'époux désire, au vrai, entendre sa voix, car il soupire après sa parole dans les âmes de ses élus. Qu'ils écoutent ce que fit Moïse quand il vit Dieu irrité contre son peuple et ordonna de prendre des glaives vengeurs : ceux-là se placeraient du côté de Dieu, proclama-t-il, qui frapperaient sans hésiter les scélératesses des coupables : « *Si quelqu'un est l'homme du Seigneur, qu'il se joigne à moi ; que chaque guerrier mette son glaive par-dessus sa cuisse ; allez et venez d'une porte à l'autre au milieu du camp ; et que chacun tue son frère, son ami et son proche*[l]. » Mettre son glaive par-dessus sa cuisse, c'est préférer le zèle de la prédication aux voluptés de la chair : qui s'efforce d'exprimer les vérités saintes doit avoir soin de réprimer les incitations illicites. Aller d'une porte à l'autre, c'est poursuivre de ses invectives, l'un après l'autre, ces vices

currere. Per medium uero castrorum transire, est tanta aequalitate intra Ecclesiam uiuere, ut qui delinquentium culpas redarguit, in nullius se debeat fauore declinare.
90 Vnde et recte subiungitur : *Occidat uir fratrem et amicum et proximum suum*. Fratrem scilicet et amicum et proximum interficit, qui cum punienda inuenit, ab increpationis gladio nec eis quos per cognationem diligit parcit. Si ergo ille Dei dicitur qui ad ferienda uitia zelo diuini
95 amoris excitatur, profecto esse se Dei denegat, qui in quantum sufficit, increpare uitam carnalium recusat.

At contra ammonendi sunt quos a praedicationis officio uel imperfectio, uel aetas prohibet, et tamen praecipitatio impellit, ne dum tanti sibi onus officii praecipi-
100 tatione arrogant, uiam sibi subsequentis meliorationis abscidant, et cum arripiunt intempestiue quod non ualent, perdant etiam quod implere quandoque tempestiue potuissent, atque scientiam, quia incongrue conantur ostendere, iuste ostendantur amisisse. Ammonendi sunt ut
105 considerent quod pulli auium si ante pennarum perfectionem uolare appetunt, unde ire in alta cupiunt, inde in ima merguntur. Ammonendi sunt ut considerent quod, structuris recentibus necdumque solidatis, si tignorum pondus superponitur, non habitaculum, sed ruina fabri-
110 catur. Ammonendi sunt, ut considerent quod conceptas suboles feminae si priusquam plene formentur proferunt, nequaquam domos, sed tumulos replent. Hinc est enim

89 in ... fauorem μ

---

1. Sur les oiseaux qui cherchent à voler avant d'avoir des ailes, cf. AUGUSTIN, *Serm.* Caillau II, 11, 6 : *Aduertite hoc in auibus : omnes auis portat pennas suas ... Detrahant onus et cadent.*

2. L'image des poutres et des structures non consolidées fait peut-être apercevoir le rôle de bâtisseur ou de restaurateur de monuments

par lesquels la mort entre dans une âme. Passer au milieu du camp, c'est vivre si impartial à l'intérieur de l'Église qu'en reprenant les coupables pour leurs fautes on n'ait de faveur pour personne. Aussi le texte ajoute-t-il avec raison : *« que chaque guerrier tue son frère, son ami et son proche »*. Mettre à mort son frère, son ami et son proche, c'est, lorsqu'on trouve à punir, n'épargner personne du glaive de la parole, fût-ce ceux qu'on aime à cause des liens du sang. Dès lors, si celui-là est dit être l'homme du Seigneur que le zèle du divin amour pousse à châtier les vices, on nie bien sûr qu'on le soit si l'on refuse de réprimander, autant qu'on le peut, ceux qui vivent selon la chair.

Par contre il faut avertir ceux à qui leur insuffisance ou leur âge interdit le ministère de la prédication, et qui cependant s'y lancent étourdiment : en s'attribuant étourdiment la charge d'un ministère aussi important ils se couperaient le chemin du progrès, et en s'arrogeant avant l'heure ce dont ils sont incapables ils seraient privés du fruit qu'à son heure ils auraient pu produire ; et cette science qu'ils s'efforcent inopportunément de montrer, ils montreraient au contraire qu'ils l'ont très justement perdue. Il faut les avertir d'observer les petits des oiseaux : s'ils s'empressent de voler avant la pleine croissance de leurs ailes, l'essor désiré vers les hauteurs se fait pour eux plongée dans l'abîme[1]. Il faut les avertir de bien voir que si une construction récente n'est pas encore solide et qu'on la charge du poids de la charpente, ce n'est pas une demeure qu'on bâtit, mais une ruine[2]. Il faut les avertir de bien voir que si les femmes mettent au jour les enfants qu'elles ont conçus avant qu'ils ne soient pleinement formés, ce ne sont pas des maisons qu'elles

exercé par Grégoire (cf. *infra*, p. 508, n. 1, sur la construction d'une charpente).

quod ipsa Veritas, quae repente quos uellet roborare potuisset, ut exemplum sequentibus daret, ne imperfecti
115 praedicare praesumerent, postquam plene discipulos de uirtute praedicationis instruxit, ilico adiunxit : *Vos autem sedete in ciuitate quoadusque induamini uirtute ex alto*[m]. In ciuitate quippe considemus, si intra mentium nostrarum nos claustra constringimus, ne loquendo exterius
120 euagemur, ut cum uirtute diuina perfecte induimur, tunc quasi a nobismetipsis foras etiam alios instruentes exeamus. Hinc per quendam sapientem dicitur : *Adulescens loquere in causa tua uix ; et si bis interrogatus fueris, habeat initium responsio tua*[n]. Hinc est quod idem re-
125 demptor noster, cum in caelis sit conditor, et ostensione suae potentiae semper doctor angelorum, ante tricennale tempus in terra magister fieri noluit hominum, ut uidelicet praecipitatis uim saluberrimi timoris infunderet, cum ipse etiam, qui labi non posset, perfectae uitae gratiam non
130 nisi perfecta aetate praedicaret. Scriptum quippe est : *Cum factus esset annorum duodecim, remansit puer Iesus in Hierusalem*[o]. De quo a parentibus requisito, paulo post subditur : *Inuenerunt illum in templo sedentem in medio doctorum, audientem illos et interrogantem*[o]. Vigi-
135 lanti itaque consideratione pensandum est, quod cum Iesus annorum duodecim dicitur in medio doctorum sedens, non docens, sed interrogans inuenitur. Quo exemplo scilicet ostenditur ne infirmus docere quis audeat, si ille puer doceri interrogando uoluit, qui per diuinitatis
140 potentiam uerbum scientiae ipsis suis doctoribus minis-

m. Lc 24, 29 || n. Sir. 32, 10-11 (7-8) || o. Lc 2, 42-43.46

---

1. « Il leur ouvrit l'intelligence des Écritures », et leur déclara que selon les Écritures sa passion, sa résurrection, la rémission des péchés, seraient proclamées dans toutes les nations (*Lc* 24, 45-48). Mais la force de cette prédication vient de l'Esprit, qu'ils ont à recevoir. Il faut

remplissent, mais des tombeaux. Voilà pourquoi la Vérité, le Christ, qui aurait pu rendre forts en un instant ceux qu'il voulait, mais entendait donner un exemple à leurs successeurs pour qu'ils n'aient pas la présomption de prêcher encore imparfaits, leur dit, aussitôt qu'il les eut instruits pleinement au sujet de la force de la prédication[1] : *« Pour vous, demeurez dans la cité, jusqu'à ce que vous soyez revêtus de la force d'en haut[m]. »* Nous demeurons dans la cité si nous nous renfermons au-dedans du cloître de nos âmes, sans nous répandre au-dehors en paroles : revêtus pleinement de la force divine, nous pourrons sortir en quelque sorte de nous-mêmes en instruisant aussi les autres. De là le mot d'un sage : *« Jeune homme, de ton affaire, parle à peine ; et si tu es interrogé deux fois, alors commence à répondre[n]. »* Voilà pourquoi notre rédempteur, lui encore, qui est au ciel le créateur des anges et sans cesse leur docteur, leur découvrant sa puissance, n'a pas voulu se faire le maître des hommes avant la trentaine, pour inspirer aux impatients une vive et salutaire crainte : lui qui ne pouvait faillir, il n'a prêché le don de la plénitude de la vie que dans la plénitude de l'âge. Il est écrit : *« Quand il eut douze ans, l'enfant Jésus resta à Jérusalem[o]. »* Lorsqu'il fut recherché par ses parents, il est dit de lui peu après : *« Ils le trouvèrent dans le Temple, assis au milieu des docteurs, les écoutant et les interrogeant[o]. »* Réfléchissons attentivement : quand à douze ans, nous dit-on, Jésus était assis au milieu des docteurs, on le trouva en train d'interroger. Cet exemple montre qu'un homme faible ne doit pas avoir la hardiesse d'enseigner, s'il est vrai que l'enfant a voulu s'instruire en interrogeant, lui qui a muni ses docteurs mêmes de la parole qui éclaire par la puis-

remarquer, dans ces lignes assez difficiles, la correspondance ... *uirtute* ... *uirtute* ... et ... *instruxit* ... *instruentes*.

trauit. Cum uero per Paulum discipulo dicitur : *Praecipe haec et doce : nemo adulescentiam tuam contemnat*[p], sciendum nobis est quia in sacro eloquio aliquando adulescentia iuuentus uocatur. Quod citius ostenditur, si Salo-
145 monis ad medium uerba proferantur, qui ait : *Laetare iuuenis in adulescendia tua*[q]. Si enim unum esse utraque non decerneret, quem monebat in adulescentia, iuuenem non uocaret.

CAPVT XXVI

Quod aliter ammonendi sunt qui in hoc quod temporaliter appetunt prosperantur atque aliter qui ea quidem quae mundi sunt concupiscunt sed tamen aduersitatis labore fatigantur.

L 5 Aliter ammonendi sunt qui in hoc, quod temporaliter appetunt, prosperantur ; atque aliter qui ea quidem quae mundi sunt concupiscunt, sed tamen aduersitatis labore fatigantur. Ammonendi namque sunt qui in hoc, quod temporaliter appetunt, prosperantur, ne cum cuncta ad
10 uotum suppetunt, dantem quaerere neglegant, sed in his quae dantur animum figant, ne peregrinationem pro patria diligant, ne subsidia itineris in obstacula peruentionis uertant, ne nocturno lunae lumine delectati, claritatem solis uidere refugiant. Ammonendi itaque sunt ut
15 quaeque in hoc mundo consequuntur, calamitatis solacia, non autem praemia retributionis credant, sed contra

p. I Tim. 4, 12 || q. Eccl. 11, 9.

1. Cf. *Hom. Éz* I, 2, 3 (*CCL* 142, p. 19 = *SC* 327, p. 87). On constatera ici aussi la propension à résoudre une contradiction de l'Écriture.

sance de sa divinité. Quand Paul par ailleurs dit à son disciple : *« Prescris cela et enseigne-le ; que personne ne méprise ton adolescence*[p] *»,* il faut savoir que dans le texte sacré la jeunesse est appelée parfois adolescence[1]. On a tôt fait de le montrer en citant le mot de Salomon : *« Réjouis-toi, jeune homme, en ton adolescence*[q]. *»* S'il ne remarquait pas que c'est tout un, il n'aurait pas appelé « jeune homme » celui qu'il avertissait en son adolescence.

CHAPITRE 26

Il faut avertir différemment ceux qui ont les succès temporels qu'ils désirent, et ceux qui, pleins de convoitises mondaines, plient sous le poids de lourds revers.

Il faut avertir différemment ceux qui ont les succès temporels qu'ils désirent, et ceux qui, pleins de convoitises mondaines, plient sous le poids de lourds revers. Il faut avertir ceux qui ont les succès temporels qu'ils désirent de ne pas négliger, quand tout leur arrive à souhait, de chercher le donateur et de ne pas attacher leur cœur aux dons, de ne pas aimer le voyage au lieu de la patrie, de ne pas changer les secours donnés pour la route en obstacles qui la barrent, de ne pas se dérober au rayonnement du soleil en se laissant charmer par la clarté nocturne de la lune[2]. Il faut donc les avertir de croire que ce qu'ils obtiennent en ce monde est soulagement de leur misère et non récompense de leur labeur, et de faire

2. Cette image opposant la lune et le soleil peut êre rapprochée de la doctrine de la contemplation chez Grégoire, mystique de la lumière, par opposition aux mystiques de la nuit comme Jean de la Croix (cf. GILLET, « Grégoire », c. 895-896).

fauores mundi mentem erigant, ne in eis ex tota cordis delectatione succumbant. Quisquis enim prosperitatem qua utitur, apud iudicium cordis, melioris uitae amore
20 non reprimit, fauorem uitae transeuntis in mortis perpetuae occasionem uertit. Hinc est enim quod sub Idumaeorum specie, qui uincendos se prosperitati suae reliquerant, in huius mundi successibus laetantes increpantur, cum dicitur : *Dederunt terram meam sibi in heredi-*
25 *tatem cum gaudio, et toto corde, et ex animo*[a]. Quibus uerbis perpenditur, quod non solum quia gaudeant, sed quod toto corde et ex animo gaudeant, districta reprehensione feriantur. Hinc Salomon ait : *Auersio paruulorum interficiet eos, et prosperitas stultorum perdet illos*[b].
30 Hinc Paulus ammonet dicens : *Qui emunt, tamquam non possidentes, et qui utuntur hoc mundo, tamquam non utantur*[c]. Vt uidelicet sic nobis quae suppetunt exterius seruiant, quatinus a supernae delectationis studio animum non inflectant, ne luctum nobis internae peregrinationis
35 temperent ea quae in exsilium positis subsidium praebent, et quasi felices nos in transitoriis gaudeamus, qui ab aeternis nos interim miseros cernimus.

Hinc namque est quod electorum uoce dicit Ecclesia : *Laeua eius sub capite meo, et dextera illius amplexabitur*
40 *me*[d]. Sinistram Dei prosperitatem uidelicet uitae praesentis, quasi sub capite posuit, quam intentione summi amoris premit. Dextera uero Dei eam amplectitur, quia sub aeterna eius beatitudine tota deuotione continetur. Hinc rursum per Salomonem dicitur : *Longitudo dierum*
45 *in dextera eius, in sinistra uero illius diuitiae et gloria*[e].

XXVI, 22 reliquerant *T E B* : -runt *μ*

XXVI a. Éz. 36, 5 || b. Prov. 1, 32 || c. I Cor. 7, 30-31 || d. Cant. 2, 6 || e. Prov. 3, 16

que leur âme se dresse en face des faveurs du monde sans y céder par totale délectation du cœur. Quiconque en effet, en son for intérieur, ne remet pas à leur humble rang les succès dont il jouit, par l'amour d'une vie meilleure, fait que la faveur de la vie qui passe occasionne une mort perpétuelle. Voilà pourquoi ces hommes qui, figurés par les Iduméens, s'étaient abandonnés à la prospérité qui va les vaincre, sont réprimandés de mettre leur joie dans leurs réussites en ce monde : « *Ils se sont attribués ma terre en héritage, avec joie, et de tout leur cœur, de toute leur âme*[a]. » Ces paroles ont leur poids : ce n'est pas pour une simple joie, mais pour une joie goûtée de tout leur cœur, de toute leur âme, qu'ils sont sévèrement réprimandés. D'où la parole de Salomon : « *L'égarement de ces bambins les tuera, et la prospérité de ces sots les perdra*[b]. » D'où l'avertissement de Paul : « *Que ceux qui achètent soient comme ne possédant pas, et ceux qui usent de ce monde comme n'en usant pas*[c]. » Cela évidemment pour que les biens mis à notre disposition à l'extérieur nous servent sans détourner notre cœur de rechercher les délices d'en haut : que ne tempère pas notre tristesse de voyageurs du dedans ce qui est pour nous un simple secours dans notre exil, que nous ne mettions pas notre joie dans les biens passagers, nous croyant heureux, alors qu'en l'absence des biens éternels nous nous voyons misérables.

Voilà pourquoi l'Église dit par la voix des élus : « *Sa main gauche est sous ma tête, et sa droite m'étreindra*[d]. » La prospérité de la vie présente, main gauche de Dieu, elle l'a placée pour ainsi dire sous sa tête, l'y refoulant, aspirant à l'amour souverain. Mais la droite de Dieu l'étreint, parce qu'elle est fermement tenue sous son éternelle béatitude par un don total d'elle-même. Aussi est-il dit à nouveau par Salomon : « *Longueur de jours dans sa main droite, et dans la gauche richesse et gloire*[e]. »

Diuitiae itaque et gloria qualiter sint habenda docuit, quae posita in sinistra memorauit. Hinc psalmista ait : *Saluum me fac dextera tua*[f]. Neque enim ait manu, sed *dextera,* ut uidelicet cum dexteram diceret, quia aeternam
50 salutem quaereret, indicaret. Hinc rursum scriptum est : *Dextera manus tua, Domine, confregit inimicos*[g]. Hostes enim Dei etsi in sinistra eius proficiunt, dextera franguntur quia plerumque prauos uita praesens eleuat, sed aduentus aeternae beatitudinis damnat.

55 Ammonendi sunt qui in hoc mundo prosperantur, ut sollerter considerent quod praesentis uitae prosperitas aliquando idcirco datur, ut ad meliorem uitam prouocet, aliquando uero, ut in aeternum plenius damnet. Hinc est enim quod plebi Israheliticae Chanaan terra promittitur,
60 ut quandoque ad aeterna speranda prouocetur[h]. Neque enim rudis ille populus promissionibus Dei in longinquum crederet, si a promissore suo non etiam e uicino aliquid percepisset. Vt ergo ad aeternorum fidem certius roboretur, nequaquam solummodo spe ad res, sed rebus
65 quoque ad spem trahitur. Quod liquido psalmista testatur, dicens : *Dedit eis regiones gentium, et labores populorum possederunt, ut custodiant iustificationes eius et legem eius exquirant*[i]. Sed cum largientem Deum humana mens boni operis responsione non sequitur, unde nutrita
70 pie creditur, iustus inde damnatur. Hinc enim per psalmistam rursum dicitur : *Deiecisti eos, cum alleuarentur*[j]. Quia uidelicet reprobi cum recta opera diuinis muneribus non rependunt, cum totos se hic deserunt, et affluentibus prosperitatibus dimittunt, unde exterius proficiunt, inde
75 ab intimis cadunt. Hinc est quod in inferno cruciato diuiti dicitur : *Recepisti bona in uita tua*[k]. Idcirco enim

49 dextra *T (sic fere semper)*

---

f. Ps. 107, 7 || g. Ex. 15, 6 || h. Cf. Ex. 3, 8 || i. Ps. 104, 44-45 || j. Ps. 72, 18 || k. Lc 16, 25

La richesse et la gloire, il a enseigné comment les regarder, en mentionnant qu'elles sont placées dans la main gauche. D'où le mot du psalmiste : *« Sauve-moi par ta droite*[f]. » Il n'a pas dit « par ta main », mais *« par ta droite »,* pour indiquer évidemment qu'il demandait le salut éternel. D'où cet autre texte : *« Ta main droite, Seigneur, a mis en pièces tes ennemis*[g]. » Les ennemis de Dieu peuvent bien prospérer à sa gauche ; ils sont brisés par sa droite, car si d'ordinaire la vie présente élève les dévoyés, la venue de la béatitude éternelle les condamne.

Il faut avertir ceux qui réussissent en ce monde de considérer avec soin que le succès dans la vie présente est donné parfois pour inciter à une vie meilleure, mais parfois pour une condamnation éternelle plus rigoureuse. C'est pourquoi la terre de Canaan est promise au peuple d'Israël pour l'inciter à espérer un jour les biens éternels[h]. Car ce peuple enfant n'aurait pas cru aux lointaines promesses de Dieu s'il n'avait bientôt reçu quelque chose de celui qui les faisait. Pour que sa foi aux biens éternels soit plus sûrement fortifiée, il n'est pas seulement attiré par l'espérance à des réalités, mais aussi par des réalités à l'espérance. Le psalmiste l'atteste clairement : *« Il leur donna les terres des nations, et ils entrèrent en possession du travail des peuples, afin qu'ils gardent ses préceptes et observent sa loi*[i]. » Seulement, lorsque l'âme humaine, à la suite de son Dieu, ne répond pas à ses largesses par l'action bienfaisante, la bonté dont on la croit amoureusement nourrie rend plus juste sa condamnation. De là cette autre parole du psalmiste : *« Tu les as fait tomber, alors qu'ils étaient en train d'être élevés*[j]. » Oui, quand les réprouvés ne paient pas de retour les largesses de Dieu par des actes bons, quand ils se laissent aller tout entiers ici-bas et s'abandonnent aux bonheurs qui affluent, leurs succès au-dehors causent au-dedans leur chute. Voilà pourquoi il est dit au riche tourmenté aux enfers : *« Tu as reçu le bien pendant ta vie*[k]. » S'il a reçu ici le bien,

bona hic recepit et malus, ut illic plenius mala reciperet, quia hic fuerat nec per bona conuersus.

At contra ammonendi sunt, qui ea quidem quae mundi 80 sunt concupiscunt, sed tamen aduersitatis labore fatigantur, ut sollicita consideratione perpendant Creator dispositorque cunctorum quanta super eos gratia uigilat, quos in sua desideria non relaxat. Aegro quippe quem medicus desperat, concedit ut cuncta quae concupiscit 85 accipiat. Nam qui sanari posse creditur, a multis quae appetit prohibetur, et pueris nummos subtrahimus, quibus tota simul patrimonia heredibus reseruamus. Hinc ergo de spe aeternae hereditatis gaudium sumant, quos aduersitas uitae temporalis humiliat, quia nisi saluandos 90 in perpetuum cerneret, erudiendos sub disciplinae regimine diuina dispensatio non frenaret. Ammonendi itaque sunt qui in his quae temporaliter concupiscunt, aduersitatis labore fatigantur, ut sollicite considerent, quod plerumque etiam iustos cum temporalis potentia sustulit, 95 uelut in laqueum culpa comprehendit. Nam sicut in priori huius uoluminis parte iam diximus, Dauid Deo amabilis rectior fuit in seruitium, quam cum peruenit ad regnum. Seruus namque amore iustitiae deprehensum aduersarium ferire timuit[l] ; rex autem persuasione luxuriae deuotum 100 militem etiam sub studio fraudis extinxit[m]. Quis ergo opes, quis potestatem, quis gloriam quaerat innoxie, si et illi exstiterunt noxia, qui haec habuit non quaesita ? Quis inter haec sine magni discriminis labore saluabitur, si ille in his culpa interueniente turbatus est, qui ad haec 105 fuerat Deo eligente praeparatus ? Ammonendi sunt ut considerent, quod Salomon qui post tantam sapientiam

l. Cf. I Sam. 24 || m. Cf. II Sam. 11-12

---

1. Grégoire souligne ici lui-même (cf. 1, 3, l. 36-44) le jeu de renvois entre les deux premières parties d'une part et la troisième partie d'autre part, jeu implicite d'ailleurs (cf. JUDIC, « Structure et fonction »).

quoique mauvais, c'était pour recevoir là-bas, plus abondant, le mal, puisqu'ici le bien lui-même ne l'avait pas converti.

Par contre il faut avertir ceux qui ont des convoitises mondaines, mais plient sous le poids de lourds revers, de considérer avec attention combien le Dieu qui crée et dispose toutes choses veille sur eux avec bonté quand il ne les abandonne pas à leurs désirs. Au malade dont il désespère le médecin permet de prendre tout ce qui lui fait envie. S'il croit sa guérison possible, il s'oppose à nombre de ses désirs. On refuse des écus à ses enfants, leur réservant l'héritage du patrimoine entier. Qu'ils trouvent donc leur joie dans l'espérance de l'héritage éternel, ceux que l'adversité humilie au cours de la vie du temps ; car si elle ne voyait en eux des hommes à sauver pour toujours, la providence divine ne leur imposerait pas, comme à des écoliers à instruire, le frein de la sévérité. Il faut donc avertir ceux qui, convoitant les biens du temps, plient sous le poids des revers, de considérer avec attention que des justes eux-mêmes, exaltés par leur puissance temporelle, ont été par leur faute pris aux mailles du filet. Comme nous l'avons dit dans la première partie de ce livre[1], David, l'aimé de Dieu, fut plus juste quand il était vassal que lorsqu'il fut roi. Vassal, il craignit, par amour de la justice, de frapper un adversaire surpris sans défense[l] ; roi, poussé par la luxure, il fit périr un soldat dévoué, et cela par une ruse bien méditée[m]. Alors, qui pourrait rechercher sans dommage la richesse, la puissance et la gloire, si richesse, puissance et gloire furent nuisibles à un homme qui les eut sans les avoir cherchées ? Au milieu d'elles, qui sera sauvé, sans un difficile combat, si elles troublèrent d'un coupable égarement un homme qui y avait été préparé par le choix de Dieu ? Il faut avertir ces gens de considérer le cas de Salomon, tombé, dit le récit biblique,

usque ad idolatriam cecidisse describitur[n], nil in hoc mundo priusquam caderet, aduersitatis habuisse memoratur, sed concessa sapientia funditus cor deseruit, quod
110 nulla uel minima tribulationis disciplina custodiuit.

CAPVT XXVII

Quod aliter ammonendi sunt coniugiis obligati atque aliter a coniugii nexibus liberi.

LI Aliter ammonendi sunt coniugiis obligati atque aliter a coniugii nexibus liberi. Ammonendi namque sunt
5 coniugiis obligati, ut cum uicissim quae sunt alterius cogitant, sic eorum quisque placere studeat coniugi, ut non displiceat conditori, sic ea quae huius mundi sunt agant, ut tamen appetere quae Dei sunt non omittant, sic de bonis praesentibus gaudeant, ut tamen intentione
10 sollicita mala aeterna pertimescant, sic de malis temporalibus lugeant, ut tamen consolatione integra spem in bonis perennibus figant, quatinus dum in transitu cognoscunt esse quod agunt, in mansione quod appetunt, nec mala mundi cor frangant, cum spes bonorum caeles-
15 tium roborat ; nec bona praesentis uitae decipiant, cum suspecta subsequentis iudicii mala contristant. Itaque animus Christianorum coniugum et infirmus et fidelis, qui et plene cuncta temporalia despicere non ualet, et tamen aeternis se coniungere per desiderium ualet, quamuis in
20 delectatione carnis interim iacet, supernae spei refectione

n. Cf. III Rois 11.

dans l'idolâtrie, après avoir été si sage[n] : avant sa chute on ne rapporte pas qu'il ait eu des revers en ce monde, mais la sagesse qui lui avait été accordée déserta complètement son cœur, que jamais ne préserva la leçon d'un revers même léger.

CHAPITRE 27

Il faut avertir différemment ceux qui sont engagés dans les liens du mariage et ceux qui sont libres.

Il faut avertir différemment ceux qui sont engagés dans les liens du mariage et ceux qui sont libres. Aux gens engagés dans les liens du mariage, il faut rappeler ceci. En pensant l'un et l'autre aux intérêts de l'autre, que chacun s'efforce de plaire à son conjoint sans déplaire à son créateur ; qu'ils s'occupent de leurs biens en ce monde sans omettre de rechercher les biens de Dieu ; qu'ils jouissent des bonheurs présents, mais gardent avec une vigilante attention la crainte des maux éternels ; qu'ils s'affligent des maux temporels, mais trouvent plein réconfort dans l'espérance bien ancrée des biens qui demeurent. Ainsi, conscients qu'est passager ce qu'ils font, durable ce qu'ils désirent, ils n'auront pas le cœur brisé par les maux de ce monde, fortifiés qu'ils seront par l'espérance des biens du ciel, et ils ne seront pas dupés par les bonheurs de la vie présente, car un regard levé vers le jugement qui suivrait et ses maux en assombrira l'image. A la fois faible et pleine de foi, incapable de mépriser pleinement toutes les joies du temps, et capable cependant de s'attacher aux joies éternelles par le désir, l'âme des époux chrétiens pourra bien, par intervalles, descendre jusqu'à goûter les joies de la chair, une haute

conualescat. Et si habet quae mundi sunt in usu itineris, sperat quae Dei sunt in fructu peruentionis, nec totum se ad hoc quod agit conferat, ne ab eo quod robuste sperare debuit funditus cadat.

25 Quod bene ac breuiter Paulus exprimit, dicens : *Qui habent uxores, tamquam non habentes sint ; et qui flent tamquam non flentes ; et qui gaudent, tamquam non gaudentes*[a]. Vxorem quippe quasi non habendo habet, qui sic per illam carnali consolatione utitur, ut tamen num- 30 quam ad praua opera a melioris intentionis rectitudine eius amore flectatur. Vxorem quasi non habendo habet, qui transitoria esse cuncta conspiciens, curam carnis ex necessitate tolerat sed aeterna gaudia spiritus ex desiderio exspectat. Non flendo autem flere est sic exteriora aduersa 35 plangere, ut tamen nouerit aeternae spei consolatione gaudere. Et rursum, non gaudendo gaudere est sic de infimis animum attollere, ut tamen numquam desinat summa formidare. Vbi apte quoque paulo post subdidit : *Praeterit enim figura huius mundi*[b]. Ac si aperte diceret : 40 Nolite constanter mundum diligere, quando et ipse non potest, quem diligitis, stare. Incassum cor quasi manentes figitis, dum fugit ipse quem amatis.

Ammonendi sunt coniuges, ut ea in quibus sibi aliquando displicent, et patientes inuicem tolerent, et exo- 45 rantes inuicem saluent. Scriptum namque est : *Inuicem onera uestra portate, et sic adimplebitis legem Christi*[c]. Lex quippe Christi caritas est, quae ex illo nobis et largiter sua bona contulit, et aequanimiter mala nostra

XXVII, 34 sic : si *T* || 44 exorantes *T E* : exhortantes *B* μ *(cf. l. 60)*

XXVII a. I Cor. 7, 29-30 || b. I Cor. 7, 31 || c. Gal. 6, 2

1. Cf. *Hom. Év.* II, 36, 12 (*PL* 76, 1273).

espérance refera ses forces. Si elle a en ce monde des biens pour qu'ils la servent sur sa route, elle espère les biens de Dieu pour en jouir au terme, et elle ne s'engage pas toute entière dans ce qu'elle fait, de peur de sombrer loin du bonheur qu'elle aurait dû fermement espérer.

Paul l'exprime clairement et fermement : *« Que ceux qui ont une femme soient comme s'ils n'en avaient pas, et ceux qui pleurent comme s'ils ne pleuraient pas, et ceux qui sont dans la joie comme s'ils n'étaient pas dans la joie*[a]. » Il a une femme comme s'il n'en avait pas, celui qui use, grâce à elle, de ce qui contente la chair, mais sans que son amour pour sa femme fasse jamais qu'il dévie, jusqu'à mal agir, du droit chemin qui monte. Il a une femme comme s'il n'en avait pas, celui qui, voyant bien que tout passe, se résigne par nécessité au soin de la chair, mais par le désir attend les joies éternelles de l'esprit. Pleurer sans pleurer, c'est s'affliger des épreuves extérieures, mais savoir goûter l'heureux réconfort d'une espérance éternelle. Inversement, se réjouir sans joie, c'est trouver dans d'infimes biens de quoi ragaillardir son cœur, mais ne jamais cesser de redouter ce qui est le comble du malheur[1]. Là Paul a ajouté peu après : *« Car elle passe, la figure de ce monde*[b]. » En clair, c'était dire : « N'ayez pas un amour stable du monde, alors que ce monde que vous aimez ne peut lui-même être stable. C'est en vain que vous y attachez votre cœur, comme si vous demeuriez, alors qu'il fuit, ce monde même que vous aimez. »

Il faut avertir les époux que s'ils se déplaisent parfois du fait de certains défauts, ils doivent se supporter l'un l'autre, par la patience, et par la prière se sauver l'un l'autre. Car il est écrit : *« Portez les fardeaux les uns des autres, et vous accomplirez ainsi la loi du Christ*[c]. » La loi du Christ, c'est la charité, qui puisant en lui nous a fait part largement de ses biens à lui, et a porté patiem-

portauit. Tunc ergo legem Christi imitando complemus,
50 quando et nostra bona benigne conferimus, et nostrorum
mala pie sustinemus. Ammonendi quoque sunt, ut eorum
quisque non tam quae ab altero tolerat, quam quae ab
ipso tolerantur attendat. Si enim sua quae portantur
considerat, ea quae ab altero sustinet, leuius portat.

55 Ammonendi sunt coniuges, ut suscipiendae prolis se
meminerint causa coniunctos, et cum immoderatae ad-
mixtioni seruientes, propagationis articulum in usum
transferunt uoluptatis, perpendant quod licet extra non
exeunt, in ipso tamen coniugio coniugii iura transcen-
60 dunt. Vnde necesse est ut crebris exorationibus deleant
quod pulchram copulae speciem admixtis uoluptatibus
foedant. Hinc est enim quod peritus medicinae caelestis
apostolus non tam sanos instituit, quam infirmis medi-
camenta monstrauit, dicens : *De quibus scripsistis mihi :
65 Bonum est homini mulierem non tangere ; propter forni-
cationes autem unusquisque suam uxorem habeat, et unaquaeque suum uirum habeat*[d]. Qui enim fornicationis metum praemisit, profecto non stantibus praeceptum contulit, sed ne fortasse in terram ruerent, lectum cadentibus
70 ostendit. Vnde adhuc infirmantibus subdit : *Vxori uir
debitum reddat, similiter autem et uxor uiro*[e]. Quibus dum
in magna honestate coniugii aliquid de uoluptate largi-
retur, adiunxit : *Hoc autem dico secundum indulgentiam,
non secundum imperium*[f]. Culpa quippe esse innuitur,
75 quod indulgeri perhibetur ; sed quae tanto citius relaxe-

60 exorationibus *T E B aliique* : exhorta- *edd. (cf. l. 44)* || 68 non stantibus : monstrantibus *E*

d. I Cor. 7, 1 || e. I Cor. 7, 3 || f. I Cor. 7, 6

ment nos misères à nous. Nous accomplissons la loi du Christ, à son exemple, quand nous donnons cordialement de ce que nous avons de bon et supportons avec amour ce que les nôtres ont de mal. Il faut aussi avertir chacun des époux de moins remarquer ce qu'il supporte dans l'autre et davantage ce que l'autre supporte en lui. S'il considère en effet ce que l'autre supporte en lui, il supporte plus aisément ce que l'autre fait peser sur lui.

Il faut avertir les époux de se rappeler qu'ils se sont unis pour assumer la charge d'une descendance ; et quand, asservis à des rapports déréglés, ils changent ce qui est moyen d'engendrer en instrument de plaisir, qu'ils réfléchissent bien : sans sortir des limites de l'union conjugale, ils outrepassent dans leur union même les droits de cette union. Il est donc indispensable que par des prières fréquentes ils effacent ce dont ils ternissent, par les sensualités qui s'y mêlent, la noble beauté des rapports conjugaux. Voilà pourquoi l'Apôtre, bon praticien de la médecine céleste, s'adressant moins à des gens sains à instruire qu'à des malades à qui montrer le remède, leur disait : « *Quant aux points sur lesquels vous m'avez écrit : il est bon pour l'homme de ne pas toucher de femme, mais en raison des impudicités que chaque homme ait son épouse et chaque femme son époux*[d]. » Il a exprimé d'abord la crainte de l'impudicité : assurément il n'a pas formulé un commandement pour des gens bien campés sur leurs jambes, mais à des gens chancelants qui allaient peut-être s'écrouler il a montré un lit. Comme ils étaient encore malades il ajouta : « *Que le mari rende à sa femme ce qu'il lui doit, et de même la femme à son mari*[e]. » Accordant un peu de volupté au sein de la noble grandeur du mariage il ajouta : « *Je dis cela par indulgence, ce n'est pas un ordre*[f]. » Il insinue qu'il y a faute en déclarant qu'il y a indulgence, mais une faute qu'il faut absoudre d'autant plus vite qu'elle ne consiste pas à faire

tur, quanto non per hanc illicitum quid agitur, sed hoc quod est licitum, sub moderamine non tenetur.

Quod bene Loth in semetipso exprimit, qui ardentem Sodomam fugit, sed tamen Segor inueniens, nequaquam 80 mox montana conscendit[g]. Ardentem quippe Sodomam fugere est illicita carnis incendia declinare. Altitudo uero est montium, munditia continentium. Vel certe quasi in monte sunt qui etiam carnali copulae inhaerent, sed tamen extra suscipiendae prolis admixtionem debitam, 85 nulla carnis uoluptate soluuntur. In monte quippe stare est, nisi fructum propaginis in carne non quaerere. In monte stare, est carni carnaliter non adhaerere. Sed quia multi sunt qui scelera quidem carnis deserant, nec tamen in coniugio positi usus solummodo debiti iura conseruent, 90 exit quidem Loth Sodomam, sed tamen mox ad montana non peruenit, quia iam damnabilis uita relinquitur, sed adhuc celsitudo coniugalis continentiae subtiliter non tenetur. Est uero in medium Segor ciuitas, quae fugientem saluet infirmum, quia uidelicet cum sibi per incontinen- 95 tiam miscentur coniuges, et lapsus scelerum fugiunt, et tamen uenia saluantur. Quasi paruam quippe ciuitatem inueniunt in qua ab ignibus defendantur, quia coniugalis haec uita non quidem in uirtutibus mira est, sed tamen a suppliciis secura. Vnde idem Loth ad angelum dicit : 100 *Est ciuitas haec iuxta, ad quam possum fugere, parua ; et saluabor in ea. Numquid non modica est, et uiuit in ea anima mea*[h]. Iuxta igitur dicitur, et tamen ad salutem tuta perhibetur, quia coniugalis uita nec a mundo longe diuisa est, nec tamen a gaudio salutis aliena. Sed tunc 105 in actione hac uitam suam coniuges quasi in parua

g. Cf. Gen. 19 || h. Gen. 19, 20

1. Sur le commentaire de *Gen.* 19 (la fuite de Loth hors de Sodome), cf. ORIGÈNE, *Hom. Gen.* 5, 1 (*GCS* Origenes VI, p. 58) : *Erat ergo medius quidam inter perfectos et perditos*, et AUGUSTIN, *Bon. coniug.* 11-12 (*PL* 40, 381-382).

un acte illicite, mais à manquer de modération dans un acte licite.

Lot l'exprime bien dans sa personne : il a fui Sodome en flammes, mais rencontrant Segor sur sa route il tarda à gravir la montagne[g]. Fuir Sodome en flammes, c'est éviter les feux illicites de la chair. La hauteur de la montagne, c'est la pureté de la continence. Ou du moins ils sont bien comme sur une montagne, ceux qui, attachés à l'union charnelle, ne se laissent cependant jamais amollir par le plaisir de la chair en-dehors des rapports nécessaires à la procréation des enfants. C'est se tenir debout sur la montagne que de ne chercher dans la chair que le profit d'une descendance. C'est se tenir debout sur la montagne que de ne pas s'attacher charnellement à la chair. Mais comme il est beaucoup de gens qui répudient les grosses fautes de la chair et cependant ne s'en tiennent pas, dans leur état de mariage, au seul droit d'en faire l'usage qui est dû, Lot sort de Sodome, mais ne parvient pas tout de suite à la montagne : on renonce désormais à une vie condamnable, mais on n'est pas sur les hauteurs d'une scrupuleuse continence conjugale. Entre les deux il y a la cité de Segor, qui est le salut du malade en fuite ; lorsque les époux s'unissent sans maîtrise des sens, ils fuient, évitent bien les chutes graves, mais cependant sont sauvés par indulgence. Ils trouvent comme une petite cité où ils seront préservés du feu, parce qu'une telle vie conjugale, sans comporter d'admirables vertus, est à l'abri des supplices. Aussi Lot dit-il à l'ange : *« Voici tout près une cité où je puis fuir, petite ; j'y serai sain et sauf. N'est-elle pas peu de chose ? Et là, je vivrai*[h]. » Cette cité est proche, est-il dit, et cependant elle est présentée comme un refuge sûr, car si la vie des époux ne se passe pas à l'écart du monde, elle n'est pas étrangère à la joie du salut[1]. Mais en menant cette vie les époux la protègent comme dans une petite

ciuitate custodiunt, quando pro se assiduis deprecationibus intercedunt. Vnde et recte per angelum ad eundem Loth dicitur : *Ecce etiam in hoc suscepi preces tuas, ut non subuertam urbem pro qua locutus es*[i]. Quia uidelicet
110 cum Deo deprecatio funditur nequaquam talis coniugum uita damnatur. De qua deprecatione quoque Paulus ammonet, dicens : *Nolite fraudare inuicem, nisi forte ex consensu ad tempus, ut uacetis orationi*[j].

At contra ammonendi sunt qui ligati coniugiis non
115 sunt, ut praeceptis caelestibus eo rectius seruiant, quo eos ad curas mundi nequaquam iugum copulae carnalis inclinat, ut quos onus licitum coniugii non grauat, nequaquam pondus illicitum terrenae sollicitudinis premat ; sed tanto eos paratiores dies ultimus, quanto et expedi-
120 tiores inueniat, ne quo meliora agere uacantes possunt, sed tamen neglegunt, eo supplicia deteriora mereantur. Audiant quod Paulus, cum quosdam ad caelibatus gratiam instrueret, non coniugium spreuit, sed curas mundi nascentes ex coniugio repulit, dicens : *Hoc ad utilitatem*
125 *uestram dico, non ut laqueum uobis iniciam, sed ad id quod honestum est, et quod facultatem praebeat sine impedimento Domino obseruandi*[k]. Ex coniugiis quippe terrenae sollicitudines prodeunt, et idcirco magister gentium auditores suos ad meliora persuasit, ne sollicitudine ter-
130 rena ligarentur. Quem igitur caelibem curarum saecularium impedimentum praepedit, et coniugio se nequaquam subdidit, et tamen coniugii onera non euasit. Ammonendi sunt caelibes, ne sine damnationis iudicio misceri se feminis uacantibus putent. Cum enim Paulus fornicationis
135 uitium tot criminibus exsecrandis inseruit, cuius sit reatus indicauit, dicens : *Neque fornicatores, neque idolis ser-*

127 obseruandi *T E B aliique* : obsecrandi *Corb.*^{pc} obseruiendi μ

i. Gen. 19, 21 || j. I Cor. 7, 5 || k. I Cor. 7, 35

cité, parce qu'ils implorent pour eux par de continuelles supplications. Aussi est-il dit encore à Lot par l'ange : « *Voici que j'ai accueilli là encore tes prières, si bien que jamais je ne détruirai la ville pour laquelle tu as parlé*[i]. » Quand son instante prière s'épanche devant Dieu, non, la vie d'un tel couple n'est pas condamnée. Cette instante prière, Paul aussi la recommande : « *Ne vous soustrayez pas l'un à l'autre, sinon d'un commun accord, pour un temps, afin de vaquer à la prière*[j]. »

Par contre il faut avertir ceux qui ne sont pas liés par le mariage d'obéir avec d'autant plus de rectitude aux préceptes divins qu'ils ne s'inclinent pas sous le joug de l'union charnelle vers les soucis du monde : n'étant pas alourdis par le fardeau licite du mariage, le poids d'une illicite préoccupation terrestre ne les accablera pas, mais le dernier jour les trouvera prêts, d'autant plus qu'ils seront plus dégagés de tout ; s'ils négligent de faire mieux alors qu'ils en ont la liberté, ils mériteront de plus graves supplices. Qu'ils écoutent Paul, qui, disposant certains disciples à la grâce du célibat, n'a pas méprisé le mariage, mais a voulu écarter ce souci des affaires du monde que fait naître le mariage : « *Je dis cela dans votre intérêt, non pour vous tendre un piège, mais pour vous porter à ce qui est noble et peut vous donner le moyen d'être au service du Seigneur sans rien qui vous gêne*[k]. » Le mariage entraîne en effet des soucis terrestres, et c'est pourquoi le docteur des nations a conseillé à ses auditeurs un état meilleur, afin de les en dégager. Quant au célibataire embarrassé dans les tracas du monde, il ne s'est pas assujetti au mariage et cependant n'en a pas évité les fardeaux. Il faut avertir les célibataires de ne pas croire qu'ils peuvent avoir des rapports avec les femmes libres sans un jugement de condamnation. En insérant le vice de la fornication parmi tant de détestables dérèglements, Paul a indiqué ce qu'il encourt : « *Ni les fornicateurs, ni*

uientes, neque adulteri, neque molles, neque masculorum concubitores, neque fures, neque auari, neque ebriosi, neque maledici, neque rapaces regnum Dei possidebunt[l]. Et rur-
140 sum : *Fornicatores autem et adulteros iudicabit Deus*[m]. Ammonendi itaque sunt, ut si temptationum procellas cum difficultate salutis tolerant, coniugii portum petant. Scriptum quippe est : *Melius est nubere, quam uri*[n]. Sine culpa scilicet ad coniugium ueniunt, si tamen necdum
145 meliora deuouerunt. Nam quisquis bonum maius subire proposuit, bonum minus quod licuit, illicitum fecit. Scriptum quippe est : *Nemo mittens manum suam super aratrum, et respiciens retro, aptus est regno caelorum*[o]. Qui igitur fortiori studio intenderat, retro conspicere conuin-
150 citur, si relictis bonis amplioribus ad minima retorquetur.

CAPVT XXVIII

Quod aliter ammonendi sunt peccatorum carnis conscii atque aliter ignari.

LII Aliter ammonendi sunt peccatorum carnis conscii, atque aliter ignari. Admonendi namque sunt peccata
5 carnis experti, ut mare saltim post naufragium metuant, et perditionis suae discrimina uel cognita perhorrescant, ne qui pie post perpetrata mala seruati sunt, haec improbe repetendo moriantur. Vnde peccanti animae, numquamque a peccato desinenti, dicitur : *Frons mulieris*

140 indicauit *T B*

l. I Cor. 6, 9 ‖ m. Hébr. 13, 4 ‖ n. I Cor. 7, 9 ‖ o. Lc 9, 62.

les idolâtres, ni les adultères, ni les voluptueux, ni les homosexuels, ni les voleurs, ni les avares, ni les ivrognes, ni les calomniateurs, ni les cupides ne possèderont le royaume de Dieu[l]. » Et encore : « *Dieu jugera les fornicateurs et les adultères*[m]. » Il faut donc les avertir, s'ils ne peuvent résister aux tempêtes des tentations au risque de leur salut, de gagner le port du mariage. Car il est écrit : « *Mieux vaut se marier que brûler*[n]. » Il n'y a pas de faute alors à en venir au mariage, à condition cependant de n'avoir pas voué un état meilleur. Si l'on s'est proposé d'aller à un plus grand bien, on rend illicite le bien moins grand qu'il était licite de choisir. Car il est écrit : « *Quiconque met la main à la charrue et regarde en arrière est impropre au royaume des cieux*[o]. » Celui qui visait un plus courageux amour est convaincu de regarder en arrière, si renonçant à de plus larges avantages il se retourne vers de minimes biens.

CHAPITRE 28

Il faut avertir différemment ceux qui se savent coupables de péchés de la chair, et ceux qui ignorent ces péchés.

Il faut avertir différemment ceux qui se savent coupables de péchés de la chair, et ceux qui ignorent ces péchés. Il faut avertir ceux qui ont l'expérience des péchés de la chair de craindre du moins la mer après le naufrage et de s'effrayer des dangers, bien connus, où ils sont de se perdre : sauvés par bonté après avoir perpétré le mal, qu'ils ne meurent pas en récidivant impudemment ! Aussi est-il dit à l'âme pécheresse qui jamais ne renonce au péché : « *Tu t'es fait un front de prostituée, tu n'as pas*

10 *meretricis facta est tibi, noluisti erubescere*[a]. Ammonendi itaque sunt ut studeant quatinus si accepta naturae bona integra seruare noluerunt, saltim scissa resarciant. Quibus nimirum necesse est ut perpendant in tam magno fidelium numero quam multi et se illibatos custodiant, et alios ab 15 errore conuertant. Quid igitur isti dicturi sunt, si aliis in integritate stantibus, ipsi nec post damna resipiscunt ? Quid dicturi sunt, si cum multi et alios secum ad regnum deferunt, hi exspectanti Domino nec semetipsos reducunt ? Ammonendi sunt, ut praeterita admissa conside-20 rent, et imminentia deuitent. Vnde sub Iudaeae specie per prophetam Dominus corruptis in hoc mundo mentibus transactas culpas ad memoriam reuocat, quatinus pollui in futuris erubescant, dicens : *Fornicatae sunt in Aegypto, in adulescentia sua fornicatae sunt ; ibi subacta* 25 *sunt ubera earum, et fractae sunt mammae pubertatis earum*[b]. In Aegypto quippe ubera subiguntur, cum turpi huius mundi desiderio humanae mentis uoluntas substernitur. In Aegypto pubertatis mammae franguntur, quando naturales sensus adhuc in semetipsis integri, pul-30 santis concupiscentiae corruptione uitiantur.

Ammonendi sunt peccata carnis experti, ut uigilanti cura conspiciant post delicta nobis ad se redeuntibus Deus quanta beneuolentia sinum suae pietatis expandat cum per prophetam dicat : *Si dimiserit uir uxorem suam,* 35 *et illa recedens duxerit uirum alium, numquid reuertitur ad eam ultra ? Numquid non polluta et contaminata erit mulier illa ? Tu autem fornicata es cum amatoribus multis, tamen reuertere ad me, dicit Dominus*[c]. Ecce de fornicante et relicta muliere argumentum iustitiae proponitur, et 40 tamen nobis post lapsum redeuntibus non iustitia, sed

XXVIII, 35 reuertetur μ

XXVIII a. Jér. 3, 3 || b. Éz. 23, 3 || c. Jér. 3, 1

voulu rougir[a]. » Si ces gens n'ont pas voulu garder l'intégrité native de l'être qu'ils ont reçu, il faut les avertir de s'efforcer au moins d'en réparer les déchirures. Qu'ils réfléchissent bien : dans la grande multitude des fidèles, combien se gardent eux-mêmes sans reproche et en arrachent d'autres à l'erreur ! Alors, que vont-ils dire ? D'autres se gardent sans blessure, et eux, même après les dégradations qu'ils subissent, ils n'en viennent pas au repentir ! Que vont-ils dire ? Tant d'hommes en amènent d'autres avec eux au Royaume, et eux, ils ne se retournent même pas eux-mêmes vers le Seigneur qui les attend ! Il faut les avertir de prendre conscience du mal qu'ils ont commis et d'éviter les maux qui les menacent. Dès lors, aux âmes qui se sont laissé corrompre en ce monde, figurées par la Judée, le Seigneur rappelle par son prophète leurs fautes passées, afin qu'elles rougissent de se souiller à l'avenir : *« Elles se sont prostituées en Égypte, elles se sont prostituées dans leur jeunesse ; là on a pressé sur leur sein et l'on a fait violence à leurs jeunes mamelles*[b]. » On presse en Égypte sur des seins quand on asservit une volonté humaine au vil désir de ce monde. On fait violence en Égypte à de jeunes mamelles quand les sens naturels encore intacts sont viciés par les pulsions corruptrices de la concupiscence.

Il faut avertir ceux qui ont fait l'expérience des péchés de la chair d'observer attentivement avec quelle bonté Dieu nous ouvre le sein de son amour paternel quand après nos défaillances nous revenons à lui : *« Si un homme renvoie sa femme et que celle-ci s'éloigne et épouse un autre homme, le premier revient-il à elle ? Ne se sera-t-elle pas souillée et avilie, cette femme ? Or tu as forniqué, toi, avec tes nombreux amants. Cependant, reviens à moi, dit le Seigneur*[c]. » Voici : on nous montre la justice qui accuse dans le cas d'une femme débauchée et abandonnée, et cependant quand nous revenons après une chute,

pietas exhibetur. Vt hinc utique colligamus, si nobis delinquentibus tanta pietate parcitur, a nobis nec post delictum redeuntibus quanta improbitate peccatur ; aut quae ab illo erit super improbos uenia, qui non cessat 45 uocare post culpam.

Quae nimirum bene per prophetam post delictum misericordia uocationis exprimitur, cum auerso homini dicitur : *Et erunt oculi tui uidentes praeceptorem tuum, et aures tuae audient uerbum post tergum monentis*[d]. Hu- 50 manum quippe genus Dominus in faciem monuit, quando in paradisum condito homini atque in libero arbitrio stanti, quid facere, quidue non facere deberet, indixit. Sed homo in Dei faciem terga dedit, cum superbiens eius iussa contempsit. Nec tamen superbientem Deus deseruit, 55 qui ad reuocandum hominem legem dedit, exhortantes angelos misit, in carne nostrae mortalitatis apparuit. Ergo post tergum stans nos ammonuit, qui ad recuperationem nos gratiae etiam contemptus uocauit. Quod igitur generaliter simul potuit dici de cunctis, hoc necesse est 60 specialiter sentiri de singulis. Quasi enim coram positus Deo quisque uerba monitionis eius percipit, cum priusquam peccata perpetret, uoluntatis eius praecepta cognoscit. Adhuc enim ante eius faciem stare est, necdum eum peccando contemnere. Cum uero derelicto bono 65 innocentiae, iniquitatem eligens appetit, terga iam in eius faciem mittit. Sed ecce adhuc et post tergum Deus subsequens monet, qui etiam post culpam ad se redire persuadet. Auersum reuocat, commissa non respicit, reuertenti sinum pietatis expandit. Vocem ergo post ter-

67 rediri *T*

d. Is. 30, 20-21

1. Cf. *Hom. Év.* II, 33, 8 (*PL* 76, 1245).
2. Cf. *Hom. Év.* II, 34, 17 (*PL* 76, 1257).

ce n'est pas de justice dont on fait montre envers nous, mais de bonté paternelle[1]. Alors, si nos manquements sont pardonnés avec tant de bonté, concluons bien sûr que nous péchons avec grande impudence quand nous ne revenons même pas au Seigneur après le manquement, et qu'il faut nous demander s'il y aura encore quelque indulgence pour ces impudents de la part de celui qui ne cesse de les appeler après leur faute.

Cette miséricorde qui appelle après le manquement est bien décrite par le prophète, quand il est dit à l'homme qui s'est détourné : *« Tes yeux verront celui qui t'instruit, et tes oreilles l'entendront t'avertir par derrière*[d]*. »* Le Seigneur a averti en face le genre humain quand il a prescrit à l'homme créé dans le paradis et en possession de son libre pouvoir de choix ce qu'il devait faire et ne pas faire. Mais l'homme tourna le dos au visage de Dieu quand il méprisa orgueilleusement ses ordres. Or cet orgueilleux, Dieu ne l'a pas abandonné ; pour le rappeler il a donné la Loi, il a envoyé des messagers pour l'exhorter, il est apparu dans notre chair mortelle. Il nous a donc avertis en se tenant dans notre dos, lui qui, même méprisé, nous a appelés à recouvrer sa grâce. Ce qui a pu être dit d'une façon générale et de tous doit être entendu nommément de chacun. Placé en effet devant Dieu chacun perçoit sa parole qui l'avertit, puisque avant de commettre le péché il connaît les injonctions de sa volonté. C'est pour lui se tenir encore devant sa face que de ne pas le mépriser en péchant. Mais quand il renonce à la beauté de l'innocence et fait choix de l'iniquité, il tourne le dos à sa face. Or voici que derrière son dos, le poursuivant, Dieu l'avertit encore ; même après la faute, il l'engage à revenir à lui[2]. Il rappelle celui qui lui a tourné le dos, il ne regarde pas les fautes commises, il lui ouvre tout grand, s'il revient, le sein de son amour paternel. Nous écoutons donc la voix qui avertit de dos,

70 gum monentis audimus, si ad inuitantem nos Dominum saltim post peccata reuertimur. Debemus igitur pietatem uocantis erubescere, si iustitiam nolumus formidare, quia tanto grauiori improbitate contemnitur, quanto et contemptus adhuc uocare non dedignatur.

75 At contra ammonendi sunt peccata carnis ignorantes, ut tanto sollicitius praecipitem ruinam metuant, quanto altius stant. Ammonendi sunt, ut nouerint, quia quo magis loco prominenti consistunt, eo crebrioribus sagittis insidiatoris impetuntur. Qui tanto ardentius solet erigi, 80 quanto se robustius conspicit uinci ; tantoque intolerabilius dedignatur uinci, quanto contra se uidet per integra infirmae carnis castra pugnari. Ammonendi sunt ut incessanter praemia suspiciant, et libenter procul dubio temptationum quas tolerant labores calcant. Si enim 85 attendatur felicitas quae sine transitu attingitur, leue fit quod transeundo laboratur.

Audiant quod per prophetam dicitur : *Haec dicit Dominus eunuchis : Qui custodierint sabbata mea, et elegerint quae uolui, et tenuerint foedus meum : dabo eis in domo* 90 *mea et in muris meis locum et nomen melius a filiis et filiabus*[e]. Eunuchi quippe sunt, qui compressis motibus carnis, effectum in se praui operis abscidunt. Quo autem apud Patrem loco habeantur ostenditur, qui in domo Patris uidelicet aeterna mansione etiam filiis praeferuntur. 95 Audiant quod per Iohannem dicitur : *Hi sunt qui cum mulieribus non sunt coinquinati ; uirgines enim sunt, qui sequuntur Agnum quocumque abierit.* Et quod *canticum*

84 calcabunt *μ* ‖ 92 effectum *T E* : aff- *μ*

---

e. Is. 56, 4

si après nos péchés nous revenons du moins au Seigneur qui nous invite. Ainsi nous devons rougir devant sa bonté qui nous appelle, si nous ne voulons pas redouter sa justice ; car l'impudence qui le méprise est d'autant plus grave que même méprisé il ne dédaigne pas d'appeler encore.

Par contre il faut avertir ceux qui ignorent les péchés de la chair de craindre la chute dans le précipice avec d'autant plus de soin qu'ils sont élevés plus haut. Il faut les avertir de bien savoir que plus le lieu où ils se tiennent est en vue, plus l'attaquant, dissimulé, leur décoche de flèches. Il se dresse d'ordinaire d'autant plus ardent qu'il se voit vaincu avec plus de force ; et être vaincu lui est une humiliation d'autant moins supportable qu'il voit en face de lui, dans le combat, la redoute inviolée d'une faible chair. Il faut avertir ces gens de lever sans cesse leur regard vers la récompense : alors ils mépriseront de bon cœur, sans aucun doute, les pénibles tentations qu'ils ont à supporter. Car si les yeux sont fixés sur la félicité qui une fois atteinte ne passe pas, elle devient légère, la peine présente, qui passe.

Qu'ils écoutent, ces hommes, la parole du prophète : *« Voici ce que déclare le Seigneur aux eunuques : ceux qui observent mes sabbats, choisissent de faire ce que j'ai voulu et sont attachés à mon alliance, je leur donnerai dans ma maison et dans mes remparts une place et un nom meilleurs que pour des fils et des filles*[e]*. »* Les eunuques, ce sont ceux qui réprimant les pulsions de la chair coupent court à l'accomplissement de l'action mauvaise. Quelle place se trouvent-ils auprès du Père, on peut le voir : dans la maison du Père, dans la demeure éternelle, ils sont mis devant les fils eux-mêmes. Qu'ils écoutent ce qui est dit par Jean : *« Ceux-là, ils ne se sont pas souillés avec des femmes. Ils sont vierges en effet, ils suivent l'Agneau partout où il va. »* Qu'ils écoutent leur chant, *un chant*

cantant, quod nemo possit dicere, nisi illa centum quadraginta quattuor milia[f]. Singulariter quippe canticum Agno
100 cantare, est cum eo in perpetuum prae cunctis fidelibus etiam de carnis incorruptione gaudere. Quod tamen electi ceteri canticum audire possunt, licet dicere nequeunt, quia per caritatem quidem in illorum celsitudine laeti sunt, quamuis ad eorum praemia non assurgunt. Audiant pec-
105 catorum carnis ignari quod per semetipsam de hac integritate Veritas dicat : *Non omnes capiunt uerbum hoc*[g]. Quod eo innotuit summum, quo denegauit omnium. Et dum praedicit quia difficile capitur, audientibus innuit coeptum cum qua cautela teneatur.

110 Ammonendi itaque sunt peccata carnis ignorantes, ut et praeminere uirginitatem coniugiis sciant, et tamen se super conjuges non extollant, quatinus dum et uirginitatem praeferunt, et se postponunt, et illud non deserant quod esse melius aestimant, et se custodiant quo se
115 inaniter non exaltant. Ammonendi sunt ut considerent quod plerumque actione saecularium uita confunditur continentium, cum et illi ultra habitum assumunt opera, et isti iuxta ordinem proprium non excitant corda. Vnde bene per prophetam dicitur : *Erubesce, Sidon, ait mare*[h].
120 Quasi enim per uocem maris ad uerecundiam Sidon adducitur, quando per comparationem uitae saccularium atque in hoc mundo fluctuantium, eius qui munitus et quasi stabilis cernitur, uita reprobatur. Saepe enim nonnulli ad Dominum post carnis peccata redeuntes, tanto
125 se ardentius in bonis operibus exhibent, quanto damna-

98 potest *E μ* || 114 quo se : quos *T E*

f. Apoc. 14, 4 et 3 || g. Matth. 19, 11 || h. Is. 23, 4

que personne ne peut chanter, sinon ces cent quarante quatre mille[f]. Chanter par privilège ce chant à l'Agneau, c'est jouir avec lui, pour toujours, en devançant tous les fidèles, de l'incorruptibilité de la chair. Ce chant, les autres élus peuvent, quoique sans le chanter, l'écouter, car par la charité ils sont heureux de l'élévation de ceux qui le chantent, bien qu'ils ne puissent accéder aux mêmes faveurs. Qu'ils écoutent, ceux qui ignorent les péchés de la chair, la Vérité elle-même parler de cette intégrité : « *Tous ne saisissent pas cette parole*[g]. » Dignité de tous ? Non. Et donc, dignité supérieure. Voilà ce que le Christ met en lumière. Et en disant d'abord qu'il est difficile de le comprendre, il suggère à ses auditeurs : quand on a commencé, comme il faut être sur ses gardes pour tenir !

Il faut par conséquent avertir ceux qui ignorent les péchés de la chair de bien savoir d'une part que la virginité l'emporte sur le mariage, et d'autre part de ne pas se croire pour autant supérieurs aux gens mariés ; de la sorte, mettant la virginité au premier rang, et se mettant eux-mêmes au second, ils n'abandonneront pas ce qu'ils estiment le meilleur, et ils se garderont, en l'écartant, d'un vain orgueil. Il faut les avertir de considérer que souvent l'activité des gens du monde est un reproche pour les continents et leur façon de vivre : les premiers se chargent de bonnes œuvres au-dessus de leur condition, et les seconds ne réveillent pas les cœurs autant que l'exige l'ordre qui est le leur. Aussi est-il dit très justement par le prophète : « *Rougis, Sidon, dit la mer*[h]. » Sidon est amenée en effet à rougir par la voix de la mer, pour ainsi parler, quand par comparaison avec la vie des séculiers et de ceux qui sont ballotés sur les eaux mouvantes de ce monde, un homme que l'on voit bien à l'abri, immobile, se voit reprocher la sienne. Il n'est pas rare en effet que des hommes revenus au Seigneur après des péchés de la chair se montrent d'autant plus ardents à œuvrer pour le bien qu'ils se voient plus condamnables

biliores se de malis uident. Et saepe quidam in carnis integritate perdurantes, cum minus se respiciunt habere quod defleant, plene sibi sufficere uitae suae innocentiam putant, atque ad feruorem spiritus nullis se ardoris sti-
130 mulis inflammant. Et fit plerumque Deo gratior amore ardens uita post culpam, quam securitate torpens innocentia. Vnde et uoce iudicis dicitur : *Remittentur ei peccata multa, quia dilexit multum*[i]. Et : *Gaudium erit in caelo super unum paenitentem, quam super nonaginta*
135 *nouem iustos, quibus non opus est paenitentia*[j]. Quod citius et ex ipso usu colligimus, si nostrae mentis iudicia pensemus. Plus namque terram diligimus quae post spinas exarata fructus uberes producit, quam quae nullas spinas habuit, sed tamen exculta sterilem segetem gignit.
140 Ammonendi sunt peccata carnis ignorantes, ne superioris ordinis celsitudine se ceteris praeferant, cum ab inferioribus quanta se melius agantur ignorant. In examine namque recti iudicis mutat merita ordinum, qualitas actionum. Quis enim consideratis ipsis rerum imaginibus,
145 nesciat quod in natura gemmarum carbunculus praefertur hyacintho ? Sed tamen caerulei coloris hyacinthus praefertur pallenti carbunculo, quia et illi quod ordo naturae subtrahit, species decoris adiungit, et hunc quem naturalis ordo praetulerat, coloris qualitas foedat. Si ergo in hu-
150 mano genere et quidam in meliori ordine deteriores sunt, et quidam in deteriori meliores, quia et isti sortem extremi

126 se : *om.* *T B* || 134 super uno peccatore magis quam *μ* || 138 uberis *T* || 145 praeferatur *μ*

i. Lc 7, 47 || j. Lc 15, 7.

1. Sur l'escarboucle et l'hyacinthe, il y a plusieurs sources possibles : PLINE, *Hist. nat.* 37 et AUGUSTIN, *Doctr. chr.* II, 16, 24 (*BA* 11, p. 276). Cf. H.I. MARROU, *Saint Augustin et la fin de la culture antique*, Paris 1949, p. 138 ; *Ex.* 28, 17-20 ; *Hom. Éz.* I, 8, 29 (*SC* 327, p. 320 et n. 1) ; II, 7, 4 (*SC* 360, p. 332).

pour avoir mal œuvré. Et il n'est pas rare que des hommes persévérant dans la pureté totale de la chair, ne trouvant rien en eux qu'il faille pleurer, pensent que l'innocence de leur vie leur suffit pleinement, et ne cherchent pas à réchauffer en eux la ferveur de l'esprit par quelque moyen d'en aviver la flamme. Et une vie plus ardente à aimer après la faute devient souvent plus agréable à Dieu qu'une innocence engourdie dans sa sécurité. Aussi est-il dit par la voix du Juge : *« De nombreux péchés lui seront remis parce qu'elle a aimé beaucoup*[i]*. »* Et encore : *« Il y aura plus de joie au ciel pour un pécheur repentant que pour quatre-vingt-dix-neuf justes qui n'ont pas besoin de repentir*[j]*. »* Nous pouvons l'inférer vite à partir de notre expérience, si nous observons notre façon personnelle de juger. Car nous aimons davantage une terre qui, débarrassée de ses épines, produit des fruits abondants, qu'une terre qui n'avait pas d'épines et, labourée, donne une maigre moisson.

Il faut avertir ceux qui ignorent les péchés de la chair de ne pas se préférer aux autres à cause de l'excellence de l'ordre des continents, alors qu'ils ignorent tout ce que font de mieux les membres de l'ordre inférieur. Car lors de l'enquête du juste juge la dignité des conditions fait place à la valeur des actes. A considérer le monde des apparences, qui ne sait que l'escarboucle passe avant l'hyacinthe dans la classification naturelle des pierres précieuses ? Et cependant une hyacinthe couleur de ciel est préférée à une pâle escarboucle ; ce que la classification naturelle refuse à celle-là, son bel éclat le lui confère, et sa couleur terne déprécie celle-ci, que la classification naturelle mettait à la première place[1]. De même dans la famille humaine : dans une classe de fidèles supérieure, il est des médiocres, tandis que dans une classe au-dessous d'autres les surpassent, parce que ceux-ci s'élèvent bien au-dessus du niveau de l'état de vie le plus bas, et que

habitus bene uiuendo transcendunt, et illi superioris loci meritum moribus non exsequendo deminuunt.

CAPVT XXIX

Quod aliter ammonendi sunt qui peccata deplorant operum atque aliter qui cogitationum.

LIII Aliter ammonendi sunt qui peccata deplorant operum, atque aliter qui cogitationum. Ammonendi quippe sunt 5 qui peccata deplorant operum, ut consummata mala perfecta diluant lamenta, ne plus astringantur in debito perpetrati operis, et minus soluant in fletibus satisfactionis. Scriptum quippe est : *Potum dedit nobis in lacrimis et mensura*[a], ut uidelicet uniuscuiusque mens tantum 10 paenitendo compunctionis suae bibat lacrimas, quantum se a Deo meminit aruisse per culpas. Ammonendi sunt ut incessanter admissa ante oculos reducant, atque uidendo agant, ut a districto iudice uideri non debeant. Vnde Dauid cum peteret, dicens : *Auerte oculos tuos a* 15 *peccatis meis*[b], paulo superius intulit : *Delictum meum coram me est semper*[c]. Ac si diceret : Peccatum meum ne respicias postulo, quia hoc respicere ipse non cesso. Vnde et per prophetam Dominus dicit : *Et peccatorum tuorum memor non ero, tu autem memor esto*[d]. Ammonendi sunt 20 ut singula quaeque admissa considerent, et dum per unumquodque erroris sui inquinationem deflent, simul se

XXIX, 12 uidendo *T E* : uiuendo *B aliique* μ || 14 peteret : paeniteret *E Corb. Carn. Belv.*

XXIX a. Ps. 79, 6 || b. Ps. 50, 11 || c. Ps. 50, 5 || d. Is. 43, 25 (LXX)

ceux-là font baisser, faute de s'y maintenir par leur conduite, celui de l'état supérieur.

CHAPITRE 29

Il faut avertir différemment ceux qui pleurent leurs péchés, selon qu'ils ont péché par action ou par pensée.

Il faut avertir différemment ceux qui pleurent leurs péchés, selon qu'ils ont péché par action ou par pensée. Il faut avertir ceux qui pleurent d'avoir péché par action que s'ils sont allés jusqu'au bout dans le mal, leurs regrets doivent aller aussi jusqu'au bout ; il ne faut pas que la dette contractée par l'acte perpétré les lie plus fortement que ne les en délient les pleurs de la pénitence. Il est écrit : *« Tu nous as abreuvés de larmes, et avec bonne mesure*[a] *»,* en sorte que chacune de nos âmes, touchée jusqu'au vif, boive les larmes du repentir autant qu'elle se rappelle s'être loin de Dieu desséchée par ses fautes. Il faut les avertir de ramener continuellement sous leur regard les actes par eux commis, et de faire en les voyant que le juge sévère n'ait pas à les voir. *« Détourne les yeux de mes péchés*[b] *»,* demandait David ; mais il venait de déclarer : *« Ma faute est toujours devant moi*[c]. *»* Comme s'il disait : « Je demande que tu ne regardes pas mon péché, parce que, moi, je ne cesse de le regarder. » Aussi le Seigneur disait-il par le prophète : *« Je ne me souviendrai plus de tes péchés, mais toi, souviens-t'en*[d]. *»* Il faut avertir ces pécheurs d'examiner une à une les fautes auxquelles ils se sont laissés aller, et en pleurant un à un ces écarts de conduite qui les ont souillés de s'en purifier en même temps et tout entiers par leurs

ac totos lacrimis mundent. Vnde bene per Hieremiam dicitur, cum Iudaeae singula delicta pensarentur : *Diuisiones aquarum deduxit oculus meus*[e]. Diuisas quippe ex
25 oculis aquas deducimus, quando peccatis singulis dispertitas lacrimas damus. Neque enim uno eodemque tempore aeque mens de omnibus dolet, sed dum nunc huius, nunc illius culpae memoria acrius tangitur, simul de omnibus in singulis commota purgatur.

30 Ammonendi sunt, ut de misericordia quam postulant, praesumant, ne ui immoderatae afflictionis intereant. Neque enim pie Dominus ante delinquentium oculos flenda pecata opponeret, si per semetipsum ea districte ferire uoluisset. Constat enim quod a suo iudicio abscon-
35 dere uoluit, quos miserando praeueniens sibimetipsis iudices fecit. Hinc enim scriptum est : *Praeueniamus faciem eius in confessione*[f]. Hinc per Paulum dicitur : *Si nosmetipsos diudicaremus, non utique iudicaremur*[g]. Rursumque ammonendi sunt, ut sic de spe fiduciam habeant, ne
40 tamen incauta securitate torpescant.

Plerumque enim hostis callidus mentem quam peccato supplantat, cum de ruina sua afflictam respicit, securitatis pestiferae blanditiis seducit. Quod figurate exprimitur, cum factum Dinae memoratur. Scriptum quippe est :
45 *Egressa est Dina ut uideret mulieres regionis illius ; quam cum uidisset Sichem filius Hemor Heuaei, princeps terrae illius, adamauit, et rapuit, et dormiuit cum illa, ui opprimens uirginem ; et conglutinata est anima eius cum ea, tristemque blanditiis deliniuit*[h]. Dina quippe, ut mulieres

e. Lam. 3, 48 || f. Ps. 94, 2 || g. I Cor. 11, 31 || h. Gen. 34, 1-3

1. Le texte de Ps. 94, 2 est différent de celui de la Vulgate mais correspond à celui du Psautier ambrosien (cf. R. WEBER, *Le Psautier romain* ..., Vatican 1953, p. 234). *Confessio* est employé non au sens de louange mais au sens d'aveu. AUGUSTIN (*Psalm.* 94, 4 = *CCL* 39,

larmes. Il a été dit bien à propos par Jérémie, quand il mesurait chacun des manquements de la Judée : *« Mon œil a fait couler des eaux qui se divisaient*[e]. » Nous faisons couler de nos yeux des eaux qui se divisent quand nos larmes vont se répartir sur chacun de nos péchés. Car notre âme ne s'afflige pas également de tous au même moment ; mais touchée plus vivement au souvenir tantôt de telle faute, tantôt de telle autre, c'est de toutes ensemble qu'à propos de chacune elle se purifie.

Il faut avertir ces pécheurs de compter sur la miséricorde qu'ils implorent, de crainte de périr sous la violence d'une excessive affliction. Car le Seigneur, avec paternel amour, ne mettrait pas sous les yeux des coupables les péchés qu'ils ont à pleurer, s'il avait voulu lui-même les frapper avec rigueur. Ce qu'il a voulu, sans aucun doute, c'est mettre à l'abri de son jugement à lui ceux dont par une prévenance de sa miséricorde il a faits leurs propres juges. D'où le mot de l'Écriture : *« Allons au-devant de sa face en confessant*[f1]. » D'où le mot de Paul : *« Si nous nous jugions bien nous-mêmes, nous ne serions pas jugés*[g]. » A l'inverse, il faut avertir ces pécheurs d'avoir il est vrai une confiante espérance, mais de ne pas s'endormir dans une imprudente sécurité.

Quand il revoit, navrée de sa chute, l'âme qu'il a fait tomber par le péché, son habile ennemi la séduit d'ordinaire par les douceurs d'une mortelle sécurité. Sa manœuvre est symbolisée par ce que l'on fit à Dina. *« Dina,* rapporte-t-on, *sortit pour voir les femmes de la contrée ; l'ayant aperçue, Sichem, fils de Hémor le Hivvite, prince du pays, s'éprit d'amour pour elle, l'enleva et dormit avec elle, faisant violence à sa virginité ; et son âme se colla à elle, et par ses caresses il adoucit sa tristesse*[h]. » Dina

p. 1333-1334) développait les deux sens possibles de *confessio*, louange et aveu, Grégoire ne retient que le deuxième (cf. JUDIC, « Pénitence publique »).

50 uideat extraneae regionis, egreditur, quando unaquaeque mens sua studia neglegens, actiones alienas curans, extra habitum atque extra ordinem proprium uagatur. Quam Sichem princeps terrae opprimit, quia uidelicet inuentam in curis exterioribus diabolus corrumpit. *Et adglutinata*
55 *est anima eius cum ea,* quia unitam sibi per iniquitatem respicit. Et quia cum mens a culpa resipiscit, addicitur, atque admissum flere conatur ; corruptor autem spes ac securitates uacuas ante oculos uocat, quatinus utilitatem tristitiae subtrahat, recte illic adiungitur : *Tristemque*
60 *blanditiis deliniuit.* Modo enim aliorum facta grauiora, modo nil esse quod perpetratum est, modo misericordem Deum loquitur, modo adhuc tempus sequens ad paenitentiam pollicetur, ut dum per haec decepta mens ducitur, ab intentione paenitentiae suspendatur ; quatinus tunc
65 bona nulla percipiat, quam nunc mala nulla contristant, et tunc plenius obruatur suppliciis, quae nunc etiam gaudet in delictis.

At contra ammonendi sunt qui peccata cogitationum deflent, ut sollicite considerent intra mentis arcana utrum
70 delectatione tantummodo, an etiam consensu deliquerint. Plerumque enim temptatum cor, et ex carnis nequitia delectatur, et tamen eidem nequitiae ex ratione renititur, ut in secreto cogitationis et contristet quod libet, et libeat quod contristat. Nonnumquam uero ita mens baratro
75 temptationis absorbitur, ut nullatenus renitatur, sed ex deliberatione sequitur hoc, unde ex delectatione pulsatur, et si facultas exterior suppetat, rerum mox effectibus interiora uota consummat. Quod uidelicet si iusta ani-

54 adglutinata *T E B* : conglu- *μ (cf. l. 48)* ‖ 58 uocat *T E B* : reuocat *μ cum Paterio* ‖ 62 sequens *T* : subsequens *E B aliique μ* ‖ 75 absorbitur *T E B* : -betur *μ*

sortant pour voir les femmes d'une contrée étrangère, c'est toute âme qui négligeant ses propres devoirs se livre à des activités tout autres et se met à errer hors de la condition et de l'état de vie qui sont les siens. Le prince du pays qui lui fait violence, Sichem, c'est le diable, qui la trouvant occupée à des affaires du dehors la corrompt. *« et son âme se colla à elle » :* il la regarde, unie à lui par l'iniquité. Mais quand après la faute elle revient à la raison, l'âme se sent condamnée et s'efforce de pleurer l'acte commis ; et le corrupteur, lui, fait surgir devant ses yeux des espérances et des assurances vaines, afin de lui soustraire le profit de sa tristesse. Voilà pourquoi il est ajouté avec raison : *« par ses caresses il adoucit sa tristesse ».* Il lui représente tantôt que d'autres ont commis des fautes plus graves, tantôt que ce qu'elle a commis n'est rien, tantôt que Dieu est miséricordieux, ou bien il lui promet qu'elle a encore du temps devant elle pour se repentir, afin qu'attirée ainsi dans ses pièges cette âme laisse mollir son application à la pénitence : il faut qu'aucun mal ne l'attristant en ce temps-ci elle ne reçoive en l'autre aucun bien, et que mettant maintenant sa joie dans ses fautes mêmes elle soit alors accablée de plus de tourments.

Par contre il faut avertir ceux qui pleurent des péchés de pensée d'examiner avec soin, dans le secret de leur cœur, s'ils ont failli seulement par la complaisance éprouvée ou bien par consentement. D'ordinaire le cœur tenté éprouve à la fois un plaisir, du fait de la dépravation de la chair, et par la raison résiste à cette dépravation, si bien que dans le secret de l'esprit ce qui plaît contriste et ce qui contriste plaît. Mais parfois l'âme se laisse tellement happer par le gouffre de la tentation qu'elle ne fait aucune résistance, et de propos délibéré elle obéit à la pulsion du plaisir ; et si la possibilité matérielle lui en était donnée, elle réaliserait bientôt par un acte effectif le vœu formé au-dedans. Cela, au regard attentif et juste

maduersio districti iudicis respicit, non est iam cogitatio-
80 nis culpa, sed operis, quia etsi rerum tarditas foras peccatum distulit, intus hoc consensionis opere uoluntas impleuit.

In primo autem parente didicimus quia tribus modis omnis culpae nequitiam perpetramus, suggestione scilicet,
85 delectatione, consensu. Primum itaque per hostem, secundum uero per carnem, tertium per spiritum perpetratur. Insidiator enim praua suggerit, caro se delectationi subicit, atque ad extremum spiritus uictus delectatione consentit. Vnde et illic serpens praua suggessit, Eua
90 autem quasi caro se delectationi subdidit, Adam uero uelut spiritus suggestione ac delectatione superatus assensit. Suggestione itaque peccatum agnoscimus, delectatione uincimur, consensu etiam ligamur. Ammonendi sunt igitur qui nequitias cogitationis deflent, ut sollicite consi-
95 derent in qua peccati mensura ceciderunt, quatinus iuxta ruinae modum quam in semetipsis introrsus sentiunt, etiam mensura lamentationis erigantur, ne si cogitata mala minus cruciant, usque ad perpetranda opera perducant.

100 Sed inter haec ita terrendi sunt, ut tamen minime frangantur. Saepe enim misericors Deus eo citius peccata cordis abluit, quo haec exire ad opera non permittit, et cogitata nequitia quantocius soluitur, quia effectu operis districtius non ligatur. Vnde recte per psalmistam dicitur :
105 *Dixi, pronuntiabo aduersum me iniustitias meas Domino, et tu remisisti impietatem cordis mei*[i]. Qui enim impietatem cordis subdidit, quia cogitationum iniustitias pronuntiare uellet indicauit. Dumque ait : *Dixi, pronuntiabo,* atque ilico adiunxit : *Et tu remisisti,* quam super haec sit

103 quanto citius *B* μ

i. Ps. 31, 5.

1. Cf. t. 1, Introduction, p. 52.

du juge sévère, ce n'est plus faute de pensée, mais d'action : au-dehors, les inerties matérielles ont pu sans doute retarder le péché, au-dedans la volonté l'a accompli par l'acte du consentement.

Nous avons appris par l'exemple de notre premier père que toujours le mal de la faute est perpétré selon trois degrés : la suggestion, l'attrait, le consentement. Le premier par l'ennemi, le second par la chair, le troisième par l'esprit. L'adversaire aux aguets suggère le mal, la chair se soumet à l'attrait et à la fin l'esprit, vaincu par l'attrait, consent. En ce temps-là le serpent suggéra le mal. Ève, telle la chair, se soumit à l'attrait. Adam, tel l'esprit, cédant à la suggestion et à l'attrait, donna son assentiment. Ainsi nous avons connaissance du péché par la suggestion, nous nous laissons vaincre par l'attrait, nous nous lions par le consentement [1]. Il faut donc avertir ceux qui pleurent des fautes de pensée d'examiner attentivement dans quelle mesure ils sont tombés dans le péché, de façon à proportionner au degré de leur chute, telle qu'ils le sentent au-dedans d'eux-mêmes, la mesure des pleurs qui les relèveront : il ne faudrait pas que se tourmentant trop peu de leurs pensées mauvaises, celles-ci ne les amènent à perpétrer les actes.

La crainte toutefois qu'il faut leur inspirer ne doit en aucune façon les abattre. Miséricordieux, Dieu lave souvent plus vite les péchés du cœur du fait qu'il ne les laisse pas passer à l'acte, et l'on est débarrassé du mal de la pensée d'autant plus vite qu'on n'est pas lié plus étroitement par la réalisation de l'acte. Aussi est-il dit très justement par le psalmiste : *« J'ai dit : Je dénoncerai contre moi mes iniquités au Seigneur, et toi tu as pardonné l'impiété de mon cœur* [i]*. »* Par la mention finale de l'impiété de son cœur, il a indiqué qu'il voulait dénoncer les iniquités de ses pensées. Et après avoir affirmé : *« J'ai dit : Je dénoncerai »*, il a ajouté aussitôt : *« et toi tu as pardonné »*, montrant combien pour ces fautes le pardon

110 facilis uenia ostendit. Qui dum se adhuc promittit petere hoc quod se petere promittebat, obtinuit ; quatinus quia usque ad opus non uenerat culpa, usque ad cruciatum non perueniret paenitentia, sed cogitata afflictio mentem tergeret, quam nimirum tantummodo cogitata iniquitas
115 inquinasset.

CAPVT XXX

Quod aliter ammonendi sunt qui admissa plangunt nec tamen deserunt atque aliter qui deserunt nec tamen plangunt.

LIV Aliter ammonendi sunt qui admissa plangunt, nec
5 tamen deserunt ; atque aliter qui deserunt, nec tamen plangunt. Ammonendi enim sunt qui admissa plangunt, nec tamen deserunt, ut considerare sollicite sciant quia flendo inaniter mundant, qui uiuendo se nequiter inquinant, cum idcirco se lacrimis lauant, ut mundi ad sordes
10 redeant. Hinc enim scriptum est : *Canis reuersus ad suum uomitum, et sus lota in uolutabro luti*[a]. Canis quippe cum uomit, profecto cibum qui pectus deprimebat, proicit ; sed cum ad uomitum reuertitur, unde leuigatus fuerat, rursus oneratur. Et qui admissa plangunt, profecto ne-
15 quitiam, de qua male satiati fuerant, et quae mentis intima deprimebat, confitendo proiciunt, quam post

XXX, 8 mundant : se *praem.* μ

XXX a. II Pierre 2, 22 ; cf. Prov. 26, 11

1. Sur le *Ps.* 31, cf. AUGUSTIN, *Psalm.* 31, II, 15 (*CCL* 38, p. 236) : le commentaire de Grégoire apparaît comme une allusion au commentaire d'Augustin.

est facile[1]. Il promettait de demander, et ce qu'il promettait de demander, il l'a déjà obtenu : comme la faute n'en était pas venue à l'acte, la pénitence n'en arriverait pas à être un tourment : mais la simple affliction de la pensée purifierait l'âme, que seule avait souillée une iniquité pensée.

CHAPITRE 30

Il faut avertir différemment ceux qui pleurent leurs péchés sans y renoncer, et ceux qui y renoncent sans les pleurer.

Il faut avertir différemment ceux qui pleurent leurs péchés sans y renoncer et ceux qui y renoncent sans les pleurer. Il faut avertir ceux qui pleurent leurs péchés sans y renoncer d'avoir bien conscience que pour les purifier leurs pleurs sont vains : en vivant mal ils se souillent, car s'ils se lavent par leurs larmes[2], c'est pour revenir purifiés à leurs hontes. Il est écrit en effet : *« Chien qui retourne à son vomissement, truie lavée qui se roule dans la boue*[a]. » Quand le chien vomit, il rejette l'aliment qui oppressait sa panse ; mais quand il revient à son vomissement, il se charge à nouveau de ce dont il s'était soulagé. Et ceux qui pleurent leurs fautes rejettent en les avouant l'iniquité dont ils s'étaient coupablement rassasiés, lourd poids au fond de leur âme ; mais cette iniquité,

2. Sur les larmes, cf. *Mor.* 16, 20, 25 (*SC* 221, p. 177 = *CCL* 143A, p. 813) ; 27, 19, 39 (*CCL* 143B, p. 1360) ; 32, 3, 4 (p. 1628-1629) ; 33, 39, 68 (p. 1731 : doctrine des larmes) ; *Hom. Év.* II, 34, 15 (*PL* 76, 1256) ; *Règle de saint Benoît* 4, 57 (*SC* 181, p. 460-461) ; 20, 3 (*SC* 182, p. 536-537). Cf. aussi *Hom. Éz.* II, 2, 1 (*SC* 360, p. 21 et p. 94, n. 1).

confessionem dum repetunt, resumunt. Sus uero in uolutabro luti cum lauatur, sordidior redditur. Et qui admissum plangit, nec tamen deserit, poenae grauioris
20 culpae se subicit ; quia et ipsam quam flendo impetrare potuit ueniam contemnit, et quasi in lutosa aqua semetipsum uoluit, quia dum fletibus suis uitae munditiam subtrahit, ante Dei oculos sordidas ipsas etiam lacrimas facit. Hinc rursum scriptum est : *Ne iteres uerbum in*
25 *oratione tua*[b]. Verbum namque in oratione iterare, est post fletum committere quod rursum necesse sit flere. Hinc per Esaiam dicitur : *Lauamini, mundi estote*[c]. Post lauacrum enim mundus esse neglegit, quisquis post lacrimas uitae innocentiam non custodit. Et lauantur ergo
30 et nequaquam mundi sunt, qui commissa flere non desinunt, sed rursus flenda committunt. Hinc per quendam sapientem dicitur : *Qui baptizatur a mortuo, et iterum tangit illum, quid proficit lauatio eius*[d] *?* Baptizatur quippe a mortuo, qui mundatur fletibus a peccato ; sed post
35 baptisma mortuum tangit, qui culpam post lacrimas repetit.

Admonendi sunt qui admissa plangunt, nec tamen deserunt, ut ante districti iudicis oculos eis se esse similes agnoscant, qui uenientes ad faciem quorundam homi-
40 num, magna eis submissione blandiuntur ; recedentes autem, inimicitias ac damna quae ualent atrociter inferunt. Quid est enim culpam flere, nisi humilitatem Deo suae deuotionis ostendere ? Et quid est post fletum praua agere, nisi superbas in eum quem rogauerat, inimicitias

20 quia *E B* : *om.* *T*[pc]

b. Sir. 7, 15 (14) || c. Is. 1, 16 || d. Sir. 34, 30 (25)

en la renouvelant après leur aveu, ils l'ingèrent à nouveau. Quand elle se lave en se roulant dans la boue, la truie se fait plus sale. Et celui qui pleure ce qu'il a commis sans y renoncer encourt le châtiment d'une faute plus grave : il fait fi de l'indulgence même qu'il a pu obtenir par ses larmes, et il se roule lui-même dans une eau fangeuse, car en refusant d'unir à ses larmes la pureté de la vie, il fait que ces larmes mêmes, au regard de Dieu, sont des larmes souillées. Aussi est-il écrit : *« Ne répète pas de parole dans ta prière*[b]. » Car répéter une parole dans la prière, c'est après les pleurs commettre ce qu'il va falloir pleurer de nouveau. Aussi est-il dit par Isaïe : *« Baignez-vous, soyez purs*[c]. » Il néglige d'être pur après le bain, celui qui ne conserve pas après les larmes l'innocence de la vie. Ils se baignent et ne sont point purs, ceux qui ne cessent de pleurer ce qu'ils ont commis et commettent à nouveau ce qu'il leur faut pleurer. De là le mot d'un sage : *« Qui se lave après le contact d'un mort et à nouveau le touche, à quoi lui sert son ablution*[d] *? »* Il se lave après le contact d'un mort, celui qui se purifie d'un péché par ses larmes ; mais il touche le mort après l'ablution, celui qui répète sa faute après les larmes[1].

Il faut avertir ceux qui pleurent ce qu'ils ont commis sans y renoncer de se rendre compte qu'aux yeux du juge sévère ils sont semblables à des hommes qui se présenteraient à tels et tels personnages avec une flatteuse déférence, puis, se retirant, s'acharneraient contre eux, avec tous les procédés inamicaux et les préjudices possibles. Pleurer une faute, n'est-ce pas montrer à Dieu son humble attachement ? Faire le mal après les pleurs, n'est-ce pas se comporter en orgueilleux ennemi de celui qu'on

1. Sur *II Pierre* 2, 22 et *Sir.* 34, 30, cf. *Ep.* 11, 27 (*CCL* 140A, p. 911-912) à Theoctista, sœur de l'empereur, et CÉSAIRE D'ARLES, *Serm.* 32, 1 (*CCL* 103, p. 139).

45 exercere, Iacobo attestante qui ait : *Quicumque uoluerit amicus esse saeculi huius, inimicus Dei constituitur*[e]. Ammonendi sunt qui admissa plangunt, nec tamen deserunt, ut sollicite considerent quia ita plerumque mali inutiliter compunguntur ad iustitiam, sicut plerumque boni innoxie
50 temptantur ad culpam. Fit quippe mira exigentibus meritis dispositionis internae mensura, ut et illi dum de bono aliquid agunt, quod tamen non perficiunt, superbe inter ipsa quae etiam plenissime perpetrant mala confidant ; et isti dum de malo temptantur, cui nequaquam
55 consentiunt, quo per infirmitatem titubant, eo gressus cordis ad iustitiam per humilitatem uerius figant.

Balaham quippe, iustorum tabernacula respiciens, ait : *Moriatur anima mea morte iustorum, et fiant nouissima mea horum similia*[f]. Sed cum compunctionis tempus abs-
60 cessit, contra eorum uitam, quibus se similem fieri etiam moriendo poposcerat, consilium praebuit, et cum occasionem de auaritia repperit, ilico oblitus est quidquid sibi de innocentia optauit. Paulus uero ait : *Video aliam legem in membris meis, repugnantem legi mentis meae, et cap-
65 tiuum me ducentem in lege peccati, quae est in membris meis*[g]. Qui profecto idcirco temptatur, ut in bono robustius ex ipsa infirmitatis suae cognitione solidetur. Quid est ergo quod ille compungitur, et tamen iustitiae non appropinquat, iste temptatur, et tamen eum culpa non

55 per infirmitate *T*

e. Jac. 4, 4 || f. Nombr. 23, 10 || g. Rom. 7, 23

1. L'utilisation des citations des *Nombres* par Grégoire appelle quelques remarques. Le livre lui offre deux exemples de personnages complexes : Obab et Balaam, qui semblent être du côté d'Israël, mais dont l'un est finalement damné (Balaam) et l'autre n'accomplit pas de lui-même la volonté de Dieu (Obab). Balaam offre un cas intéressant : il est au centre d'une histoire amusante, « populaire », l'ânesse qui voit l'ange de Dieu, bien en accord avec l'esprit des *Dialogues* (cf. *Past.* 3, 12). Il est aussi le prophète qui bénit Israël (*Nombr.* 23, 10 repris dans

avait prié ? Jacques l'atteste : *« Quiconque voudra être ami de ce monde se pose en ennemi de Dieu*[e]. » Il faut avertir ceux qui pleurent ce qu'ils ont commis sans y renoncer de considérer avec soin que très souvent la componction des méchants ne produit pas le fruit de la justice, tout comme très souvent la tentation qui éprouve les bons ne produit pas le mal de la faute. Par une admirable conformité aux dispositions intimes, selon la mesure des mérites, il arrive que les premiers, commençant à bien agir sans achever, aient une orgueilleuse confiance au milieu même du mal pleinement consenti, et que les autres, tentés par le mal sans y consentir, rendus humbles par leur faiblesse chancelante, dirigent plus fermement leurs pas sur le chemin intérieur de la justice.

« Que mon âme, disait Balaam en regardant les tentes des justes, *meure de la mort des justes, et que ma fin soit semblable à la leur*[f]. » Mais quand eut passé l'heure où il était si vivement touché, il essaya par son conseil d'attenter à la vie de ceux à qui il souhaitait ressembler, même en mourant ; et quand il trouva une occasion pour sa cupidité, il oublia sur-le-champ toute l'innocence qu'il avait souhaitée[1]. *« Je vois une autre loi dans mes membres,* déclare Paul, *qui lutte contre la loi de ma raison, et me rend captif de la loi du péché, qui est dans mes membres*[g]. » S'il est tenté, c'est assurément pour être affermi plus solidement dans le bien, par la connaissance même de sa faiblesse. Pourquoi donc Balaam a-t-il le cœur touché de repentir et cependant n'accède pas à la justice, et pourquoi Paul est-il tenté sans être souillé par une faute ?

Past. 3, 30), mais qui est finalement tué par Israël pour avoir conseillé aux Madianites de corrompre les Israélites avec des femmes (*Nombr.* 31, 16). Ceci se rapproche de l'histoire cruelle de Phinéès le justicier dans *Nombr.* 25, 7 rappelée dans *Past.* 3, 22. Enfin l'allusion au Balaam de *Nombr.* 31 correspond au thème de ce paragraphe : la nécessité de se purifier et de demeurer pur après le péché, développée précisément dans le ch. 31 des *Nombres*.

70 inquinat, nisi hoc quod aperte ostenditur, quia nec malos bona imperfecta adiuuant, nec bonos mala inconsummata condemnant ?

At contra ammonendi sunt qui admissa deserunt, nec tamen plangunt, ne iam relaxatas aestiment culpas, quas 75 etsi agendo non multiplicant, nullis tamen fletibus mundant. Neque enim scriptor, si a scriptione cessauerit, quia alia non addidit, etiam illa quae scripserat deleuit. Nec qui contumelias irrogat, si solummodo tacuerit, satisfecit, cum profecto necesse sit, ut uerba praemissae superbiae 80 uerbis subiunctae humilitatis impugnet. Nec debitor absolutus est quia alia non multiplicat, nisi et illa quae ligauerat soluit. Ita et cum Deo delinquimus, nequaquam satisfacimus si ab iniquitate cessamus, nisi uoluptates quoque quas dileximus, e contrario appositis lamentis 85 insequamur. Si enim nulla nos in hac uita operum culpa maculasset, nequaquam nobis hic adhuc degentibus ipsa ad securitatem innocentia nostra sufficeret, quia illicita animum multa pulsarent. Qua igitur mente securus est, qui perpetratis iniquitatibus ipse sibi testis est quia in-90 nocens non est ?

Neque enim Deus nostris cruciatibus pascitur, sed delictorum morbos medicamentis contrariis medetur, ut qui uoluptatibus delectati discessimus, fletibus amaricati redeamus, et qui per illicita diffluendo cecidimus, etiam 95 a licitis nosmetipsos restringendo surgamus, et cor quod insana laetitia infuderat, salubris tristitia exurat, et quod uulnerauerat elatio superbiae, curet abiectio humilis uitae. Hinc enim scriptum est : *Dixi iniquis : Nolite inique*

70 quia : quod μ || 80 subiectae μ

N'est-ce pas une preuve claire que le bien inachevé n'est d'aucun secours pour les méchants, et que le mal non accompli ne condamne pas les bons ?

Par contre, il faut avertir ceux qui renoncent à leurs péchés sans les pleurer de ne pas croire que maintenant ces fautes sont absoutes ; ils ne les multiplient pas en agissant, c'est vrai, mais ils ne s'en purifient pas en les pleurant. Si l'écrivain cesse d'écrire, il n'a pas effacé, pour n'y avoir rien ajouté, ce qu'il a écrit. Celui qui adresse des injures n'a pas réparé s'il n'a fait ensuite que se taire : il est indispensable assurément, qu'il contredise ce langage de l'orgueil qui fut d'abord le sien par des paroles de déférente humilité. Un débiteur n'est pas quitte parce qu'il cesse d'accumuler des dettes, s'il n'acquitte pas celles qui l'avaient lié. Ainsi pour nos manquements envers Dieu : nous ne réparons nullement en cessant nos iniquités, si nous ne nous attaquons pas aux plaisirs que nous avons aimés en leur opposant les pleurs qui sont leur contraire. Si aucune action coupable ne nous avait souillés en cette vie, notre innocence ne pourrait suffire à notre sécurité tant que nous vivons encore ici-bas, parce que bien des plaisirs défendus sollicitent notre cœur. Alors comment être sûr de soi, quand les iniquités qu'on a commises témoignent contre soi qu'on n'est pas innocent ?

Ce n'est pas que Dieu se repaisse de nos douleurs. Non, il soigne la maladie du péché par les remèdes qui lui sont contraires. Sous le charme des voluptés, nous nous sommes éloignés ; il faut que par l'amertume des pleurs nous revenions. Égarés sur les sentiers de l'illicite, nous sommes tombés ; il faut qu'en restreignant nos plaisirs même permis, nous nous relevions. Une folle joie avait inondé notre cœur ; il faut qu'une salutaire tristesse le brûle. L'orgueil qui se hausse l'avait blessé ; il faut que l'humilité d'une vie qui se cache le guérisse. A ce sujet, il est écrit : *« J'ai dit aux méchants : Pas de mé-*

agere ; et delinquentibus : Nolite exaltare cornu[h]. Cornu
100 quippe delinquentes exaltant, si nequaquam se ad paenitentiam ex cognitione suae iniquitatis humiliant. Hinc rursum dicitur : *Cor contritum et humiliatum Deus non spernit*[i]. Quisquis enim peccata plangit, nec tamen deserit, cor quidem conterit, sed humiliare contemnit. Quisquis
105 uero peccata iam deserit, nec tamen plangit iam quidem humiliat, sed tamen conterere cor recusat. Hinc Paulus ait : *Et haec quidam fuistis ; sed abluti estis, sed sanctificati estis*[j]. Quia nimirum illos emendatior uita sanctificat, quos per paenitentiam abluens afflictio fletuum mundat.
110 Hinc Petrus cum quosdam territos malorum suorum consideratione conspiceret, ammonuit, dicens : *Paenitentiam agite, et baptizetur unusquisque uestrum*[k]. Dicturus enim baptisma, praemisit paenitentiae lamenta, ut prius se aqua suae afflictionis infunderent, et postmodum sa-
115 cramento baptismatis lauarent. Qua igitur mente qui transactas culpas flere neglegunt, uiuunt securi de uenia, quando ipse summus Pastor Ecclesiae huic etiam sacramento addendam paenitentiam credidit, quod peccata principaliter exstinguit ?

CAPVT XXXI

Quod aliter ammonendi sunt qui illicita quae faciunt etiam laudant atque aliter qui accusant praua nec tamen deuitant.

h. Ps. 74, 5 || i. Ps. 50, 19 || j. I Cor. 6, 11 || k. Act. 2, 38.

---

1. Grégoire a écrit plus haut *post baptisma* (l. 34-35) reprenant *qui baptizatur* de la citation du Siracide (l. 32). C'est ici la seule mention

chanceté ; et aux pécheurs : Ne levez pas si haut le front[h]. » Les pécheurs lèvent haut le front, s'ils ne s'humilient pas jusqu'à la pénitence en prenant conscience de leur iniquité. « *Dieu ne méprise pas,* est-il dit encore, *un cœur brisé et humilié*[i]. » Qui pleure ses péchés sans y renoncer brise son cœur, oui, mais néglige de l'humilier. Qui renonce à ses péchés sans les pleurer humilie son cœur, oui, mais refuse de le briser. D'où le mot de Paul : « *Vous avez été cela, certains d'entre vous, mais vous avez été lavés, vous avez été sanctifiés*[j]. » C'est qu'une vie plus ordonnée sanctifie ceux que lave par le repentir la purifiante tristesse des pleurs. Voyant des hommes effrayés au spectacle de leurs mauvaises actions, Pierre leur donne cet avis : « *Repentez-vous et que chacun de vous se fasse baptiser*[k]. » Avant de parler du baptême[1] il a parlé des pleurs du repentir : il leur fallait d'abord répandre sur eux l'eau de leur douleur, et ensuite se laver par le sacrement du baptême. Quelle idée ont-ils donc, ceux qui négligent de pleurer leurs fautes passées, vivent sûrs de leur pardon, quand le suprême pasteur de l'Église a cru lui-même qu'il faut joindre le repentir à ce sacrement, qui, lui avant tout, fait disparaître le péché ?

CHAPITRE 31

Il faut avertir différemment ceux qui vont jusqu'à louer leurs dérèglements, et ceux qui se font grief de leurs écarts de conduite, mais sans les éviter.

du baptême dans ce traité de pastorale en dehors de l'allusion contenue dans la formule *in unitate sacramenti* de 2, 10, l. 203 (cf. t. 1, p. 252, n. 1).

LV Aliter ammonendi sunt qui illicita, quae faciunt, etiam
5 laudant ; atque aliter qui accusant praua, nec tamen deuitant. Ammonendi enim sunt qui illicita quae faciunt etiam laudant, ut considerent quod plerumque plus ore quam opere delinquant. Opere namque per semetipsos solos praua perpetrant, ore autem per tot personas ini-
10 quitatem exhibent, quot audientium mentes iniqua laudantes docent. Ammonendi ergo sunt, ut si eradicare mala dissimulant, saltim seminare pertimescant. Ammonendi sunt, ut eis perditio priuata sufficiat. Rursumque ammonendi sunt, ut si mali esse non metuunt, erubescant
15 saltim uideri quod sunt. Plerumque enim culpa dum absconditur, exfugatur, quia dum mens erubescit uideri quod tamen esse non metuit, erubescit quandoque esse, quod fugit uideri. Cum uero prauus quisque impudenter innotescit, quo liberius omne facinus perpetrat, eo etiam
20 licitum putat et quod licitum suspicatur, in hoc procul dubio multiplicius mergitur. Vnde scriptum est : *Peccatum suum sicut Sodoma praedicauerunt, nec absconderunt*[a]. Peccatum enim suum si Sodoma absconderet, adhuc sub timore peccaret. Sed funditus frena timoris amiserat, quae
25 ad culpam nec tenebras requirebat. Vnde et rursum scriptum est : *Clamor Sodomorum et Gomorrhae multiplicatus est*[b]. Peccatum quippe cum uoce, est culpa in actione ; peccatum uero etiam cum clamore, est culpa cum libertate.

30 At contra ammonendi sunt qui accusant praua, nec tamen deuitant, ut prouide perpendant quid in districto Dei iudicio pro sua excusatione dicturi sunt, qui de reatu suorum criminum etiam semetipsis iudicibus non excu-

XXXI, 16 exfugatur *T E B* : effu- *codd.* *μ* ‖ 25 inquirebat *μ*

XXXI a. Is. 3, 9 ‖ b. Gen. 18, 20

1. Les citations de *Is.* 3, 9 et *Gen.* 18, 20, toutes deux sur le thème de Sodome, rejoignent le thème développé au ch. 3, 27.

Il faut avertir différemment ceux qui vont jusqu'à louer leurs dérèglements, et ceux qui se font grief de leurs écarts de conduite, mais sans les éviter. Il faut avertir ceux qui vont jusqu'à louer leurs dérèglements de se rendre compte que d'ordinaire, par leur parole, ils pèchent plus que par leurs actes. Par leurs actes ils sont seuls à commettre le mal ; par leur parole, autant d'auditeurs ils instruisent en louant leurs iniquités, autant de personnes par lesquelles ils font se produire l'iniquité. Il faut les avertir que s'ils négligent d'arracher le mal, ils devraient du moins prendre peur de le semer. Il faut les avertir de se contenter de leur propre perte. Il faut encore les avertir, s'ils ne craignent pas d'être des méchants, de rougir du moins qu'on voie qu'ils le sont. D'ordinaire en effet une faute que l'on cache s'évite, car lorsqu'une âme rougit qu'on voie ce qu'elle ne craint pas d'être, elle finit par rougir d'être ce qu'elle évite de paraître. Mais quand le dépravé n'a pas honte d'être reconnu, plus il commet librement toutes sortes d'actions coupables, plus il les pense licites ; et ce mal qu'il se feint être licite, n'en doutons pas, il s'y enfonce de plus belle. *« Ils ont proclamé leur péché comme Sodome,* est-il écrit, *ils ne l'ont point caché*[a]. » Si elle avait caché son péché, Sodome aurait encore péché avec crainte. Mais elle avait relâché à fond le frein de la crainte, elle qui ne recherchait pas même les ténèbres pour pécher. *« La clameur de Sodome et de Gomorrhe,* est-il écrit encore, *s'est amplifiée*[b]. » Le péché qui se dit, c'est le sentiment de la faute dans l'action ; le péché qui se clame, c'est la faute en toute liberté[1].

Par contre, il faut avertir ceux qui se font grief de leurs écarts de conduite, mais sans les éviter, de prévoir mûrement ceci : que vont-ils dire pour s'excuser lors du rigoureux jugement de Dieu, eux qui jugent eux-mêmes qu'il n'est pas d'excuse aux délits qui les chargent ? Ces

santur. Hi itaque quid aliud quam praecones sui sunt ?
35 Voces contra culpas proferunt, et semetipsos operibus reos trahunt. Ammonendi sunt, ut uideant, quia de occulta iam retributione iudicii est, quod eorum mens malum quod perpetrat illuminatur ut uideat, sed non conatur ut uincat, ut quo melius uidet, eo deterius pereat,
40 quia et intellegentiae lumen percipit, et actionis prauae tenebras non relinquit. Nam cum acceptam ad adiutorium scientiam neglegunt, hanc contra se in testimonium uertunt, et de lumine intellegentiae augent supplicia, quod profecto acceperant ut possent delere peccata. Quorum
45 nimirum nequitia cum malum agit quod diudicat, uenturum iam iudicium hic degustat, ut cum aeternis suppliciis seruatur obnoxia, suo hic interim examine non sit absoluta ; tantoque illic grauiora tormenta percipiat, quanto hic malum non deserit, etiam quod ipsa condem-
50 nat. Hinc enim Veritas dicit : *Seruus qui cognouit uoluntatem Domini sui, et non praeparauit, et non fecit secundum uoluntatem eius, uapulabit multis*[c]. Hinc psalmista ait : *Descendant in infernum uiuentes*[d]. Viui quippe, quae circa illos aguntur, sciunt et sentiunt, mortui autem
55 sentire nihil possunt. Mortui enim in infernum descenderent, si mala nesciendo perpetrarent. Cum uero sciunt mala, et tamen faciunt, ad iniquitatis infernum uiuentes miseri sentientesque descendunt.

c. Lc 12, 47 || d. Ps. 54, 16.

---

1. Sur le commentaire de *Ps.* 54, 16, cf. AUGUSTIN, *Psalm.* 54, 16 (*CCL* 39, p. 669).

hommes-là, ne font-ils pas leur propre réquisitoire ? Ils élèvent la voix contre leurs fautes, et par leurs actions se traînent eux-mêmes au banc des accusés. Il faut les avertir de bien voir que maintenant, par un secret arrêt du jugement divin, leur âme est assez éclairée pour voir le mal qu'elle commet, mais sans s'efforcer de le vaincre, en sorte que mieux elle voit, plus lamentable est sa perte : elle perçoit la lumière spirituelle, et ne quitte pas les ténèbres de l'action déréglée. Peu attentifs à la science donnée pour les aider, ces gens la changent en un témoignage contre eux-mêmes, et ils font que la lumière spirituelle va augmenter leurs tourments, alors qu'ils l'avaient reçue, bien entendu, afin de pouvoir effacer leurs péchés. Lorsque leur méchanceté fait le mal et le juge tel, elle a ici-bas comme un avant-goût du jugement qui approche : réservée pour les supplices éternels qu'elle mérite, elle n'est pas entre-temps absoute par sa propre conscience, et elle éprouvera là-bas des tourments d'autant plus sévères qu'elle ne renonce pas ici-bas au mal, un mal qu'elle-même elle condamne. Aussi la Vérité dit-elle : « *Le serviteur qui a connu la volonté de son maître et qui n'a rien préparé et n'a pas agi selon cette volonté, recevra un grand nombre de coups*[c]. » Et le psalmiste : « *Qu'ils descendent tout vivants en enfer*[d]. » Car les vivants savent et sentent ce qu'on leur fait ; les morts, eux, ne peuvent rien sentir. Or ces hommes descendraient morts en enfer, s'ils commettaient le mal sans le savoir. Mais comme ils savent que c'est le mal et cependant le font, ils descendent dans l'enfer de l'iniquité vivants, les malheureux, et sentant leur malheur[1].

CAPVT XXXII

Quod aliter ammonendi sunt qui repentina concupiscentia superantur atque aliter qui in culpa ex consilio ligantur.

LVI Aliter ammonendi sunt qui repentina concupiscentia
5 superantur, atque aliter qui in culpa ex consilio ligantur. Ammonendi quippe sunt quos repentina concupiscentia superat, ut in bello praesentis uitae se cotidie positos attendant, et cor quod prouidere uulnera non potest, scuto solliciti timoris tegant, ut occulta insidiantis hostis
10 iacula perhorrescant, et in tam caliginoso certamine intentione continua intra mentis castra se muniant. Nam si a circumspectionis sollicitudine cor destituitur, uulneribus aperitur, quia hostis callidus tanto liberius pectus percutit, quanto nudum a prouidentiae lorica deprehen-
15 dit.

Ammonendi sunt qui repentina concupiscentia superantur, ut curare nimis terrena desuescant ; quia intentionem suam dum rebus transitoriis immoderatius implicant, quibus culparum iaculis transfigantur ignorant. Vnde et
20 per Salomonem uox percussi et dormientis exprimitur, qua ait : *Verberauerunt me, sed non dolui ; traxerunt me, et ego non sensi. Quando euigilabo, et rursum uina reperiam*[a] ? Mens quippe a cura suae sollicitudinis dormiens uerberatur et non dolet, quia sicut imminentia mala non

XXXII, 8 prouidere *T E* : uidere *B* praeuidere *μ* ‖ 10 caligoso *T* ‖ 21 qua *T* : qui *E B μ*

XXXII a. Prov. 23, 35

CHAPITRE 32

Il faut avertir différemment ceux qui sont dominés par une soudaine poussée de passion, et ceux qui se laissent délibérément enchaîner dans la faute.

Il faut avertir différemment ceux qui sont dominés par une soudaine poussée de passion, et ceux qui se laissent délibérément enchaîner dans la faute. Il faut avertir ceux qui sont dominés par une soudaine poussée de passion de bien voir qu'ils sont engagés chaque jour dans ce combat qu'est la vie présente, et de couvrir leur cœur, incapable de voir venir les coups, du bouclier d'une crainte vigilante ; qu'ils redoutent les traits invisibles d'un ennemi aux aguets, et dans ce combat obscur se protègent avec une attention continuelle à l'intérieur du fortin de leur âme. Si un cœur se démunit d'une soigneuse circonspection, il se découvre aux coups, car son habile ennemi frappe d'autant plus librement sa poitrine qu'il la surprend nue, sans la cuirasse de la vigilance.

Il faut avertir ceux qui sont dominés par une soudaine poussée de passion de se déprendre d'une excessive préoccupation des choses de la terre, car en engageant immodérément leur vouloir dans ce qui passe, ils ne s'aperçoivent pas des fautes qui les transpercent comme autant de dards. C'est pourquoi Salomon fait entendre la voix d'un homme qui est frappé et qui dort : *« On m'a battu et je n'ai pas souffert ; on m'a entraîné et je n'ai rien senti. Quand me réveillerai-je et trouverai-je à nouveau de bons vins*[a] *? »* L'âme endormie, insouciante de ses intérêts, est battue et ne souffre pas : pas plus qu'elle

25 prospicit, sic nec quae perpetrauerit agnoscit. Trahitur et nequaquam sentit, quia per illecebras uitiorum ducitur, nec tamen ad sui custodiam suscitatur. Quae quidem euigilare optat, ut rursum uina reperiat, quia quamuis somno torporis a sui custodia prematur, uigilare tamen 30 ad curas saeculi nititur, ut semper uoluptatibus debrietur. Et cum ad illud dormiat, in quo sollerter uigilare debuerat, ad illud uigilare appetit, ad quod laudabiliter dormire potuisset.

Hinc superius scriptum est : *Et eris quasi dormiens in* 35 *medio mari, et quasi sopitus gubernator amisso clauo*[b]. In medio enim mari dormit, qui in huius mundi temptationibus positus, prouidere motus irruentium uitiorum quasi imminentes undarum cumulos neglegit. Et quasi gubernator clauum amittit, quando mens, ad regendam nauem 40 corporis, studium sollicitudinis perdit. Clauum quippe in mari amittere, est intentionem prouidam inter procellas huius saeculi non tenere. Si enim gubernator clauum sollicite stringit, modo in fluctibus ex aduerso nauem dirigit, modo uentorum impetus per obliquum fundit. Ita 45 cum mens uigilanter animam regit, modo alia superans calcat, modo alia prouidens declinat, ut et praesentia elaborando subiciat, et contra futura certamina prospiciendo conualescat. Hinc rursum de fortibus supernae patriae bellatoribus dicitur : *Vniuscuiusque ensis super* 50 *femur suum, propter timores nocturnos*[c]. Ensis enim super femur ponitur, quando acumine sanctae praedicationis praua suggestio carnis edomatur. Per noctem uero caecitas nostrae infirmitatis exprimitur, quia quidquid aduersitatis in nocte imminet non uidetur. Vniuscuiusque ergo 55 ensis super femur suum ponitur propter timores nocturnos, quia uidelicet sancti uiri dum ea quae non uident

31 quo : quod *T E* ‖ 44 fundit *T E B* : findit *codd.* *μ*

b. Prov. 23, 34 ‖ c. Cant. 3, 8

ne regarde venir les maux qui la menacent, elle ne remarque le mal qu'elle a commis. Elle est entraînée, elle ne sent rien, car elle est menée par l'attrait des vices et ne sait rouvrir l'œil pour se garder. Si elle souhaite à vrai dire se réveiller, c'est pour trouver à nouveau de bons vins ; bien qu'une somnolente torpeur l'accable, l'empêchant de se garder elle-même, elle s'efforce de rester en éveil pour ses intérêts mondains, afin de s'enivrer sans cesse de plaisirs. Quand elle aurait dû veiller avec soin, elle dort ; quand elle aurait pu louablement dormir, son désir est de veiller.

Aussi est-il écrit plus haut : *« Tu seras comme un homme qui dort en pleine mer, et comme le timonier assoupi qui a lâché la barre*[b]*. »* Il dort en pleine mer, celui qui néglige au milieu des tentations de ce monde de voir venir l'assaut des vices déchaînés, telle la houle des eaux menaçantes. Et le timonier lâche la barre, quand l'âme perd le souci de diriger le navire qu'est son corps. Lâcher la barre en pleine mer, c'est ne pas maintenir le regard fixé sur le but, au milieu des bourrasques de ce monde. Le timonier qui serre consciencieusement la barre, tantôt dirige le navire face aux vagues, tantôt fait fuir de biais l'assaut des vents. Ainsi l'âme attentive à diriger sa vie : tantôt, prenant le dessus, elle foule à terre, tantôt, prudente, elle évite, de façon à dominer par son effort les difficultés présentes, et à se fortifier par sa prévoyance contre les combats futurs. Aussi est-il dit encore aux courageux combattants de la patrie d'en haut : *« Chacun a son épée sur sa cuisse, à cause des terreurs de la nuit*[c]*. »* L'épée placée sur la cuisse, c'est la perspicacité de la prédication sainte qui repousse la suggestion dépravée de la chair. La nuit veut dire notre aveugle faiblesse, car dans la nuit on ne voit pas le danger qui menace. Chacun met donc son épée sur sa cuisse à cause des terreurs de la nuit, parce que les saints, craignant des dangers qu'ils ne voient pas, sont toujours

metuunt, ad intentionem certaminis parati semper assistunt. Hinc rursum sponsae dicitur : *Nasus tuus sicut turris, quae est in Libano*[d]. Rem namque quam oculis
60 non cernimus, plerumque odore praeuidemus. Per nasum quoque odores fetoresque discernimus. Quid ergo per nasum Ecclesiae, nisi sanctorum prouida discretio designatur ? Qui etiam turri similis quae est in Libano dicitur, quia discreta eorum prouidentia ita in alto sita est, ut
65 temptationum certamina et priusquam ueniant uideat, et contra ea dum uenerint munita subsistat. Quae enim futura praeuidentur, cum praesentia fuerint, minoris uirtutis fiunt, quia dum contra ictum quisque paratior redditur, hostis qui se inopinatum credidit, eo ipso quo
70 praeuisus est, eneruatur.

At contra ammonendi sunt qui in culpa ex consilio ligantur, quatinus prouida consideratione perpendant, quia dum mala ex iudicio faciunt, districtius contra se iudicium accendunt, ut tanto eos durior sententia feriat,
75 quanto illos in culpa artius uincula deliberationis ligant. Citius fortasse delicta paenitendo abluerent, si in his sola praecipitatione cecidissent. Nam tardius peccatum soluitur quod et per consilium solidatur. Nisi enim mens omni modo aeterna despiceret, in culpa ex iudicio non periret.
80 Hoc ergo praecipitatione lapsis per consilium pereuntes differunt, quod cum hi a statu iustitiae peccando concidunt, plerumque simul et in laqueum desperationis cadunt. Hinc est quod per prophetam Dominus non tam praecipitationum praua, quam delictorum studia repre-
85 hendit, dicens : *Ne forte egrediatur ut ignis indignatio*

83 per propheta T^{pc}

---

d. Cant. 7, 4 (5)

là debout, prêts à l'effort du combat. Aussi est-il dit encore, à l'épouse : « *Ton nez est comme la tour qui est au Liban*[d]. » Quand une chose n'est pas visible pour les yeux, nous la devinons souvent à son odeur. Par le nez, nous discernons senteurs et puanteurs. Que désigne donc le nez de l'Église, sinon le prudent discernement des saints[1] ? Il est dit semblable à la tour du Liban, parce que les saints discernent en regardant en avant, de si haut qu'ils voient les tentations à combattre avant même qu'elles n'arrivent, et quand elles arrivent, ils sont là debout, munis pour résister. Prévue, une difficulté a moins de force quand elle est là ; quand on est bien paré pour le coup, l'ennemi qui a cru surprendre perd de son mordant, du seul fait que d'avance il a été vu.

Par contre, il faut avertir ceux qui se laissent délibérément prendre aux liens de la faute de considérer, songeant à l'avenir, que lorsqu'ils font le mal en le jugeant tel, ils allument contre eux le feu d'un jugement plus sévère : la sentence les frappera d'autant plus dure que plus étroits sont les liens dont les enchaîne dans la faute une décision réfléchie. Le repentir les purifierait peut-être plus vite de leurs manquements si la précipitation seule avait occasionné leur chute. Durci par un propos réfléchi, le péché se dénoue plus lentement. Si l'âme, de toute façon, ne faisait fi de ce qui est éternel, elle ne périrait pas par une faute jugée telle. Ceux qui périssent consciemment diffèrent en ceci de ceux qui tombent par précipitation, que lorsqu'ils déchoient de l'état de justice en péchant, ils tombent d'ordinaire en même temps dans les filets du désespoir. Voilà pourquoi le Seigneur reprend par la voix du prophète non tant les fourvoiements de la précipitation que le goût du péché : « *Que mon indignation n'aille pas éclater comme un feu et*

1. Cf. *Hom. Éz.* I, 11, 7 (*CCL* 142, p. 172 = *SC* 327, p. 457-458) à propos de *Cant.* 7, 4, et t. 1, Introduction, p. 75, n. 1.

mea, et succendatur, et non sit qui exstinguat, propter malitiam studiorum uestrorum[e]. Hinc iterum iratus dicit : *Visitabo super uos iuxta fructum studiorum uestrorum*[f].

Quia igitur peccatis aliis differunt peccata quae per 90 consilium perpetrantur, non tam praue facta Dominus quam studia prauitatis insequitur. In factis enim saepe infirmitate, saepe neglegentia, in studiis uero malitiosa semper intentione peccatur. Quo contra recte beati uiri expressione per prophetam dicitur : *Et in cathedra pesti-* 95 *lentiae non sedit*[g]. Cathedra quippe iudicis esse uel praesidentis solet. In cathedra autem pestilentiae sedere est ex iudicio praua committere ; in cathedra pestilentiae sedere est et ex ratione mala discernere, et tamen ex deliberatione perpetrare. Quasi in peruersi concilii cathe- 100 dra sedet, qui tanta iniquitatis elatione attollitur, ut implere malum etiam per consilia conetur. Et sicut assistentibus turbis praelati sunt, qui cathedrae honore fulciuntur, ita delicta eorum, qui praecipitatione corruunt, exquisita per studium peccata transcendunt. Ammonendi 105 ergo sunt, ut hinc colligant qui in culpa se etiam per consilium ligant, qua quandoque ultione feriendi sunt, qui nunc prauorum non socii, sed principes fiunt.

99 concilii *T E* : consilii *codd.* μ

e. Jér. 4, 4 ‖ f. Jér. 23, 2 ‖ g. Ps. 1, 1.

1. Cf. t. 1, Introduction, p. 85.

s'enflammer, sans personne pour l'éteindre, à cause de votre attachement au mal[e]. » Et dans sa colère il dit encore : *« Je vous visiterai, selon ce que produisent vos attachements*[f]. »

Étant donné que les péchés accomplis de propos délibéré diffèrent des autres péchés, ce que le Seigneur poursuit en eux, c'est moins l'acte vicieux que l'attachement au vice. Dans les actes, en effet, on pèche souvent par faiblesse, par négligence ; quand il s'agit d'attachement, on pèche toujours par la malice de l'intention. A l'opposé, il est dit avec justesse par le prophète décrivant l'homme heureux : *« Il ne s'est pas assis dans la chaire de la pestilence*[g]. » La chaire est le siège de celui qui juge ou préside[1]. Être assis dans la chaire de la pestilence, c'est commettre le mal en le jugeant tel ; être assis dans la chaire de la pestilence, c'est discerner le mal par la raison et cependant le perpétrer délibérément. Il est assis en quelque sorte dans la chaire de l'assemblée perverse, celui qui se dresse si haut avec l'orgueil de l'iniquité qu'il en arrive à s'efforcer de commettre le mal jusqu'au bout, de propos délibéré. Les personnages jouissant de l'honneur d'une chaire sont placés au-dessus des foules qui les entourent ; de même des péchés recherchés par attachement surpassent en gravité les manquements où l'on tombe par précipitation. Il faut donc avertir ceux qui s'engagent avec réflexion dans le péché de conclure de là à la gravité du châtiment qui les frappera, eux qui ne sont pas maintenant simples compagnons des méchants, mais qui marchent à leur tête.

CAPVT XXXIII

Quod aliter ammonendi sunt qui licet minima crebro tamen illicita faciunt atque aliter qui se a paruis custodiunt sed aliquando in grauibus demerguntur.

LVII Aliter ammonendi sunt qui, licet minima, crebro tamen
5 illicita faciunt ; atque aliter qui se a paruis custodiunt, sed aliquando in grauibus demerguntur. Ammonendi sunt qui quamuis in minimis, sed tamen frequenter excedunt, ut nequaquam considerent qualia, sed quanta committunt. Facta enim sua si despiciunt timere cum pensant,
10 debent formidare cum numerant. Altos quippe gurgites fluminum, paruae sed innumerae replent guttae pluuiarum. Et hoc agit sentina latenter crescens, quod patenter procella saeuiens. Et minuta sunt quae erumpunt membris per scabiem uulnera, sed cum multitudo eorum
15 innumerabiliter occupat, sic uitam corporis sicut unum graue inflictum pectori uulnus necat. Hinc uidelicet scriptum est : *Qui modica spernit, paulatim decidit*[a]. Qui enim peccata minima flere ac deuitare neglegit, ab statu iustitiae non quidem repente, sed partibus totus cadit.
20 Ammonendi sunt qui in minimis frequenter excedunt, ut sollicite considerent quia nonnumquam in parua deterius, quam in maiori culpa peccatur. Maior enim quo

XXXIII, 12 crescens *T E B* : excrescens *codd.* μ

XXXIII a. Sir. 19, 1

CHAPITRE 33

Il faut avertir différemment ceux qui commettent des infractions minimes, mais fréquentes, et ceux qui se gardent des fautes légères, mais sombrent parfois dans de lourdes fautes.

Il faut avertir différemment ceux qui commettent des infractions minimes, mais fréquentes, et ceux qui se gardent des fautes légères, mais sombrent parfois dans de lourdes fautes. Il faut avertir ceux qui ont de minimes écarts de conduite, mais fréquents, de ne pas considérer la qualité, mais le nombre des actes qu'ils commettent. S'ils négligent de craindre quand ils pèsent ces actes, ils doivent s'effrayer quand ils les comptent. Petites, mais innombrables, les gouttes de la pluie remplissent les profondes cavités des fleuves. La sentine où l'eau monte sans bruit fait ce que fait la tempête qui sévit avec éclat. Les éruptions de la gale sur les membres sont petites, mais quand elles les couvrent, innombrables, elles font mourir la vie du corps autant qu'une grave blessure infligée en pleine poitrine[1]. De là le mot de l'Écriture : « *Qui méprise les petites choses déchoit peu à peu*[a]. » Oui, qui néglige de pleurer et d'éviter les petits péchés déchoit de l'état de justice, non pas tout d'un coup, c'est vrai, mais par degrés.

Il faut avertir ceux qui ont fréquemment de minimes écarts de conduite de considérer avec soin que parfois de petits péchés font plus de mal que des fautes plus

1. Cf. t. 1, Introduction, p. 48.

citius quia sit culpa agnoscitur, eo etiam celerius emendatur ; minor uero dum quasi nulla creditur, eo peius
25 quo et securius in usu retinetur. Vnde fit plerumque ut mens assueta malis leuibus nec grauia perhorrescat, atque ad quandam auctoritatem nequitiae per culpas nutrita perueniat, et tanto in maioribus contemnat pertimescere, quanto in minimis didicit non timendo peccare.

30 At contra ammonendi sunt qui se a paruis custodiunt, sed aliquando in grauibus demerguntur, ut sollicite seipsi deprehendant, quia dum cor eorum de custoditis minimis extollitur, ad perpetranda grauiora ipso elationis suae baratro deuoratur. Et dum foris sibi parua subiciunt, sed
35 per inanem gloriam intus intumescunt, languore superbiae intrinsecus uictam mentem etiam foras per mala maiora prosternunt. Ammonendi ergo sunt qui se a paruis custodiunt, sed aliquando in grauibus demerguntur, ne ubi se stare extrinsecus aestimant, ibi intrinsecus
40 cadant, et iuxta districti iudicis retributionem elatio minoris iustitiae uia fiat ad foueam grauioris culpae. Qui enim uane elati, minimi boni custodiam suis uiribus tribuunt, iuste derelicti culpis maioribus obruuntur, et cadendo discunt non fuisse proprium quod steterunt, ut
45 mala immensa cor reprimant, quod bona minima exaltant. Ammonendi sunt ut considerent quod et in culpis grauioribus alto reatu se obligant, et tamen plerumque in paruis quae custodiunt, deterius peccant, quia et in illis iniqua faciunt, et per ista se hominibus quia iniqui

31 seipsi *T E B* : seipsos *μ* || 34 deuorantur *μ*

graves. Car une faute plus grave, reconnue plus vite comme telle, s'amende de ce fait plus rapidement ; une petite faute, que l'on croit n'être rien, reste usuelle, d'une façon d'autant plus dommageable qu'on est plus tranquille. Il arrive alors qu'habituée à des manquements légers, l'âme ne redoute pas non plus les manquements graves ; appâtée par les fautes, elle en arrive à je ne sais quelle autorisation du mal, et elle brave d'autant plus la crainte dans les péchés graves qu'elle a appris davantage à pécher sans crainte en matière légère.

Par contre il faut avertir ceux qui se gardent des fautes légères, mais sombrent parfois dans de lourdes fautes, de bien saisir eux-mêmes leur point faible : fier de s'être gardé des fautes légères, leur cœur est en train d'être happé par le gouffre de sa superbe, jusqu'à en commettre de graves. Au-dehors ils ont la maîtrise des petites choses, mais au-dedans ils s'enflent de vaine gloire : leur âme est vaincue intérieurement par la maladie de l'orgueil, et ils l'avilissent aussi au-dehors par des péchés plus graves. Il faut donc avertir ceux qui se gardent des fautes légères, mais sombrent parfois dans de lourdes fautes, de peur qu'ils n'aillent chuter au-dedans au moment même où ils se croient fermement debout au-dehors, et que par un équitable arrêt du juge sévère leur fierté d'une justice mineure ne les conduise à la trappe d'une lourde faute. Ceux qui, vainement fiers, attribuent à leurs propres forces leur fidélité mineure au bien, ceux-là, justement abandonnés à eux-mêmes, s'affaissent sous de graves fautes, et apprennent par leur chute qu'ils ne devaient pas à eux-mêmes d'être restés debout, si bien que d'immenses misères humilient ce cœur qu'exaltent de menus mérites. Il faut les avertir de considérer que par leurs fautes graves ils se chargent d'une lourde culpabilité et par leurs observances mineures ne laissent pas d'ordinaire d'aggraver leur péché : par leurs fautes graves ils agissent en pécheurs, et par leurs observances ils cachent aux

50 sunt tegunt. Vnde fit ut cum maiora mala perpetrant coram Deo, apertae iniquitatis sit, et cum parua bona custodiunt coram hominibus, simulatae sanctitatis.

Hinc est enim quod pharisaeis dicitur : *Liquantes culicem, camelum autem glutientes*[b]. Ac si aperte diceretur :
55 Minima mala discernitis, maiora deuoratis. Hinc est quod rursum ore Veritatis increpantur, cum audiunt : *Decimatis mentham, et anethum, et cyminum ; et relinquitis quae grauiora sunt legis, iudicium, et misericordiam, et fidem*[c]. Neque enim neglegenter audiendum est quod cum deci-
60 mari minima diceret, extrema quidem de oleribus maluit, sed tamen bene olentia memorare, ut profecto ostenderet quia simulatores cum parua custodiunt, odorem de se extendere sanctae opinionis quaerunt, et quamuis implere maxima praetermittant, ea tamen minima obseruant,
65 quae humano iudicio longe lateque redoleant.

CAPVT XXXIV

Quod aliter ammonendi sunt qui bona nec inchoant atque aliter qui inchoata minime consummant.

LVIII Aliter ammonendi sunt qui bona nec inchoant, atque aliter qui inchoata minime consummant. Qui enim bona

b. Matth. 23, 24 || c. Matth. 23, 23.

1. Sur le même thème, cf. *Mor.* 19, 27, 50 (*CCL* 143A, p. 996-997). En juillet 596, Grégoire exhorte les moines qu'il a envoyés en mission en Angleterre ; ils sont en Gaule et veulent revenir à Rome, effrayés par les difficultés : *melius fuerat bona non incipere quam ab his quae coepta sunt cogitatione retrorsum redire* (*Ep.* 6, 53 = *CCL* 140, p. 426 ; cf. V. Paronetto, *Gregorio Magno, profilo del vescovo*, Milan 1983, p. 66).

hommes qu'ils sont pécheurs. Dès lors, les fautes graves qu'ils commettent aux yeux de Dieu sont iniquité manifeste, et leurs fidélités mineures aux yeux des hommes, semblant de sainteté.

Voilà pourquoi il est dit aux pharisiens : *« Vous arrêtez au filtre le moucheron, et vous avalez le chameau*[b]*. »* C'était dire en clair : « Vous discernez les plus petites fautes, vous en engloutissez de grandes. » Voilà pourquoi ils sont blâmés encore par la voix de la Vérité, quand ils l'entendent leur dire : *« Vous acquittez la dîme de la menthe, du fenouil et du cumin, et vous négligez ce qui est le plus important dans la Loi : la justice, la miséricorde et la fidélité*[c]*. »* Un détail à ne pas négliger : en parlant de la dîme pour de toutes petites choses, le Seigneur a choisi des plantes potagères, les dernières, mais odorantes, pour montrer, bien sûr, que par des pratiques mineures les hypocrites cherchent à répandre autour d'eux la bonne odeur d'une sainteté réputée, et tout en négligeant de remplir leurs devoirs les plus importants, s'acquittent d'observances minutieuses, qui, selon l'appréciation des hommes, leur donnent partout un air de rayonnante vertu.

CHAPITRE 34

Il faut avertir différemment ceux qui n'entreprennent même pas d'agir pour le bien, et ceux qui l'ayant entrepris n'achèvent pas.

Il faut avertir différemment ceux qui n'entreprennent même pas d'agir pour le bien, et ceux qui l'ayant entrepris n'achèvent pas[1]. Ceux qui n'entreprennent même pas de

5 nec inchoant, non sunt eis prius aedificanda quae salubriter diligant, sed destruenda ea in quibus semetipsos nequiter uersant. Neque enim sequuntur quae inexperta audiunt, nisi prius quam perniciosa sint ea quae sibi sunt experta, deprehendant, quia nec leuari appetit, qui et hoc
10 ipsum quia cecidit nescit, et qui dolorem uulneris non sentit, salutis remedia non requirit. Prius ergo ostendenda sunt, quam sint uana quae diligunt, et tunc demum uigilanter intimanda, quam sint utilia quae praetermittunt. Prius uideant fugienda quae amant, et sine difficul-
15 tate postmodum cognoscunt amanda esse quae fugiunt. Melius enim inexperta recipiunt, si de expertis quidquid disputationis audiunt, ueraciter recognoscunt. Tunc igitur pleno uoto discunt uera bona quaerere, cum certo iudicio deprehenderint falsa se uacue tenuisse.

20 Audiant ergo quod bona praesentia et a delectatione citius transitura sint, et tamen eorum causa ad ultionem sine transitu permansura, quia et nunc quod libet inuitis subtrahitur, et tunc quod dolet inuitis in supplicium reseruatur. Itaque eisdem rebus terreantur salubriter, qui-
25 bus noxie delectantur, ut dum perculsa mens alta ruinae suae damna conspiciens, sese in praecipiti peruenisse deprehendit, gressum post terga reuocet, et pertimescens quae amauerat, discat diligere quae contemnebat.

Hinc est enim quod Hieremiae misso ad praedicatio-
30 nem dicitur : *Ecce constitui te hodie super gentes et super regna, ut euellas et destruas, et disperdas et dissipes, et*

XXXIV, 15 cognoscunt *T B* : -cant *E* μ ‖ 21 sint *T E B* : sunt μ ‖ 26 praecipiti *T E B aliique* : praecipitio *alii codd.* praecipitium μ

faire le bien ne doivent pas commencer par bâtir, avec amour, de façon salutaire, mais par détruire ce pourquoi ils s'agitent, de façon perverse. Car ils ne vont pas s'attacher à un genre d'activités dont ils entendent parler sans en avoir l'expérience, avant de comprendre combien est nocif celui dont ils ont l'expérience ; on ne désire pas être relevé quand on ignore précisément qu'on est tombé, et quand on ne sent pas la douleur de sa blessure on ne recherche pas le remède qui rend la vie. Il faut donc montrer à ces gens combien sont vains les biens qu'ils aiment, et alors seulement leur faire comprendre soigneusement combien ce qu'ils omettent de faire serait avantageux. Qu'ils voient d'abord qu'il leur faut fuir ce qu'ils aiment, et ils reconnaissent ensuite sans difficulté combien est aimable ce qu'ils fuient. Car admettre ce dont ils n'ont pas l'expérience leur est plus facile, s'ils reconnaissent pour vraies, lucidement, les réflexions qu'ils entendent faire sur l'expérience qu'ils ont faite. Ils apprennent donc à chercher de tout leur cœur les vrais biens, quand ils se rendent compte, par un jugement sûr, qu'ils ont en vain possédé de faux biens.

Qu'ils écoutent donc : les biens présents vont passer très vite, arrachés à leur plaisir, et cependant le grief encouru va rester, sans passer, pour les punir, et ce qui leur plaît maintenant leur est enlevé, contre leur gré, et ce qui alors fait leur douleur leur est conservé, contre leur gré, pour leur châtiment. Dès lors, qu'ils s'effraient pour leur salut de ces jouissances mêmes dont ils se délectent pour leur malheur, afin que leur âme, apercevant bouleversée la profonde misère où va l'entraîner sa chute, se surprenne au bord du précipice, revienne en arrière, et redoutant ce qu'elle avait chéri commence à aimer ce qu'elle dédaignait.

Voilà pourquoi il est dit au prophète Jérémie, envoyé pour prêcher : « *Voici que je t'ai établi sur des peuples et des royaumes, pour arracher et pour détruire, pour perdre*

aedifices et plantes[a]. Quia nisi prius peruersa destrueret, aedificare utiliter recta non posset ; nisi ab auditorum suorum cordibus spinas uani amoris euelleret, nimirum
35 frustra in eis sanctae praedicationis uerba plantaret. Hinc est quod Petrus prius euertit, ut postmodum construat, cum nequaquam Iudaeos monebat quid iam facerent, sed de his quae fecerant, increpabat dicens : *Iesum Nazarenum, uirum approbatum a Deo in uobis, uirtutibus et*
40 *prodigiis et signis, quae fecit per illum Deus in medio uestri, sicut uos scitis ; hunc definito consilio et praescientia Dei traditum, per manus iniquorum affigentes interemistis, quem Deus suscitauit solutis doloribus inferni*[b], ut uidelicet crudelitatis suae cognitione destructi, aedificationem sanc-
45 tae praedicationis quanto anxie quaererent, tanto utiliter audirent. Vnde ilico responderunt : *Quid ergo faciemus, uiri fratres ?* Quibus mox dicitur : *Agite paenitentiam, et baptizetur unusquisque uestrum*[c]. Quae aedificationis uerba profecto contemnerent, nisi prius salubriter ruinam suae
50 destructionis inuenissent.

Hinc est quod Saulus cum super eum caelitus lux emissa resplenduit, non iam quid recte deberet facere, sed quid praue fecisset, audiuit. Nam cum prostratus requireret, dicens : *Quis es, Domine ?* Protinus responde-
55 tur : *Ego sum Iesus Nazarenus, quem tu persequeris*[d]. Et cum repente subiungeret : *Domine, quid me iubes facere*[e] *?* Ilico adiungitur : *Surgens ingredere ciuitatem, et ibi tibi dicetur quid te oporteat facere*[f]. Ecce de caelo Dominus loquens persecutoris sui facta corripuit, nec tamen ilico
60 quae essent facienda monstrauit. Ecce elationis eius fabrica iam tota corruerat, et post ruinam suam humilis aedificari requirebat, et cum superbia destruitur, aedifi-

XXXIV a. Jér. 1, 10 ‖ b. Act. 2, 22-24 ‖ c. Act. 2, 37-38 ‖ d. Act. 22, 8 ; cf. 9, 5 ‖ e. Act. 9, 6 ; cf. 22, 10 ‖ f. Act. 9, 7 ; cf. 22, 10

et pour disperser, pour bâtir et pour planter[a]. » S'il ne commençait par détruire le mal, il ne pourrait bâtir utilement le bien ; s'il n'arrachait du cœur de ses auditeurs les épines d'un amour vain, c'est pour rien, certes, qu'il y sèmerait les paroles de sa sainte prédication. Voilà pourquoi Pierre commence par renverser pour ensuite construire, quand au lieu d'avertir les Juifs de ce qu'ils auraient à faire il les blâmait de ce qu'ils avaient fait : « *Jésus de Nazareth, cet homme accrédité par Dieu auprès de vous par des actes de puissance, des signes et des prodiges qu'il a opérés par lui au milieu de vous, comme vous le savez, ce Jésus, livré selon le dessein arrêté et la prescience de Dieu, vous l'avez fait mourir en le crucifiant par la main des impies : Dieu l'a ressuscité, le délivrant des douleurs de la mort*[b]. » Pierre voulait qu'abattus par la prise de conscience de leur cruauté ils écoutent la sainte prédication qui relève, avec d'autant plus de fruit qu'ils l'interrogeaient plus anxieusement. Aussi répondirent-ils sur-le-champ : « *Que ferons-nous donc, frères ? — Repentez-vous,* leur fut-il dit aussitôt, *et que chacun de vous soit baptisé*[c]. » Ils auraient sans nul doute fait fi des paroles qui relevaient, s'ils n'avaient d'abord découvert, pour leur salut, la profondeur de leur chute.

Voilà pourquoi Saul, lorsque la lumière venue du ciel resplendit au-dessus de lui, s'entendit dire non pas ce qu'il devait faire désormais de bien, mais ce qu'il avait fait de mal : « *Qui es-tu, Seigneur ?* », disait-il, terrassé. Il lui fut répondu : « *Je suis Jésus de Nazareth, que tu persécutes*[d]. » Et comme il reprenait : « *Seigneur, que m'ordonnes-tu de faire*[e] ? », il fut ajouté aussitôt : « *Lève-toi, entre dans la ville, et là on te dira ce qu'il te faut faire*[f]. » Voilà : parlant du haut du ciel, le Seigneur blâma l'action de son persécuteur, sans toutefois lui montrer sur-le-champ ce qu'il devait faire. Voilà : l'édifice de son orgueil s'était écroulé tout d'une pièce, et ensuite, effondré, tout humble, il demandait qu'on bâtisse. Au

cationis tamen uerba retinentur, ut uidelicet persecutor immanis diu destructus iaceret, et tanto post in bonis
65 solidius surgeret, quanto prius funditus euersus a pristino errore cecidisset. Qui ergo nulla adhuc agere bona coeperunt, a rigiditate antea suae prauitatis, correptionis manu euertendi sunt, ut ad statum postmodum rectae operationis erigantur, quia et idcirco altum siluae lignum
70 succidimus, ut hoc in aedificii tegmine subleuemus. Sed tamen non repente in fabrica ponitur, ut nimirum prius uitiosa eius uiriditas exsiccetur, cuius quo plus in infimis humor excoquitur, eo ad summa solidius leuatur.

At contra ammonendi sunt qui inchoata bona minime
75 consummant, ut cauta circumspectione considerent quia dum proposita non perficiunt, etiam quae fuerant coepta conuellunt. Si enim quod uidetur gerendum sollicita intentione non crescit, etiam quod fuerat bene gestum decrescit. In hoc quippe mundo humana anima quasi
80 more nauis est contra ictum fluminis conscendentis : uno in loco nequaquam stare permittitur, quia ad ima relabitur, nisi ad summa conetur. Si ergo inchoata bona fortis operantis manus ad perfectionem non subleuat, ipsa operandi remissio contra hoc quod operatum est,
85 pugnat. Hinc est enim quod per Salomonem dicitur : *Qui mollis et dissolutus est in opere suo, frater est sua opera dissipantis*[g]. Quia uidelicet qui coepta bona districte non exsequitur, dissolutione neglegentiae manum destruentis imitatur. Hinc Sardis Ecclesiae ab angelo dicitur : *Esto*
90 *uigilans, et confirma cetera quae moritura erant, non enim inuenio opera tua plena coram Deo meo*[h]. Quia igitur

g. Prov. 18, 9 || h. Apoc. 3, 2

1. Sur la construction d'une charpente, cf. 3, 25 et *supra*, p. 435, n. 2 (l'image des poutres) et, dans le *Registre des lettres*, le dossier sur un transport de bois depuis Rome : *Ep.* 8, 28 (*CCL* 140A, p. 550) ; 9, 176 (p. 733 = *MGH* 9, 175) ; 10, 21 (p. 855-856) ; 13, 43 (p. 1048 = *MGH* 13, 45).

moment où l'orgueil était abattu, les mots qui édifient étaient provisoirement tus. Il fallait, on le voit bien, que le cruel persécuteur, jeté bas, gise un temps à terre, puis se relève, d'autant plus affermi dans le bien que par la destruction de son ancienne erreur il aurait été d'abord complètement terrassé. Ceux qui n'ont pas encore commencé à faire le bien doivent donc, raidis qu'ils sont dans le mal, être abattus d'abord par la vigueur du blâme, pour être ensuite relevés, jusqu'à l'attitude ferme de l'homme qui œuvre bien. Si nous coupons à la base un haut fût de la forêt, c'est pour l'élever jusqu'au toit de l'édifice. On ne le met pas cependant tout de suite dans la construction, afin que sèche d'abord sa nuisible verdeur : plus la sève au-dedans se résorbe, plus il se dresse solidement vers le faîte[1].

Par contre, il faut avertir ceux qui entreprennent de faire le bien et n'achèvent pas d'être avec vigilance sur leurs gardes : en ne menant pas à bonne fin ce qu'ils se proposent, ils réduisent à néant leurs premiers efforts. Si une application soutenue n'assure pas le progrès de l'œuvre qu'ils jugent devoir faire, ce qu'ils ont déjà fait de bon régresse. En ce bas monde, l'âme humaine ressemble à un bateau qui remonte le courant d'un fleuve : il ne lui est pas possible de demeurer sur place, il redescend en aval s'il ne s'efforce d'aller en amont. Si la main vigoureuse du travailleur n'amène pas ce qu'elle a commencé de bon à son haut point de perfection, cette relâche au travail va compromettre le travail déjà fait. Voilà pourquoi il est dit par Salomon : « *Qui est mou et lâche dans son travail est frère de celui qui gâche son ouvrage*[g]. » Oui, qui ne poursuit pas résolument le bien commencé imite par sa lâche négligence la main qui détruit. D'où le mot de l'ange à l'Église de Sardes : « *Sois vigilant et raffermis ce qui te reste et allait mourir ; car je ne trouve pas que tes œuvres soient pleines aux yeux de mon Dieu*[h]. » Parce que ses œuvres n'avaient pas été

plena coram Deo eius opera inuenta non fuerant, moritura reliqua etiam quae erant gesta praedicebat. Si enim quod mortuum in nobis est ad uitam non accenditur,
95 hoc etiam exstinguitur, quod quasi adhuc uiuum tenetur.

Ammonendi sunt, ut perpendant, quod tolerabilius esse potuisset, recti uiam non arripere, quam arrepta post tergum redire. Nisi enim retro respicerent, erga coeptum studium nullo torpore languerent. Audiant igitur quod
100 scriptum est : *Melius erat eis non cognoscere uiam iustitiae, quam post agnitionem retrorsum conuerti*[i]. Audiant quod scriptum est : *Vtinam frigidus esses, aut calidus ; sed quia tepidus es, et nec frigidus nec calidus, incipiam te euomere ex ore meo*[j]. Calidus quippe est qui bona
105 studia et arripit et consummat ; frigidus uero est qui consummanda nec inchoat. Et sicut a frigore per teporem transitur ad calorem, ita a calore per teporem reditur ad frigus. Quisquis ergo amisso infidelitatis frigore uiuit, sed nequaquam tepore superato excrescit ut ferueat, procul
110 dubio calore desperato, dum noxio in tepore demoratur, agit ut frigescat. Sed sicut ante teporem frigus sub spe est, ita post frigus tepor in desperatione. Qui enim adhuc in peccatis est, conuersionis fiduciam non amittit. Qui uero post conuersionem tepuit, et spem quae esse potuit
115 de peccatore subtraxit. Aut calidus ergo quisque esse, aut frigidus quaeritur, ne tepidus euomatur, ut uidelicet aut necdum conuersus, adhuc de se conuersionis spem praebeat, aut iam conuersus in uirtutibus inardescat ; ne euomatur tepidus, qui a calore quem proposuit torpore
120 ad noxium frigus redit.

98 respicerent *T E B* : aspi- *μ*

i. II Pierre 2, 21 || j. Apoc. 3, 15-16.

1. Cette phrase à propos du froid, du tiède et du chaud est ici très concise et difficile. Remarquons qu'il y a trois éléments et que celui du milieu, le tiède, est dévalué par rapport aux deux extrêmes (cf. *Mor.* 32, 22, 46 = *CCL* 143B, p. 1663-1664).

trouvées pleines aux yeux de Dieu, l'ange lui annonçait que ce qui avait été fait déjà allait mourir. Si ce qui est mort en nous n'est pas ranimé, ce qui nous reste apparemment de vivant s'éteint également.

Il faut donc avertir ces gens de bien voir qu'il aurait été peut-être moins condamnable de ne pas prendre le bon chemin que de faire volte-face après l'avoir pris. S'ils n'avaient pas regardé en arrière, leur ardeur du début ne serait pas devenue nonchalante langueur. Qu'ils écoutent le mot de l'Écriture : « *Mieux valait pour eux ne pas connaître le chemin de la justice que retourner en arrière après l'avoir connu*[i]. » Et cet autre mot : « *Si tu pouvais être froid ou chaud ! Mais parce que tu es tiède, ni froid ni chaud, je vais te vomir de ma bouche*[j]. » Chaud, l'homme qui résolument s'attaque à une bonne tâche et qui l'achève ; froid, celui qui ne commence même pas ce qu'il devrait achever. Or, de même que l'on passe du froid au chaud par le tiède, par le tiède encore on repasse du chaud au froid. Si après avoir laissé le froid de l'infidélité on vit, mais d'une vie qui ne va pas croissant, au-delà du tiède, jusqu'à la ferveur, alors, à n'en pas douter, on s'arrête à l'étape d'une nuisible tiédeur, sans l'espoir de la chaleur ; on s'en va vers le froid. Avant la tiédeur, on s'attend à ce froid ; mais après le froid, peu d'espoir de retour à la tiédeur[1]. Celui qui est encore dans le péché ne perd pas la confiance qu'il pourra se convertir. Mais celui qui après sa conversion s'est attiédi, éteint l'espoir même qu'on peut avoir pour un pécheur. On cherche un homme qui soit ou chaud ou froid, de crainte que tiède il ne soit vomi : non encore converti, qu'il donne l'espoir de sa conversion, ou bien, désormais converti, qu'il ait la ferveur des vertus. Il ne faut pas qu'il soit vomi, devenu tiède, renonçant à son dessein de ferveur, revenant par sa torpeur vers un froid dangereux.

CAPVT XXXV

Quod aliter ammonendi sunt qui mala occulte agunt et bona publice atque aliter qui bona quae faciunt abscondunt et tamen quibusdam factis publice mala de se opinari permittunt.

LIX 5 Aliter ammonendi sunt qui mala occulte agunt, et bona publice ; atque aliter qui bona quae faciunt abscondunt, et tamen quibusdam factis publice mala de se opinari permittunt. Ammonendi enim sunt qui mala occulte agunt, et bona publice, ut pensent humana iudicia quanta 10 uelocitate euolant, diuina autem quanta immobilitate perdurant. Ammonendi sunt, ut in fine rerum mentis oculos figant, quia et humanae laudis attestatio praeterit, et superna sententia, quae et abscondita penetrat, ad retributionem perpetuam conualescit. Dum igitur occulta 15 mala sua diuinis iudiciis, recta autem sua humanis oculis anteponunt, et sine teste est bonum quod publice faciunt, et non sine aeterno teste est quod latenter delinquunt. Culpas itaque suas occultando hominibus, uirtutesque pandendo, et unde puniri debeant abscondentes detegunt, 20 et unde remunerari poterant, detegentes abscondunt.

1. Sans véritable témoin. Dieu seul juge de la valeur vraie des actes, et dans ce cas pas d'acte de valeur dont il puisse être témoin.

CHAPITRE 35

Il faut avertir différemment ceux qui font en secret le mal et en public le bien, et ceux qui cachent le bien qu'ils font et cependant par certains actes vus de tous donnent prise à des jugements défavorables.

Il faut avertir différemment ceux qui font en secret le mal et en public le bien, et ceux qui cachent le bien qu'ils font et cependant par certains actes vus de tous donnent prise à des jugements défavorables. Il faut avertir ceux qui font en secret le mal et en public le bien de songer avec quelle rapidité les jugements des hommes s'en vont au vent, tandis que les jugements divins demeurent immuables. Il faut les avertir de fixer les yeux de leur âme sur la fin de toutes choses : l'attestation de la louange humaine passe, la sentence divine, qui pénètre même ce que l'on cache, entre en vigueur pour faire éternellement justice. Quand ils posent, sous le regard de Dieu qui les juge, ces actions mauvaises qu'ils cachent, et leurs actes bons sous celui des hommes, le bien qu'ils font en public est sans témoin[1], et leurs manquements dissimulés ne sont pas sans un témoin éternel. En cachant leurs fautes aux hommes et en étalant leurs vertus, ils mettent au jour, parce qu'ils le voilent[2], ce qui fera leur châtiment, et ils voilent, parce qu'ils le mettent au jour, ce qui aurait pu faire leur récompense.

2. Le seul fait de cacher le mal qu'ils font montre bien qu'ils font le mal et qu'ils le savent. Et le seul fait de mettre en lumière ce qu'ils font de bien en ternit l'éclat.

Quos recte sepulcra dealbata speciosa exterius, sed mortuorum ossibus plena Veritas uocat[a], quia uitiorum mala intus contegunt, humanis uero oculis quorundam demonstratione operum, de solo foras iustitiae colore
25 blandiuntur. Ammonendi itaque sunt, ne quae agunt recta despiciant, sed ea meriti melioris credant. Valde namque bona sua diudicant, qui ad eorum mercedem sufficere fauores humanos putant. Cum enim pro recto opere laus transitoria quaeritur, aeterna retributione res
30 digna uili pretio uenumdatur. De quo uidelicet percepto pretio Veritas dicit : *Amen dico uobis, receperunt mercedem suam*[b]. Ammonendi sunt ut considerent quia dum prauos se in occultis exhibent, sed tamen exempla de se publice in bonis operibus praebent, ostendunt sequenda
35 quae fugiunt, clamant amanda quae oderunt, uiuunt postremo aliis, et sibi moriuntur.

At contra ammonendi sunt qui bona occulte faciunt, et tamen quibusdam factis publice de se mala opinari permittunt, ne cum semetipsos actionis rectae uirtute
40 uiuificant, in se alios per exemplum prauae aestimationis occidant, ne minus quam se proximos diligant, et cum ipsi salubrem potum uini sorbeant, intentis in sui consideratione mentibus pestiferum ueneni poculum fundant. Hi nimirum in uno proximorum uitam minus adiuuant,
45 in altero multum grauant, dum student et recta occulte agere, et quibusdam factis, ad exemplum de se praua seminare. Quisquis enim laudis concupiscentiam calcare iam sufficit, aedificationis fraudem perpetrat, si bona quae agit, occultat, et quasi iactato semine germinandi

XXXV, 39 cum *T E B* : bona *add.* μ

XXXV a. Cf. Matth. 23, 27 || b. Matth. 6, 2

---

1. Un chemin qu'en fait, dans l'ensemble de leur vie, ils refusent de prendre.

Ces hommes-là, la Vérité les appelle avec raison des tombeaux blanchis, beaux à voir au-dehors, mais pleins d'ossements[a], parce qu'ils cachent au-dedans la malice de leurs vices et flattent le regard des hommes par la seule apparence de la justice, en mettant bien en vue certaines de leurs œuvres. Il faut donc les avertir de ne pas sous-estimer leurs bonnes actions, et de croire qu'elles valent une plus belle récompense. Car ils les dévaluent, en pensant que la faveur des hommes suffit à les rémunérer. Quand on cherche pour une bonne œuvre une louange passagère, on vend à vil prix un bien digne d'une éternelle rétribution. De ce prix qu'on reçoit, la Vérité affirme : *« Oui vraiment je vous le dis : ils ont reçu leur salaire*[b]. *»* Il faut donc avertir ces gens de songer qu'en se comportant mal en secret, tout en donnant publiquement des exemples de bonnes actions, ils montrent un chemin qu'ils évitent[1], proclament aimable ce qu'ils détestent ; ils vivent en fin de compte pour les autres, et eux, ils meurent.

Par contre il faut avertir ceux qui font le bien en secret et cependant, par certains actes vus de tous, donnent prise à des jugements défavorables, que tout en assurant leur propre vie par la droiture de leur conduite ils pourraient, mal jugés, être pour autrui un exemple mortel ; qu'ils ne doivent pas aimer leur prochain moins qu'eux-mêmes, et tout en apaisant leur propre soif par un vin bienfaisant, présenter aux âmes attentives à les observer une coupe de dangereux poison. Ces hommes, évidemment, n'aident pas les autres à bien vivre, d'une part, et de l'autre font beaucoup pour le leur rendre plus difficile : ils s'appliquent à faire le bien en secret, et par l'exemple de certains de leurs actes à semer le mal. Devenu capable de mépriser tout désir de la louange, on se dérobe au devoir d'édifier si l'on cache ce que l'on fait de bien ; c'est là, pour ainsi dire, jeter le grain en

50 radices subtrahit, qui opus quod imitandum est, non ostendit. Hinc namque in Euangelium Veritas dicit : *Videant opera uestra bona, et glorificent Patrem uestrum qui in caelis est*[c]. Vbi illa quoque sententia promitur, quae longe aliud praecepisse uideatur, dicens : *Attendite ne* 55 *iustitiam uestram faciatis coram hominibus, ut uideamini ab eis*[d].

Quid est ergo, quod opus nostrum et ita faciendum est ne uideatur, et tamen ut debeat uideri praecipitur, nisi quod ea quae agimus, et occultanda sunt, ne ipsi 60 laudemur, et tamen ostendenda sunt, ut laudem caelestis Patris augeamus ? Nam cum nos iustitiam nostram coram hominibus facere Dominus prohiberet, ilico adiunxit : *Vt uideamini ab eis*. Et cum rursum uidenda ab hominibus bona opera nostra praeciperet, protinus subdidit : *Vt* 65 *glorificent Patrem uestrum qui in caelis est*. Qualiter igitur uidenda essent, uel qualiter non uidenda, ex sententiarum fine monstrauit, quatinus operantis mens opus suum et propter se uideri non quaereret, et tamen hoc propter caelestis Patris gloriam non celaret. Vnde fit plerumque, 70 ut bonum opus et in occulto sit, cum fit publice, et rursus in publico, cum agitur occulte. Qui enim in publico bono opere non suam, sed superni Patris gloriam quaerit, quod fecit abscondit, quia illum solum testem habuit, cui placere curauit. Et qui in secreto suo bono opere deprehendi 75 ac laudari concupiscit, et nullus fortasse uidit quod exhibuit, et tamen hoc coram hominibus fecit, quia tot testes in bono opere secum duxit, quot humanas laudes in corde requisiuit.

Cum uero praua aestimatio, in quantum sine peccato 80 ualet, ab intuentium mente non tergitur, cunctis mala

54 uideatur *T E B* : uidetur *μ*

c. Matth. 5, 16 || d. Matth. 6, 1

1. Cf. *Hom. Év.* I, 11, 1 (*PL* 76, 1115).

terre puis l'empêcher de germer, en ne montrant pas l'œuvre à imiter. La Vérité le dit dans l'Évangile : « *Que les hommes voient vos bonnes œuvres et glorifient votre Père qui est aux cieux*[c]. » Mais là une autre maxime est exprimée, qui semblerait prescrire quelque chose de tout différent : « *Faites attention de ne pas pratiquer votre justice devant les hommes, pour être vus d'eux*[d]. »

Qu'est cela ? L'œuvre que l'on fait doit être faite sans qu'on la voie, et il est prescrit qu'on la voie ! N'est-ce pas que nos actions doivent à la fois être cachées, de peur que nous n'en soyons loués, nous, et cependant être montrées, pour que nous accroissions la louange du Père des cieux ? Oui, en nous défendant de pratiquer notre justice au regard des hommes, le Seigneur ajouta tout de suite : « *pour être vus d'eux* ». Et en prescrivant à l'inverse que nos bonnes œuvres soient vues des hommes, il ajouta aussitôt : « *pour qu'ils glorifient votre Père qui est aux cieux* ». En quel sens devaient-elles être vues et en quel sens ne le devaient-elles pas, la fin des maximes l'a montré : qu'en son âme l'ouvrier ne cherche pas que son œuvre soit vue à cause de lui, et cependant qu'il ne la cache pas, à cause de la gloire du Père céleste[1]. D'où il résulte très souvent que faite au grand jour, une œuvre bonne est dans l'ombre, et qu'elle est à l'inverse au grand jour, faite dans l'ombre. Car lorsque dans une bonne action faite au grand jour un homme cherche non pas sa gloire mais celle de son Père d'en haut, il a caché ce qu'il fait, parce que son seul témoin est celui à qui il a eu le souci de plaire. Et quand dans une bonne action cachée un homme désire être découvert et loué, personne peut-être n'a vu ce qu'il voulait montrer, et pourtant il a agi devant les hommes, car dans sa bonne action il s'est entouré d'autant de témoins qu'il a cherché en son cœur de louanges humaines.

D'autre part, quand on n'enlève pas de l'esprit des gens l'interprétation malveillante d'un acte dont ils sont

credentibus per exemplum culpa propinatur. Vnde et plerumque contingit, ut qui neglegenter de se mala opinari permittunt, per semetipsos quidem nulla iniqua faciant, sed tamen per eos qui se imitati fuerint, multiplicius
85 delinquant. Hinc est quod Paulus immunda quaedam sine pollutione comedentibus, sed imperfectis temptationis scandalum sua hac comessatione mouentibus dicit : *Videte ne forte haec licentia uestra offendiculum fiat infirmis*[e]. Et rursum : *Et peribit infirmus in tua scientia frater,*
90 *propter quem Christus mortuus est. Sic autem peccantes in fratres, et percutientes conscientiam eorum infirmam, in Christo peccatis*[f]. Hinc est quod Moyses, cum diceret : *Non maledices surdo,* protinus adiunxit : *Nec coram caeco pones offendiculum*[g]. Surdo quippe maledicere, est absenti
95 et non audienti derogare ; coram caeco uero offendiculum ponere, est discretam quidem rem agere, sed tamen ei qui lumen discretionis non habet, scandali occasionem praebere.

CAPVT XXXVI

De exhortatione multis adhibenda, ut sic singulorum uirtutes adiuuet, quatinus per hanc contraria uirtutibus uitia non excrescant.

LX Haec sunt quae praesul animarum in praedicationis
5 diuersitate custodiat, ut sollicitus congrua singulorum uulneribus medicamina opponat. Sed cum magni sit stu-

87 comesatione *T* comestione *μ* ‖ 89 scientia *T E B* : conscientia *μ*

XXXVI, 1 adhibenda *T E B* : exhi- *μ*

e. I Cor. 8, 9 ‖ f. I Cor. 8, 11-12 ‖ g. Lév. 19, 14.

témoins, dans la mesure où aucun péché ne la justifie, on donne à tous ceux qui vont croire à la faute l'exemple contagieux du mal. Lorsque par négligence des hommes laissent les autres leur imputer du mal, il arrive souvent que sans commettre eux-mêmes rien d'illicite ils multiplient tout de même les fautes en la personne de ceux qui les imitent. C'est pourquoi Paul disait à des disciples qui prenaient des aliments impurs, sans contracter certes de souillure, mais en étant par là pour des frères encore imparfaits une cause de tentation : *« Veillez à ce que la liberté que vous prenez ne devienne pour les faibles une occasion de chute*[e]*. »* Et à nouveau : *« Et le faible périra à cause de ta science, lui, un frère, pour lequel le Christ est mort ! Mais en péchant ainsi contre des frères et en blessant leur conscience encore faible, vous péchez contre le Christ*[f]*. »* Voilà pourquoi, en disant : *« Tu n'insulteras pas un sourd »,* Moïse ajouta : *« Et tu ne mettras pas devant un aveugle rien qui puisse le faire tomber*[g]*. »* Insulter en effet un sourd, c'est porter atteinte à un absent, qui ne peut entendre. Mettre devant un aveugle ce qui peut le faire tomber, c'est faire une action dont il faut discerner la justesse, mais qui est une occasion de chute pour qui n'a pas la lumière du discernement.

CHAPITRE 36

Quand l'exhortation s'adresse à un grand nombre d'auditeurs, comment encourager les vertus de chacun sans que grandissent des vices opposés aux vertus ?

Voilà les directives que doit suivre dans ses prédications un pasteur d'âmes soucieux d'appliquer sur les blessures de chacune l'antidote approprié. Mais s'il faut

dii ut exhortandis singulis seruiatur ad singula, cum ualde laboriosum sit unumquemque de propriis sub dispensatione debitae considerationis instruere, longe tamen est
10 laboriosius auditores innumeros ac diuersis passionibus laborantes, uno eodemque tempore uoce unius et communis exhortationis ammonere.

Ibi quippe tanta arte uox temperanda est, ut cum diuersa sint auditorum uitia, et singulis inueniatur
15 congrua, et tamen sibimetipsi non sit diuersa, ut inter passiones medias uno quidem ductu transeat, sed more bicipitis gladii tumores cogitationum carnalium ex diuerso latere incidat, quatinus sic superbis praedicetur humilitas, ut tamen timidis non augeatur metus, sic
20 timidis infundatur auctoritas, ut tamen superbis non crescat effrenatio. Sic otiosis ac torpentibus praedicetur sollicitudo boni operis, ut tamen inquietis immoderatae licentia non augeatur actionis. Sic inquietis ponatur modus, ut tamen otiosis non fiat torpor securus. Sic ab
25 impatientibus extinguatur ira, ut tamen remissis ac lenibus non crescat neglegentia. Sic lenes accendantur ad zelum, ut tamen iracundis non addatur incendium. Sic tenacibus infundatur tribuendi largitas, ut tamen prodigis effusionis frena minime laxentur. Sic prodigis praedicetur
30 parcitas, ut tamen tenacibus periturarum rerum custodia non augeatur. Sic incontinentibus laudetur coniugium, ut tamen iam continentes non reuocentur ad luxum. Sic continentibus laudetur uirginitas corporis, ut tamen in coniugibus despecta non fiat fecunditas carnis. Sic prae-
35 dicanda sunt bona, ne ex latere iuuentur et mala. Sic

30 peritura *T B*

---

1. Sur les vices et les vertus contraires, cf. JEAN CASSIEN, *Conf.* 5, 23 (*SC* 42, p. 214).

beaucoup d'application, quand on exhorte ses ouailles individuellement, pour subvenir à chacun de leurs besoins, s'il faut se donner beaucoup de peine pour munir chacun de ce qui lui convient en lui accordant l'attention requise, il faut se donner beaucoup plus de peine encore quand les auditeurs sont très nombreux et travaillés de passions diverses, pour les éclairer sur leurs devoirs, tous en même temps, par une seule et même exhortation.

Alors, oui, il faut pour la parole un tel art de la mesure qu'elle se trouve ajustée à chacun des vices des auditeurs, vices pourtant si opposés, et qu'en même temps elle évite l'incohérence : elle passera d'une seule traite au beau milieu des passions, mais à la façon d'une épée à deux tranchants elle incisera à droite et à gauche les tumescences des pensées charnelles, en sorte que l'humilité soit prêchée aux orgueilleux sans que la crainte augmente au cœur des timides, que l'assurance soit inspirée aux timides sans que s'accroisse l'outrance des orgueilleux. Qu'on prêche aux oisifs et aux somnolents la passion du bon travail, sans augmenter dans les impulsifs la licence d'une activité mal réglée. Qu'on impose la mesure aux impulsifs, sans que les oisifs se sentent sûrs dans leur somnolence. Qu'on éteigne la colère des impatients, sans aggraver la nonchalance des indolents et des mous. Qu'on allume au cœur des indolents la flamme du zèle, sans attiser celle qui embraserait les colériques. Qu'on inspire aux avares la générosité à donner, sans lâcher la bride à la prodigalité des dépensiers. Qu'on prêche l'économie aux dépensiers, sans augmenter dans les avares leur souci de réserves périssables. Qu'on fasse aux débauchés l'éloge du mariage, sans ébranler la résolution des continents par le désir de la jouissance. Qu'on fasse aux continents l'éloge de la virginité corporelle, sans déprécier chez les époux la fécondité de la chair[1]. Il faut prêcher le bien sans prêter le flanc au mal. Il faut louer les valeurs morales les plus hautes sans ôter

laudanda sunt bona summa, ne desperentur ultima. Sic nutrienda sunt ultima, ne dum creduntur sufficere, nequaquam tendatur ad summa.

CAPVT XXXVII

De exhortatione quae uni adhibenda est contrariis passionibus laboranti.

LXI Et grauis quidem praedicatori labor est, et in communis praedicationis uoce, ad occultos singulorum motus
5 causasque uigilare, et palaestrarum more in diuersi lateris arte se uertere. Multo tamen acriori labore fatigatur, quando uni et contrariis uitiis seruienti praedicare compellitur. Plerumque enim quis laetae nimis consparsionis exsistit ; sed tamen eum repente oborta tristitia
10 immaniter deprimit. Curandum itaque praedicatori est quatinus sic tergatur tristitia, quae uenit ex tempore, ut non augeatur laetitia, quae suppetit ex consparsione, et sic frenetur laetitia, quae ex consparsione est, ut tamen non crescat tristitia, quae uenit ex tempore. Iste grauatur
15 usu immoderatae praecipitationis, et aliquando tamen ab eo quod festine agendum est, eum uis praepedit subito natae formidinis. Ille grauatur usu immoderatae formidinis, et aliquando tamen in eo quod appetit, temeritate impellitur praecipitationis. Sic itaque in isto reprimatur

XXXVII, 7 et *T E B* : e μ

1. Les palestres sont peut-être une réminiscence scolaire de CICÉRON *Orat.* 3, 220 : « Tous ces mouvements de l'âme (Crassus vient d'énumérer les principales passions en les citant deux à deux : colère et plainte, crainte et violence, joie et abattement) doivent être accompagnés de gestes, non de ce geste qui traduit toutes les paroles comme au théâtre,

le courage des plus humbles. Il faut encourager les plus humbles sans que, les croyant suffisantes, on cesse d'aspirer aux plus hautes.

CHAPITRE 37

Sur l'exhortation à faire individuellement à un homme qui souffre de passions opposées.

Quand il prêche à des auditeurs nombreux, c'est une lourde tâche pour le prédicateur, il est vrai, d'être attentif aux passions secrètes et aux intérêts de chacun, et comme à la palestre[1], de faire habilement face à droite et à gauche. Mais la tâche est encore plus rude et fatigante quand il est contraint de s'adresser à un homme seul et adonné à des vices contraires. Souvent, en effet, tel homme sera d'un tempérament[2] gai, mais parfois abattu soudain par un accès de tristesse. Le prédicateur doit donc avoir soin de chasser la tristesse occasionnelle, sans accroître la joie d'un tempérament exubérant, et de modérer la joie qui tient au tempérament sans accroître la tristesse occasionnelle. Tel autre est par habitude trop impulsif, mais parfois un vif mouvement de crainte soudain le paralyse, alors qu'il faudrait agir vite. Un autre souffre d'être par habitude trop craintif, et cependant le désir le pousse parfois à une impulsive étourderie. Il faut

mais de celui qui éclaire l'ensemble de l'idée et de la pensée en les faisant comprendre plutôt qu'en cherchant à les exprimer ; les attitudes *(laterum inflexione)* seront énergiques et mâles, empruntées non pas à la scène et aux acteurs, mais à l'escrime ou même à la palestre *(non ab scaena et histrionibus, sed ... a palaestra)*. »

2. Sur *consparsio*, cf. *supra*, p. 274, n. 1.

20 subito oborta formido, ut tamen non excrescat enutrita diu praecipitatio. Sic in illo reprimatur repente oborta praecipitatio, ut tamen non conualescat impressa ex consparsione formido.

Quid autem mirum si mentium medici ista custodiunt, 25 dum tanta discretionis arte se temperant, qui non corda sed corpora medentur ? Plerumque enim debile corpus opprimit languor immanis, cui languori scilicet obuiari adiutoriis fortibus debet, sed tamen corpus debile adiutorium forte non sustinet. Studet igitur qui medetur, 30 quatinus sic superexsistentem morbum subtrahat, ut nequaquam supposita corporis debilitas crescat, ne fortasse languor cum uita deficiat. Tanta ergo adiutorium discretione componit, ut uno eodemque tempore et languori obuiet et debilitati. Si igitur medicina corporis indiuise 35 adhibita seruire diuisibiliter potest — tunc enim uere medicina est, quando sic per eam uitio superexsistenti succurritur, ut etiam suppositae consparsioni seruiatur, — cur medicina mentis una eademque praedicatione apposita, morum morbis diuerso ordine obuiare non 40 ualeat, quae tanto subtilior agitur, quanto de inuisibilibus tractat ?

CAPVT XXXVIII

Quod aliquando leuiora uitia relinquenda sunt, ut grauiora subtrahantur.

LXII Sed quia plerumque dum duorum uitiorum languor irruit, hoc leuius, illud fortasse grauius premit, ei nimirum

XXXVIII, 4 lenius *T E (cf. l. 1)*

donc réprimer dans le premier le soudain mouvement de crainte, sans que s'accroisse une impulsivité longtemps entretenue. Il faut réprimer dans l'autre l'impulsivité soudaine sans que s'aggrave sa vulnérabilité native à la crainte.

Est-il étonnant que les médecins des âmes observent tout cela, alors que ceux qui soignent non pas les cœurs mais les corps règlent leurs interventions avec un tel art du discernement ? Souvent une grosse maladie épuisante abat un organisme débile et il faudrait la combattre par une médication énergique ; et cependant l'organisme débile ne tolère pas de médication énergique. Le médecin s'efforce donc d'éloigner la maladie survenue sans que s'accroisse la faiblesse foncière de l'organisme, de peur que la maladie n'aille s'arrêter avec la vie ! Il compose donc le remède avec un tel discernement que d'un seul coup et en même temps il pare et à la maladie et à la faiblesse. Si donc un remède corporel administré en une seule fois peut avoir plusieurs effets — car il est véritablement remède quand, obviant à une affection accidentelle, il augmente aussi le fond de santé de l'organisme —, pourquoi un remède de l'âme, appliqué par une seule et même prédication, n'aurait-il pas le pouvoir d'obvier en sens divers aux maladies morales, lui qu'on fait agir de façon d'autant plus pénétrante qu'on traite de réalités invisibles ?

CHAPITRE 38

Il faut parfois passer sur de légers vices pour en extirper de graves.

Souvent l'assaut de la maladie provient de deux vices, dont l'un est plus léger, l'autre pèse plus lourdement :

5 uitio rectius sub celeritate subuenitur, per quod festine ad interitum tenditur. Et si hoc a uicina morte restringi non potest, nisi illud etiam quod exsistit contrarium crescat, tolerandum praedicatori est, ut per exhortationem suam artificioso moderamine unum patiatur crescere, 10 quatenus possit aliud a uicina morte retinere. Quod cum agit, non morbum exaggerat, sed uulnerati sui, cui medicamentum adhibet, uitam seruat, ut exquirendae salutis congruum tempus inueniat. Saepe enim quis a ciborum se ingluuie minime temperans, iamiamque paene supe- 15 rantis luxuriae stimulis premitur, qui huius pugnae metu territus, dum se per abstinentiam restringere nititur, inanis gloriae temptatione fatigatur, in quo nimirum unum uitium nullatenus exstinguitur, nisi aliud nutriatur. Quae igitur pestis ardentius insequenda est, nisi quae pericu- 20 losius premit ? Tolerandum namque est ut per uirtutem abstinentiae interim arrogantia contra uiuentem crescat, ne eum per ingluuiem a uita funditus luxuria exstinguat.

Hinc est quod Paulus, cum infirmum auditorem suum perpenderet, aut praua adhuc uelle agere, aut de actione 25 recta humanae laudis retributione gaudere, ait : *Vis non timere potestatem ? bonum fac, et habebis laudem ex illa*[a]. Neque enim ideo bona agenda sunt ut potestas huius mundi nulla timeatur, aut per haec gloria transitoriae laudis sumatur. Sed cum infirmam mentem ad tantum 30 robur ascendere non posse pensaret, ut et prauitatem simul uitaret et laudem, praedicator egregius ei ammonendo aliquid obtulit, et aliquid tulit. Concedendo enim lenia, subtraxit acriora, ut quia ad deserenda cuncta simul

XXXVIII a. Rom. 13, 3.

---

1. Cf. *Mor.* 13, 16, 19 (*SC* 212, p. 272-273).

alors, bien entendu, il vaut mieux s'opposer rapidement au vice qui entraîne sans délai le sujet vers sa perte. Et si le prédicateur ne peut prévenir une mort prochaine en réprimant ce vice sans qu'empire l'autre, son contraire, il devrait tolérer ce dernier : que dans son exhortation il s'arrange habilement pour laisser croître l'un de façon à pouvoir retenir l'autre de donner la mort. Ce faisant, il n'aggrave pas la maladie, il préserve la vie de son blessé par le remède appliqué, jusqu'à ce que s'offre une heure favorable à la recherche de la guérison. Souvent, de fait, un homme qui ne sait maîtriser sa gloutonnerie est pressé par l'aiguillon de la luxure, toute prête à le dominer ; effrayé par ce terrible assaut, il s'efforce de s'astreindre à l'abstinence, et le voilà harcelé par une tentation de vaine gloire[1], si bien qu'il ne peut étouffer un vice sans en nourrir un autre. Quel mal faut-il attaquer avec plus d'ardeur, sinon celui dont la pression est plus dangereuse ? Il faut tolérer que du fait de sa vertueuse abstinence un nuisible orgueil grandisse en cet homme ; mais qu'il vive, que la luxure, du fait de sa gloutonnerie, ne lui enlève pas complètement la vie !

Voilà pourquoi Paul, conscient que son auditeur, dans sa faiblesse, voulait soit continuer à se mal conduire, soit être récompensé d'une bonne conduite par la joie que donne la louange humaine, lui déclara : *« Tu veux ne pas craindre l'autorité ? Fais le bien et tu en recevras louange*[a]. » Il ne faut pas agir bien dans la crainte d'une autorité de ce monde, ou pour recevoir en retour une gloire passagère. Mais jugeant qu'une âme faible ne pouvait atteindre un degré de courage assez grand pour éviter en même temps et l'inconduite et la louange, l'éminent prédicateur, par son avis, offrit et ôta : il fit une concession légère, et il arracha un mal plus sévère. Comme cet homme ne peut s'élever assez pour tout abandonner d'un seul coup, on laisse à son cœur la

non assurgeret, dum in quiddam suum animus familia-
35 riter relinquitur, a quodam suo sine dolore tolleretur.

CAPVT XXXIX

Quod infirmis mentibus omnino non debent alta praedicari.

LXIII Sciendum uero praedicatori est, ut auditoris sui animum ultra uires non trahat, ne, ut ita dicam, dum plus
5 quam ualet tenditur, mentis chorda rumpatur. Alta etenim quaeque debent multis audientibus contegi, et uix paucis aperiri. Hinc namque per semetipsam Veritas dicit : *Quis putas est fidelis dispensator et prudens, quem constituit Dominus super familiam suam, ut det illis in*
10 *tempore tritici mensuram*[a] *?* Per mensuram quippe tritici exprimitur modus uerbi, ne cum angusto cordi incapabile aliquid tribuitur, extra fundatur. Hinc Paulus ait : *Non potui uobis loqui quasi spiritalibus, sed quasi carnalibus. Tamquam paruulis in Christo lac uobis potum dedi, non*
15 *escam*[b]. Hinc Moyses a secreto Dei exiens, coruscantem coram populo faciem uelat, quia nimirum turbis claritatis intimae arcana non indicat[c]. Hinc per eum diuina uoce praecipitur, ut is qui cisternam foderit, si operire neglegat, corruente in ea boue uel asino, pretium reddat[d], quia ad

34 in quiddam suum *T E B* : in quodam suo uitio *μ* ‖ 35 suo : uitio *B* ‖ dolore : labore *μ*

XXXIX, 3 sciendum *T E B aliique μ* : studendum *Gemet. Lyr.* ‖ 18 neglexerit *μ*

XXXIX a. Lc 12, 42 ; cf. Matth. 24, 45 ‖ b. I Cor. 3, 1 ‖ c. Cf. Ex. 34, 29-35 ‖ d. Cf. Ex. 21, 33-34

possession familière d'un avantage, pour qu'il soit détaché sans douleur de la possession d'un autre.

CHAPITRE 39

A des esprits frustes, pas de hautes prédications.

Le prédicateur doit savoir ne pas entraîner son auditeur au-delà de ses forces : la corde de son esprit, si l'on peut dire, se romprait, tendue, plus qu'elle ne peut l'être. Les hauts sommets doivent être cachés à beaucoup d'auditeurs, et découverts tout juste à un petit nombre. Voilà pourquoi la Vérité dit elle-même : *« Quel est, pour toi, l'intendant fidèle et avisé que le maître a établi sur sa maison, pour donner à ses gens, au temps voulu, leur mesure de froment*[a] *? »* La mesure de froment figure la modération de la parole : donner à un cœur étroit ce qu'il ne peut contenir, ce serait répandre au-dehors[1]. Voilà pourquoi Paul déclare : *« Je n'ai pu vous parler comme à des hommes spirituels, mais comme à des êtres charnels. Comme à de petits enfants dans le Christ, je vous ai donné du lait à boire, non une nourriture solide*[b]. *»* Voilà pourquoi Moïse, sortant de son entretien secret avec Dieu, voile en présence du peuple son visage resplendissant de lumière[c]. C'est évidemment qu'il ne fait pas connaître aux foules les mystérieuses clartés du dedans. Voilà pourquoi il est prescrit par la loi divine que si un homme creuse une citerne en négligeant de la recouvrir, et qu'un bœuf ou un âne y tombe, il en rembourse la valeur[d] : l'homme qui parvenu aux eaux

1. Sur *extra fundatur*, cf. AUGUSTIN, *Comm. Jn* 18, 12, 2 : *timeo ne ... effundatur* (rapprochement obligeamment signalé par Mme Paronetto).

20 alta scientiae fluenta perueniens, cum haec apud bruta audientium corda non contegit, poenae reus addicitur, si per uerba eius in scandalum, siue munda seu mens immunda capiatur. Hinc ad beatum Iob dicitur : *Quis dedit gallo intellegentiam*[e] *?* Praedicator etenim sanctus 25 dum caliginoso hoc clamat in tempore, quasi gallus cantat in nocte, cum dicit : *Hora est iam nos de somno surgere*[f]. Et rursus : *Euigilate iusti, et nolite peccare*[g]. Gallus autem profundioribus horis noctis altos edere cantus solet ; cum uero matutinum iam tempus in 30 proximo est, minutas ac tenues uoces format, quia nimirum qui recte praedicat, obscuris adhuc cordibus aperta clamat, nil de occultis mysteriis indicat, ut tunc subtiliora quaeque de caelestibus audiant, cum luci ueritatis appropinquant.

CAPVT XL

De opere praedicatoris et uoce.

LXIV Sed inter haec ad ea quae iam superius diximus, caritatis studio retorquemur, ut praedicator quisque plus actibus quam uocibus insonet, et bene uiuendo uestigia 5 sequacibus imprimat quam loquendo quo gradiantur ostendat. Quia et gallus iste, quem pro exprimenda boni

25 caligoso *T E B (cf. XXXII, l. 10)*
XL, 5 quam *T E B* : potius *praem. edd. μ*

e. Job 38, 36 ‖ f. Rom. 13, 11 ‖ g. I Cor. 15, 34.

1. Cette citation de *Job* rattache le *Pastoral* aux *Moralia* (cf. t. 1, Introduction, p. 5). En outre, l'auteur inscrit son texte dans une boucle

profondes de la science, ne les cache pas à des auditeurs à l'esprit grossier, est passible d'une peine si sa parole leur est une occasion de chute, qu'il s'agisse d'âmes innocentes ou souillées. Voilà pourquoi il est dit au bienheureux Job : *« Qui a donné au coq l'intelligence*[e] *? »* C'est qu'un saint prédicateur qui parle bien haut à notre sombre époque ressemble au coq chantant dans la nuit[1], quand il dit : *« Voici maintenant l'heure de sortir de notre sommeil*[f]*. »* Et encore : *« Éveillez-vous, justes, et ne péchez pas*[g]*. »* Le coq fait entendre ses notes hautes aux heures profondes de la nuit ; mais quand le matin est proche, il émet des sons menus et déliés. A des esprits encore enténébrés, un bon prédicateur donne bien haut des enseignements clairs, il ne fait rien connaître des mystères cachés ; c'est en approchant de la lumière de la vérité qu'ils pourront entendre des enseignements plus pénétrants sur les choses du ciel.

CHAPITRE 40

Les actes du prédicateur, et sa parole.

Tout cela étant dit, nous sommes ramenés par le zèle de la charité à ce que nous avons exposé plus haut : un prédicateur doit toujours se faire entendre par des actes plus que par des paroles ; que par sa vie bonne il laisse derrière lui des traces que d'autres suivront, plutôt que de leur indiquer par la parole où ils doivent aller. Ce coq que le Seigneur prend comme exemple pour exprimer

en citant à la fin ce qui, dans les *Moralia*, servait d'argument au développement repris dans le prologue de la troisième partie du *Pastoral* (cf. JUDIC, « Structure et fonction »).

praedicatoris specie in loquutione sua Dominus assumit, cum iam edere cantus parat, prius alas excutit, et semetipsum feriens uigilantiorem reddit. Quia nimirum necesse
10 est ut hi qui uerba sanctae praedicationis mouent, prius studio bonae actionis euigilent, ne in semetipsis torpentes opere, alios excitent uoce ; prius se per sublimia facta excutiant, et tunc ad bene uiuendum alios sollicitos reddant ; prius cogitationum alis semetipsos feriant ; quid-
15 quid in se inutiliter torpet, sollicita inuestigatione deprehendant, districta animaduersione corrigant ; et tunc demum aliorum uitam loquendo componant ; prius punire propria fletibus curent, et tunc quae aliorum sunt punienda denuntient ; et antequam uerba exhortationis in-
20 sonent, omne quod loquuturi sunt, operibus clament.

1. Ce chapitre apparaît ainsi comme le développement de la citation de *Job* 38, 36 du chapitre précédent et complète l'encadrement de la troisième partie.

ce qu'est le prédicateur idéal dans sa façon de parler, commence par battre des ailes, quand il se prépare à chanter, et à se frapper lui-même pour bien se réveiller[1]. Oui, avant de faire résonner les mots d'une sainte prédication, il faut se réveiller par son application à bien agir, de peur d'exciter les autres de la voix tout en étant soi-même somnolent à l'œuvre. Il faut d'abord se secouer par de bonnes actions, et alors inspirer aux autres le souci de bien vivre. Il faut d'abord faire battre en soi-même les ailes des pensées, découvrir par un examen sérieux tout ce qui en soi somnole, le corriger par une sévère censure, et alors, oui, parler pour mettre de l'ordre dans la vie des autres. Il faut d'abord avoir soin de punir par les larmes ses propres fautes, et alors dénoncer ce qui est à punir dans les autres ; et avant de faire retentir les mots qui exhortent, que l'on clame par ses œuvres tout ce qu'on a l'intention de dire[2].

2. Parallèle textuel avec *Mor.* 30, 3, 15 (*CCL* 143B, p. 1501-1502).

QVARTA PARS

PERACTIS RITE OMNIBVS QVALITER PRAEDICATOR AD SEMETIPSVM REDEAT, NE HVNC VEL VITA VEL PRAEDICATIO EXTOLLAT

LXV Sed quia saepe dum praedicatio modis congruentibus
5 ubertim funditur, apud semetipsum de ostensione sui occulta laetitia loquentis animus subleuatur, magna cura necesse est, ut timoris laceratione se mordeat, ne qui aliorum uulnera medendo ad salutem reuocat, ipse per neglegentiam suae salutis intumescat, ne proximos
10 iuuando se deserat, ne alios erigens cadat. Nam quibusdam saepe magnitudo uirtutis occasio perditionis fuit, ut cum de confidentia uirium inordinate securi sunt, per neglegentiam inopinate morerentur. Virtus namque cum uitiis renititur, quadam delectatione eius sibimetipsi ani-
15 mus blanditur ; fitque ut bene agentis mens metum suae circumspectionis abiciat, atque in sui confidentia secura requiescat.

Cui iam torpenti seductor callidus omne quod bene gessit enumerat, eamque quasi prae ceteris praepollentem
20 in tumore cogitationis exaltat. Vnde agitur, ut ante iusti iudicis oculos fouea mentis sit memoria uirtutis, quia

6 cura : *hic deficit T*

QUATRIÈME PARTIE

COMMENT LE PRÉDICATEUR, APRÈS AVOIR PONCTUELLEMENT OBSERVÉ CES RÈGLES, DOIT RENTRER EN LUI-MÊME, DE FAÇON QUE NI SA VIE NI SA PRÉDICATION NE L'ENORGUEILLISSENT

Souvent, au moment où les phrases d'une prédication au ton juste coulent abondantes, une secrète joie monte au cœur de l'orateur, celle de s'être montré. Aussi doit-il avec grand soin s'infliger à lui-même la morsure de la crainte, de peur que rendant aux autres la santé en soignant leurs blessures, il ne s'enfle d'orgueil, négligeant sa propre santé ; de peur de s'oublier en aidant son prochain ; de peur de tomber en relevant autrui. La hauteur de leur vertu a été pour beaucoup la cause de leur perte : confiants dans leurs forces, sûrs d'eux-mêmes à l'excès, ils sont morts inopinément des suites de leur négligence. La lutte contre le vice s'accompagne pour la vertu d'un certain plaisir dont le cœur s'enchante, et il arrive que celui qui agit bien laisse de côté la préoccupation de veiller sur son âme, laquelle se repose, tranquille, dans sa confiance en elle-même.

Or tandis qu'elle somnole, le roué séducteur lui énumère tout ce qu'elle a su opérer de bien, et il se fait que s'imaginant supérieur à tous, on se monte la tête, enflé de vanité. Il en résulte qu'aux yeux du juste juge, le souvenir de sa vertu devient une chausse-trappe pour

reminiscendo quod gessit, dum se apud se erigit, apud humilitatis auctorem cadit. Hinc namque superbienti animae dicitur : *Quo pulchrior es, descende, et dormi cum*
25 *incircumcisis*[a]. Ac si aperte diceretur : Quia ex uirtutum decore te eleuas, ipsa tua pulchritudine impelleris ut cadas. Hinc sub Hierusalem specie, uirtute superbiens anima reprobatur, cum dicitur : *Perfecta eras in decore meo, quem posueram super te, dicit Dominus ; et habens*
30 *fiduciam in pulchritudine tua, fornicata es in nomine tuo*[b]. Fiducia quippe suae pulchritudinis animus attollitur, cum de uirtutum meritis laeta apud se securitate gloriatur. Sed per hanc eandem fiduciam ad fornicationem ducitur, quia cum interceptam mentem cogitationes suae deci-
35 piunt, hanc maligni spiritus per innumera uitia seducendo corrumpunt.

Notandum uero quod dicitur : *Fornicata es in nomine tuo*, quia cum respectum mens superni rectoris deserit, laudem protinus priuatam quaerit, et sibi arrogare incipit
40 omne bonum, quod ut largitoris praeconio seruiret accepit ; opinionis suae gloriam dilatare desiderat, satagit ut mirabilis cunctis innotescat. In suo ergo nomine fornicatur, quae legalis thori connubium deserens, corruptori spiritui in laudis appetitu substernitur. Hinc Dauid ait :
45 *Tradidit in captiuitatem uirtutes eorum, et pulchritudines eorum in manus inimici*[c]. In captiuitatem etenim uirtus et pulchritudo in manus inimici traditur, cum deceptae menti antiquus hostis ex boni operis elatione dominatur.

Quae tamen uirtutis elatio, quamuis plene non superat,
50 utcumque tamen et electorum animum saepe temptat, sed cum subleuatus destituitur, destitutus ad formidinem

45 uirtutes *E B cum Paterio* : -tum *alii codd.* *μ* ‖ pulchritudines *E B* : -nem *alii codd.* *μ*

a. Éz. 32, 19 ‖ b. Éz. 16, 14-15 ‖ c. Ps. 77, 61

cette âme, car en se rappelant ce qu'elle a fait, elle s'élève à ses yeux, et du même coup, aux yeux de l'auteur de l'humilité, elle déchoit. Voilà pourquoi il est dit à l'âme enorgueillie : *« Parce que tu es plus belle, descends, et dors avec les incirconcis*[a]. *»* En clair, c'était dire : « Parce que tu t'élèves à cause de l'éclat de tes vertus, ta beauté même entraîne ta chute. » Voilà pourquoi, sous la figure de Jérusalem, l'âme enorgueillie par sa vertu est ainsi blâmée : *« Tu étais parfaite, avec la noblesse dont je t'avais revêtue, dit le Seigneur ; et confiante en ta beauté, tu t'es prostituée, en faveur de ton nom*[b]. *»* L'âme s'élève, confiante en sa beauté, quand elle se glorifie en elle-même des mérites de ses vertus, avec une joyeuse assurance. Mais cette confiance même l'amène à se prostituer, car lorsque, surprise, elle est trompée par ses propres imaginations, les esprits malins la corrompent par la séduction d'innombrables vices.

Il faut bien remarquer ce mot : *« tu t'es prostituée, en faveur de ton nom »,* car lorsqu'une âme cesse de regarder là-haut vers celui qui gouverne tout, elle cherche du même coup sa propre louange et commence à s'attribuer tout le bien qu'elle a reçu pour servir à la glorification de son bienfaiteur ; elle désire étendre l'éclat de son renom ; elle s'active pour être connue, objet de l'admiration de tous. Elle se prostitue donc en faveur de son nom, car délaissant le lit conjugal irréprochable, elle se livre à l'esprit corrupteur, dans son appétit de louange. De là le mot de David : *« Il a livré leurs vertus à la captivité et leurs beautés aux mains de l'ennemi*[c]. *»* La vertu est livrée à la captivité et la beauté aux mains de l'ennemi quand l'antique ennemi domine sur une âme prise au piège de l'orgueil du bien.

Sans être complètement le maître, cependant, cet orgueil de la vertu tente souvent d'une façon ou de l'autre même le cœur des élus ; mais ce cœur qui s'élevait est laissé à lui-même, et laissé à lui-même il est ramené à la

reuocatur. Hinc etenim Dauid iterum dicit : *Ego dixi in abundantia mea, non mouebor in aeternum*[d]. Sed quia de confidentia uirtutis intumuit, paulo post quod pertulit
55 adiunxit : *Auertisti faciem tuam a me, et factus sum conturbatus*[e]. Ac si aperte dicat : Fortem me inter uirtutes credidi, sed quantae infirmitatis sim derelictus agnoui. Hinc rursum dicit : *Iuraui et statui custodire iudicia iustitiae tuae*[f]. Sed quia eius uirium non erat manere in
60 custodia quam iurabat, debilitatem suam protinus turbatus inuenit. Vnde et ad precis opem repente se contulit, dicens : *Humiliatus sum usquequaque, Domine ; uiuifica me secundum uerbum tuum*[g].

Nonnumquam uero superna moderatio priusquam per
65 munera prouehat, infirmitatis memoriam ad mentem reuocat, ne de acceptis uirtutibus intumescat. Vnde Ezechiel propheta quoties ad contemplanda caelestia ducitur, prius *filius hominis*[h] uocatur, ac si hunc aperte Dominus admoneat, dicens : Ne de his quae uides, in elatione cor
70 subleues, cautus perpende quod es, ut cum summa penetras, esse te hominem recognoscas, quatinus dum ultra te raperis, ad temetipsum sollicitus infirmitatis tuae freno reuoceris. Vnde necesse est ut cum uirtutum nobis copia blanditur, ad infirma sua mentis oculus redeat, seseque
75 salubriter deorsum premat. Nec recta quae egit, sed quae agere neglexit aspiciat, ut dum cor ex memoria infirmitatis atteritur, apud humilitatis auctorem robustius in uirtute solidetur. Quia et plerumque omnipotens Deus idcirco rectorum mentes quamuis ex magna parte perficit,
80 imperfectas tamen ex parua aliqua parte derelinquit, ut

52 dicit *E B cum Paterio* : ait *alii codd.* μ || 54 quod *E cum Paterio* : qui *B* quid μ || 79 parte : *om. E B*

---

d. Ps. 29, 7 || e. Ps. 29, 8 || f. Ps. 118, 106 || g. Ps. 118, 107 ; cf. 37, 7 || h. Éz. 1.3.6.8 ; 3, 1, etc...

crainte. D'où encore ce mot de David : *« J'ai dit au temps de mon abondance : Je ne serai jamais ébranlé*[d]*.* » Or comme sa confiance en sa vertu l'avait gonflé d'orgueil, il ajouta ce que peu après il eut à souffrir : *« Tu as détourné de moi ta face, et j'ai été bouleversé*[e]*.* » En clair, c'était dire : « Je me suis cru fort, parmi tant de vertus, mais, délaissé, j'ai appris à connaître combien je suis faible. » Aussi dit-il à nouveau : *« J'ai juré et j'ai résolu d'observer les décrets de ta justice*[f]*.* » Mais comme il ne dépendait pas de ses forces d'être fidèle à l'observance jurée, il a fait sans tarder, troublé, la rencontre de sa faiblesse. Alors il a recouru soudain au secours de la prière : *« J'ai été humilié à fond, Seigneur ; rends-moi la vie, selon ta parole*[g]*.* »

Avant de l'élever par ses dons, la providence divine rappelle parfois une âme au souvenir de sa faiblesse, de peur qu'elle ne s'enfle de vanité à cause des vertus qu'elle aura reçues. C'est pourquoi, chaque fois qu'il est invité à contempler les réalités célestes, le prophète Ézéchiel est appelé *« fils d'homme*[h] *»*, comme si le Seigneur l'avertissait clairement : « Ne va pas laisser ton cœur s'élever par l'orgueil à cause de ce que tu vois, rends-toi compte prudemment de ce que tu es, de façon que lorsque tu pénètres les très hautes réalités tu reconnaisses que tu es homme ; de la sorte, ravi au-delà de toi, tu seras rappelé à toi, troublé, par la bride de ta faiblesse. » Il est donc indispensable que lorsque l'abondance de nos vertus nous flatte, notre âme ramène son regard sur ses infirmités, et s'abaisse avec une salutaire humilité. Qu'elle jette les yeux non pas sur ce qu'elle a fait, mais sur ce qu'elle a négligé de faire ; de la sorte, le cœur brisé au souvenir de sa faiblesse sera affermi plus solidement auprès de l'auteur de l'humilité. Car tout en donnant aux pasteurs un ensemble de hautes qualités d'âme, le Dieu tout-puissant leur laisse d'ordinaire quelques légers défauts, afin que, tout rayonnants d'admirables vertus, ils se

cum miris uirtutibus rutilant, imperfectionis suae taedio tabescant, et nequaquam se de magnis erigant, dum adhuc contra minima innitentes laborant, sed quia extrema non ualent uincere, de praecipuis actibus non
85 audeant superbire.

Ecce, bone uir, reprehensionis meae necessitate compulsus, dum monstrare qualis esse debeat pastor inuigilo, pulchrum depinxi hominem pictor foedus aliosque ad perfectionis litus dirigo, qui adhuc in delic-
90 torum fluctibus uersor. Sed in huius quaeso uitae naufragio orationis tuae me tabula sustine, ut quia pondus proprium deprimit, tui meriti manus me leuet.

92 me : *om. B*

---

1. Cf. t. 1, Introduction, p. 23, n. 1 ; p. 32, n. 3 et p. 91, n. 1.

2. Ce dernier paragraphe est la clausule de la lettre-dédicace à Jean compagnon dans l'épiscopat. Ainsi le *Pastoral* tout entier se trouve-t-il

désolent de leur attristante imperfection : ils n'auront pas le moindre sentiment d'orgueil à cause de leurs grands mérites, peinant encore avec effort contre de minimes difficultés, mais impuissants à remporter de très menues victoires, ils n'oseront pas faire les fiers pour leurs actions les plus remarquables.

Voilà, excellent ami, que contraint par la nécessité de faire ma propre critique, je me suis appliqué à montrer ce que doit être un pasteur, et j'ai peint un beau portrait d'homme, moi, un peintre bien laid[1] ; et je dirige les autres vers les rives de la perfection, battu encore moi-même par les vagues du péché. Mais dans le naufrage de la vie, je t'en prie, soutiens-moi par la planche de salut de ta prière : de mon propre poids, je m'enfonce, que ta main bienfaisante me relève[2] !

enchâssé dans une lettre, premier niveau de construction du traité en échos successifs (cf. JUDIC, « Structure et fonction »).

I. INDEX SCRIPTURAIRE

Les références précédées d'un * concernent des allusions.

Genèse

Exode

Lévitique

Nombres

Proverbes

Ecclésiaste

Lamentations

Ézéchiel

Daniel

Osée

Joël

Amos

Habacuc

Aggée

Zacharie

Jean

Actes

Romains

I Corinthiens

II Corinthiens

Galates

Éphésiens

Philippiens

Colossiens

I Thessaloniciens

II Thessaloniciens

I Timothée

II Timothée

Tite

Hébreux

Jacques

I Pierre

II Pierre

I Jean

Apocalypse

II. INDEX GRÉGORIEN

Le premier chiffre (romain) renvoie au tome de la présente édition du *Pastoral,* le second (arabe) à la page, le troisième (arabe) à la note.

Morales

Homélies sur Ézéchiel

Homélies sur l'Évangile

Dialogues

Commentaire sur le Cantique des cantiques

III. INDEX DES AUTEURS ANCIENS ET MÉDIÉVAUX

Le premier chiffre (romain) renvoie au tome de la présente édition du *Pastoral,* le second (arabe) à la page, le troisième (arabe) à la note.

I

DIFFUSION DU *PASTORAL*
A L'ÉPOQUE DE GRÉGOIRE

Légende :

● présence du *Pastoral* attestée
▲ influence indirecte

1. Canterbury
2. Luxeuil
3. Séville
4. Carthagène
5. Luni
6. Ravenne
7. Rome
8. Constantinople
9. Antioche
10. Jérusalem
11. Alexandrie

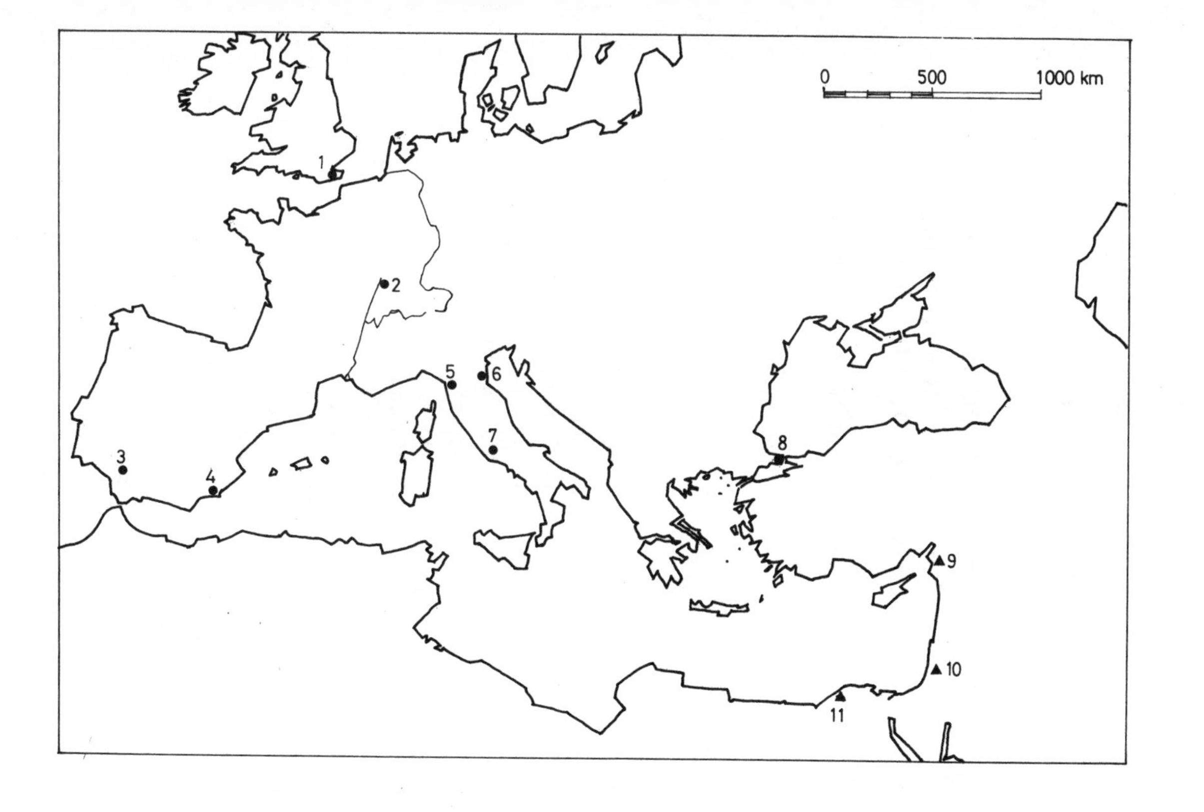
0
500
1000 km
1
2
3
4
5
6
7
8
9
10
11

II

PRÉSENCE DU *PASTORAL* DE LA MORT DE GRÉGOIRE AU MILIEU DU VIIIe SIÈCLE

(attestation directe ou indirecte)

Légende :

1. Sud de l'Irlande
2. Jarrow
3. Wearmouth
4. York
5. Malmesbury
6. Sherbone
7. Fulda
8. Mayence
9. Luxeuil
10. Ligugé
11. Saragosse
12. Tolède
13. Séville

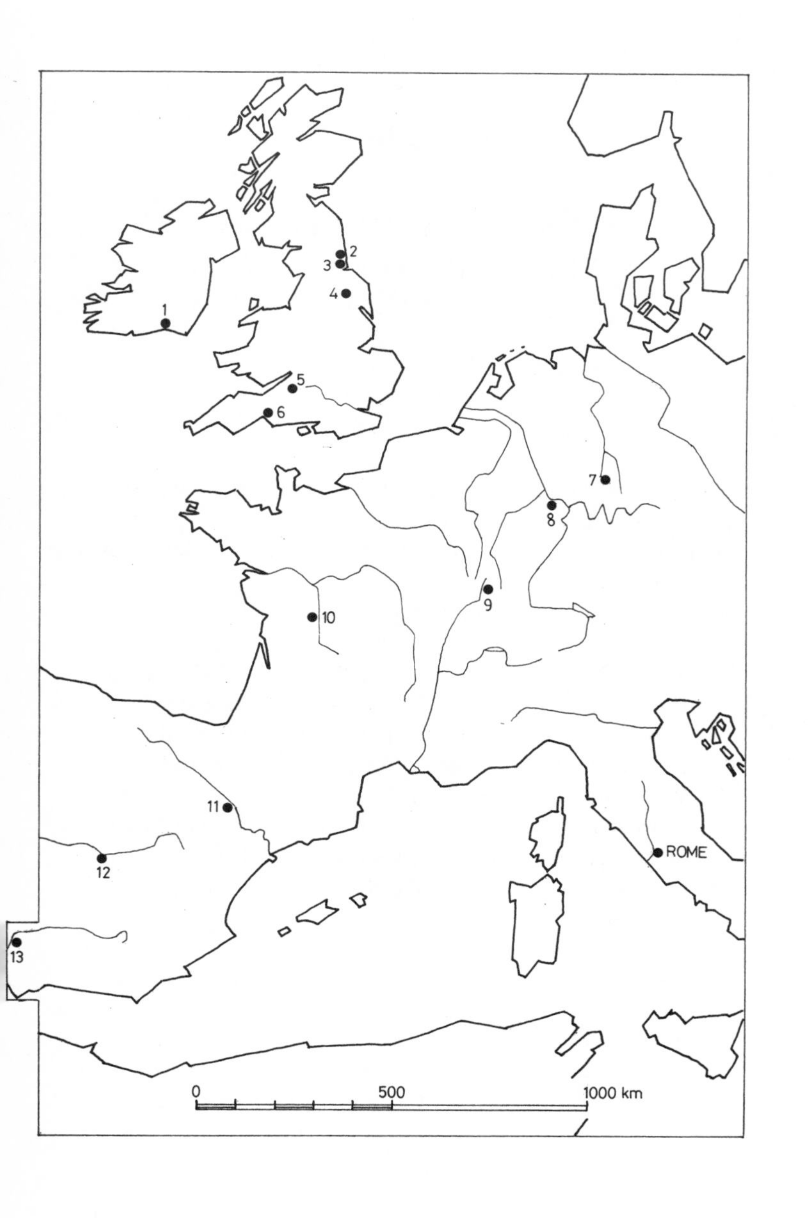
1
2
3
4
5
6
7
8
9
10
11
12
13
ROME
0
500
1000 km

III

PRÉSENCE DU *PASTORAL*

DU MILIEU DU VIIIe SIÈCLE A LA FIN DU IXe SIÈCLE

Légende :

● présence du *Pastoral* chez des écrivains (mention, citations, traduction...)

▲ mention ou citation du *Pastoral* dans un concile ou un capitulaire

■ présence attestée d'un manuscrit du *Pastoral*

1. York 2. Canterbury 3. Saint-Bertin 4. Saint-Riquier 5. Fontenelle 6. Corbie 7. Cambrai 8. Quierzy 9. Paris 10. Reims 11. Aix-la-Chapelle 12. Fulda 13. Francfort 14. Mayence 15. Tribur 16. Lorsch 17. Würzburg 18. Saint-Mihiel 19. Orléans 20. Tours 21. Murbach 22. Ratisbonne 23. Salzbourg 24. Reichenau 25. Saint-Gall 26. Châlon-sur-Saône 27. Oviedo 28. Crémone 29. Bobbio 30. Rome.

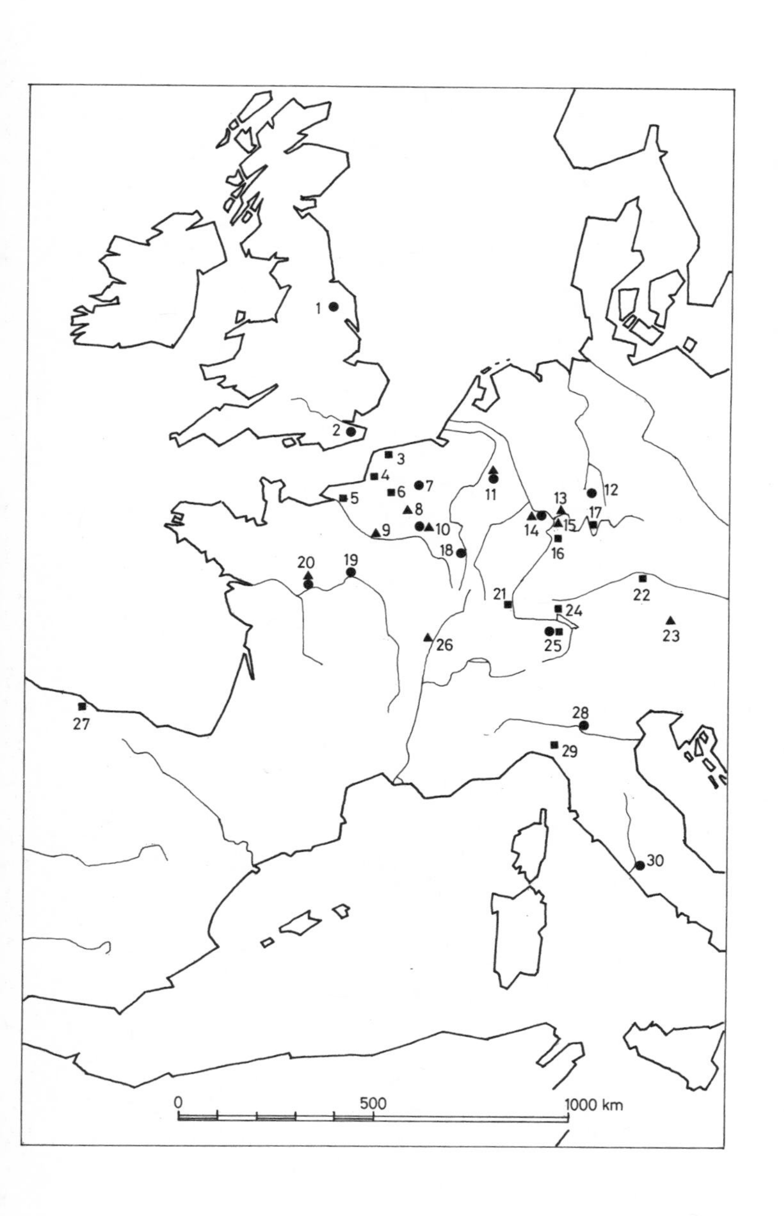

1
2
3
4
5
6
7
8
9
10
11
12
13
14
15
16
17
18
19
20
21
22
23
24
25
26
27
28
29
30
0
500
1000 km

TABLE DES MATIÈRES

SOURCES CHRÉTIENNES

Dans la liste qui suit, dite « liste alphabétique », tous les ouvrages sont rangés par nom d'auteur ancien, les numéros précisant pour chacun l'ordre de parution depuis le début de la collection. Pour une information plus complète, on peut se procurer deux autres listes au secrétariat de « Sources Chrétiennes » – 29, rue du Plat, 69002 Lyon (France) – Tél. : 78.37.27.08 :

1. la « liste numérique », qui présente les volumes et leurs auteurs actuels d'après les dates de publication ; elle indique les réimpressions et les ouvrages momentanément épuisés ou dont la réédition est préparée.
2. la « liste thématique », qui présente les volumes d'après les centres d'intérêt et les genres littéraires : exégèse, dogme, histoire, correspondance, apologétique, etc.

LISTE ALPHABÉTIQUE (1-386)

ACTES DE LA CONFÉRENCE DE CARTHAGE : *194, 195, 224* et *373*.
ADAM DE PERSEIGNE.
Lettres, I : *66*.
AELRED DE RIEVAULX.
Quand Jésus eut douze ans : *60*.
La vie de recluse : *76*.
AMBROISE DE MILAN.
Apologie de David : *239*.
Des sacrements : *25 bis*.
Des mystères : *25 bis*.
Explication du Symbole : *25 bis*.
La Pénitence : *179*.
Sur saint Luc : *45* et *52*.
AMÉDÉE DE LAUSANNE.
Huit homélies mariales : *72*.
ANSELME DE CANTORBÉRY.
Pourquoi Dieu s'est fait homme : *91*.
ANSELME DE HAVELBERG.
Dialogues, I : *118*.
APHRAATE LE SAGE PERSAN. Exposés : *349* et *359*.
APOCALYPSE DE BARUCH : *144* et *145*.
ARISTÉE (LETTRE D') : *89*.
ATHANASE D'ALEXANDRIE.
Deux apologies : *56 bis*.
Discours contre les païens : *18 bis*.
Voir « Histoire acéphale » : *317*.
Lettres à Sérapion : *15*.
Sur l'Incarnation du Verbe : *199*.
ATHÉNAGORE.
Supplique au sujet des chrétiens : *379*.
Sur la résurrection des morts : *379*.
AUGUSTIN.
Commentaire de la première Épître de saint Jean : *75*.
Sermons pour la Pâque : *116*.
BARNABÉ (ÉPITRE DE) : *172*.

SOUS PRESSE

Apophtegmes des Pères, tome I.
HERMIAS : **Diatribe contre les philosophes païens.**
BERNARD DE CLAIRVAUX : **A la gloire de la Vierge Mère.**
JEAN CHRYSOSTOME : **L'égalité du Père et du Fils.**
ORIGÈNE : **Homélies sur les Juges.**

PROCHAINES PUBLICATIONS

ÉVAGRE LE PONTIQUE : **Scholies sur l'Ecclésiaste.**
CYRILLE D'ALEXANDRIE : **Lettres festales,** tome II.
CÉSAIRE D'ARLES : **Œuvres monastiques,** tome II .
BERNARD DE CLAIRVAUX : **La Grâce et le libre-arbitre - L'Amour de Dieu.**
GRÉGOIRE DE NAZIANZE : **Discours 6-12.**
Livre d'heures ancien du Sinaï.
GRÉGOIRE LE GRAND : **Commentaire sur le 1er Livre des Rois,** tome II.
TERTULLIEN : **La Pudicité.**
BASILE DE CÉSARÉE : **Homélies morales,** tome I.
ATHANASE D'ALEXANDRIE : **Vie de S. Antoine.**
MARC LE MOINE : **Traités,** tome I.

Également aux Éditions du Cerf

LES ŒUVRES DE PHILON D'ALEXANDRIE
publiées sous la direction de
R. ARNALDEZ, C. MONDÉSERT, J. POUILLOUX.
Texte original et traduction française.

1. **Introduction générale. De opificio mundi,** R. Arnaldez.
2. **Legum allegoriae,** C. Mondésert.
3. **De cherubim.** J. Gorez.
4. **De sacrificiis Abelis et Caini.** A. Méasson.
5. **Quod deterius potiori insidiari soleat.** I. Feuer.
6. **De posteritate Caini.** R. Arnaldez.
7-8. **De gigantibus. Quod Deus sit immutabilis.** A. Mosès.
9. **De agricultura.** J. Pouilloux.
10. **De plantatione.** J. Pouilloux.
11-12. **De ebrietate. De sobrietate.** J. Gorez.
13. **De confusione linguarum.** J.-G. Kahn.
14. **De migratione Abrahami.** J. Cazeaux.
15. **Quis rerum divinarum heres sit.** M. Harl.
16. **De congressu eruditionis gratia.** M. Alexandre.
17. **De fuga et inventione.** E. Starobinski-Safran.
18. **De mutatione nominum.** R. Arnaldez.
19. **De somniis.** P. Savinel.
20. **De Abrahamo.** J. Gorez.
21. **De Iosepho.** J. Laporte.
22. **De vita Mosis.** R. Arnaldez, C. Mondésert, J. Pouilloux, P. Savinel.
23. **De Decalogo.** V. Nikiprowetzky.
24. **De specialibus legibus.** Livres I-II. S. Daniel.
25. **De specialibus legibus.** Livres III-IV. A. Mosès.
26. **De virtutibus.** R. Arnaldez, A.-M. Vérilhac, M.-R. Servel et P. Delobre.
27. **De praemiis et poenis. De exsecrationibus.** A. Beckaert.
28. **Quod omnis probus libert sit.** M. Petit.
29. **De vita contemplativa.** F. Daumas et P. Miquel.
30. **De aeternitate mundi.** R. Arnaldez et J. Pouilloux.
31. **In Flaccum.** A. Pelletier.
32. **Legatio ad Caium.** A. Pelletier.
33. **Quaestiones in Genesim et in Exodum. Fragmenta graeca.** F. Petit.
34 A. **Quaestiones in Genesim,** I-II (e vers. armen). Ch. Mercier.
34 B. **Quaestiones in Genesim,** III-VI (e vers. armen). Ch. Mercier et F. Petit.
34 C. **Quaestiones in Exodum,** I-II (e vers. armen.).
35. **De providentia,** I-II. M. Hadas-Lebel.
36. **Alexander (De animalibus).** A. Terian et J. Laporte.